生态环境产教融合系列教材

国际物流与货运代理

李亚东　谷　静　主　编

孟媛媛　赵婷婷　朱思乔　副主编

中国环境出版集团·北京

图书在版编目（CIP）数据

国际物流与货运代理 / 李亚东，谷静主编 ； 孟媛媛，
赵婷婷，朱思乔副主编. -- 北京 ： 中国环境出版集团，
2025. 11. -- ISBN 978-7-5111-6284-7

Ⅰ. F259.1；F511.41

中国国家版本馆 CIP 数据核字第 2025D9U952 号

责任编辑 董蓓蓓
封面设计 宋 瑞

出版发行 中国环境出版集团
（100062 北京市东城区广渠门内大街 16 号）
网 址：http://www.cesp.com.cn
电子邮箱：bjgl@cesp.com.cn
联系电话：010-67112765（编辑管理部）
010-67113412（第二分社）
发行热线：010-67125803，010-67113405（传真）

印 刷 北京鑫益晖印刷有限公司
经 销 各地新华书店
版 次 2025 年 11 月第 1 版
印 次 2025 年 11 月第 1 次印刷
开 本 787×1092 1/16
印 张 19.5
字 数 403 千字
定 价 68.00 元

生态环境产教融合系列教材

总　序

培养大批应用型人才是贯彻落实党中央、国务院关于教育综合改革决策部署的必要之举，产教融合是高等学校培养应用型人才的必由之路。2017 年，国务院办公厅印发《关于深化产教融合的若干意见》（国办发〔2017〕95 号），明确要求深化职业教育、高等教育等改革，发挥企业重要主体作用，促进人才培养供给侧和产业需求侧结构与要素全方位融合，培养大批高素质创新人才和技术技能人才。深入推进产教融合在解决教育链与产业链脱节问题，将最新理论和技术落实落地，打破产业发展瓶颈，提升高校应用型人才培养质量等方面具有重要意义。

教材作为知识的载体，体现了人才培养目标的要求，是开展教学的基本工具，更是人才培养质量的重要保证。面对应用型人才培养的要求，教材改革迫在眉睫。目前在应用型人才培养过程中普遍缺乏合适的教材，往往借用原有的普通本科教材，其教学要求、教学内容和教学模式，都不适用于强调实践能力的应用型人才培养，难以实现应用型人才的培养目标；有些应用型教材地域性过于明显，或不成体系，限制了学生对行业整体性的了解。因此，面对行业产业需求，将专业教育链与对应的产业链有机衔接，编写兼具适用性和实用性的应用型系列教材非常迫切，并具有重要的现实意义。

党的二十大提出建设人与自然和谐共生的现代化。2023 年 12 月中共中央、国务院印发《关于全面推进美丽中国建设的意见》，明确了要加快形成以实现人与自然和谐共生现代化为导向的美丽中国建设新格局。贯彻落实习近平生态文明思想，加快形成绿色低碳生产生活方式，把建设美丽中国转化为社会行为自觉，已成为新时代发展的必然趋势。高等学校是人才培养、文化传承的重要阵地，在美丽中国建设中，要承担起培养生态文明建设人才、传播习近平生态文明思想、提高全民生态文明素质的重任。面对生态文明建设的新形势和美丽中国建设的明确要求，培养适应生态文明建设需要的应用型、复合型、创新型人才非常迫切。因为生态环境问题的交叉性、系统性和复杂性，在各行各业、生产生活各领域都存在生态环境问题，所以生态环境问题的解决不是某一个行业的事情。这样就使生态环境人才的培养具有两方面特点：一方面具有鲜明的应用型特点，要能够解决各行各业、各个领域的环境问题；另一方面具有交叉复合型特点，培养生态环境人才不仅仅是生态环境类专业独有的任务。因此，高等学校要站在将生态文明建设纳入“五位一体”总体布局的高度，将专业人才培养链与行业产业的生态环境需求有机衔接，培养生态文明建设需要的应用型人才。所以，开发针对各行各业生态环境问题的产教融合系列教材迫在眉睫。

河北环境工程学院前身是中国环境管理干部学院，由中国环保事业的奠基者曲格平先生创建，是中国最早开展环境教育的高校之一。建校 40 余年来，学校历经环保干部轮训、环保局长岗位培训、成人高等教育、高职教育、本科教育，为环保事业源源不断地输送了大批中坚和骨干力量。学校在我国环保事业发展的各个阶段都发挥了重要作用，其发展历程见证了中国环境保护事业的发展历程，长期以来被誉为环保系统的“黄埔军校”。近几年，学校坚持应用型办学定位，以绿色低碳高质量发展需求为导向，优化学科专业结构，建设与行业产业需求有机衔接的专业集群；以产教融合为人才培养主要路径，建立产教融合协同育人的有效机制；以培养高素质应用型人才为根本目标，建立“跨学科交叉、校政企共育共管、多元协同促教”的应用型人才培养模式，改革课程体系和教育教学方法。其中，以课程建设为突破口，以产教融合应用型教材开发为抓手，针对生态环境类专业，梳理生态环保行业的需求，校企合作编写应用型教材；针对非生态环境类专业，梳理其对应的行业产业相应的绿色低碳发展需求，跨学科、跨行业校企合作开发相关教材。通过几年的实践探索，校企合作开发了这套生态环境产教融合系列教材，以期解决高等学校生态环境应用型人才培养缺乏适用教材的问题。

本系列教材以习近平生态文明思想为指导，坚持绿色低碳发展理念，覆盖多学科门类和行业产业领域，具有鲜明的生态环境特色。系列教材中的环境类专业课程教材，直接与生态环境保护产业链相关领域结合，培养服务生态环保行业的应用型人才；系列教材中的非环境类专业课程教材，针对其行业产业链中存在的生态环境相关问题，有针对性地将绿色低碳理念融入教材教学内容，奠定学生坚实的生态文明职业素养。在具体的教材建设环节，成立了由高校“双师型”教师及行业企业一线具有丰富生产经验的专家组成的教材编写组，充分发挥校企合作双主体优势，立足于企业现实岗位中的具体工作过程，采取案例式、任务式、项目式教学设计模式，将企业先进的生产技术、管理理念和课程思政等教育元素融入教材，真正实现教材内容与企业具体岗位的需要全面融合，全方位保证了教材的适应性。本系列教材填补了全国生态环境产教融合应用型系列教材的空白，可供各普通本科院校、职业院校的生态环境类专业学生使用；同时，对非生态环境类专业但开设与生态环境相关课程的，也可选取系列教材中相关的教材使用。

前　言

在经济全球化深入发展与我国构建新发展格局的时代背景下，国际物流与货运代理行业作为全球供应链的动脉系统，其重要性越发凸显。在共建新思路、畅通双循环的战略布局中，国际物流肩负着促进国内外市场联通、资源要素流动的重任，是实现国内国际双循环相互促进的关键纽带。

我国积极推动共建“一带一路”高质量发展，秉持共商共建共享原则，旨在加强与沿线国家的基础设施互联互通，为国际物流开辟新通道、拓展新空间。这不仅促进了贸易自由化和投资便利化，还推动了国际物流行业在运输网络、运营模式、技术创新等方面的深刻变革。与此同时，畅通双循环的战略方针要求提高国际物流的服务能力与效率，降低物流成本，保障供应链的稳定与安全，从而为国内国际市场的深度融合提供有力支撑。

本教材可作为高等院校物流管理类专业本专科相关专业教学用书，也可为广大行业从业者及初学者提供系统的理论指导和实践参考，是一本兼具学术性与实用性的专业教材。项目一和项目二对国际物流进行全面概述，并剖析国际货运代理企业在国际物流运作中的地位与职责，深入剖析国际物流、国际贸易与国际货运代理之间的关联。项目三至项目七分别阐述国际物流通关以及海运、空运、铁路、公路、集装箱运输与国际多式联运等不同物流方式相关知识。项目八紧跟行业发展，探讨保税物流与跨境电商物流，突出新兴领域的重要性。

李亚东、谷静担任教材主编，负责整体框架设计与内容统筹；孟媛媛、赵婷婷作为副主编，协助主编进行资料收集、章节编写与审核工作。编写团队涵盖高校专业教师与企业一线专家，其中特别邀请具有丰富国际物流行业经验的企业专家冯小平担任指导顾问，他为教材提供了大量实践案例与行业前沿洞察，确保了理论知识与实践应用的深度融合。此外，教材还精选了中国远洋海运集团、中国外运集团、菜鸟物流等知名企业的典型案例，这些鲜活的实践素材不仅丰富了教材内容，更为读者提供了宝贵的行业参考。在此，谨向上述企业致以诚挚的谢意，感谢它们为教材编写和行业发展做出的重要贡献。

全体编写人员始终秉持严谨求实的学术态度，致力于将国际物流领域的专业知识系统化、科学化地呈现给读者。然而，鉴于国际物流行业正处于快速变革之中，加之编者水平有限，书中难免存在疏漏与不足。我们诚挚欢迎广大师生、业界同人提出宝贵意见与建议，以便在后续修订中不断完善，为培养更多高素质的国际物流专业人才贡献力量。

李亚东

2025 年 3 月

目　录

项目一　认知国际物流与货运代理

知识与能力目标

- 清晰阐述国际物流产生的原因、发展历程、特点及其内涵；
- 区分国际贸易物流与国际非贸易物流；
- 对国际物流发展趋势有初步认知；
- 准确解释国际货运代理的定义并归纳其双重法律属性特征；
- 列举货运代理企业的服务内容与服务对象；
- 归纳货运代理的作用，能辨析国际物流、国际贸易和国际货运代理之间的关系；
- 能够绘制不同国际贸易结算方式的流程图。

思政目标

- 引导学生树立全球视野，理解国际物流行业对国家经济发展战略的重要意义；
- 能结合企业实际案例与本项目知识点，分析出“共建新丝路”“畅通双循环”国家战略下，国际物流与货运代理行业发展的机遇。

【导入案例】

中国外运[1]不断创新服务模式，为国货出口保驾护航（节选）

根据全球物流业权威杂志 *Transport Topics* 2024 年公布的全球海运/空运货代 50 强榜单，中国外运海运货代位列全球第二、亚洲第一；空运货代位列全球第五、亚洲第一。中国外运以建设世界一流智慧物流平台企业为愿景，聚焦客户需求和深层次的商业压力与挑战，以最佳的解决方案和服务持续创造商业价值和社会价值，形成了以专业物流、代理及相关业务、电商业务为主的三大业务板块，为客户提供端到端的全程供应链方案和服务。近年来，中国外运通过与客户产业链供应链深度融合，为客户提升产品满意度和竞争力；通过打造创新服务模式，为不同规模类型的客户提供定制化的物流运输服务，助力降低全社会物流成本，增强企业和实体经济的竞争力。

---

① 中国外运是中国外运集团的简称。

海信集团是中国外运于 20 世纪 90 年代开始服务的核心客户，双方的合作是从报关及传统货运代理业务开始的。面对行业日益激烈的竞争环境和客户的全球化市场拓展需求，中国外运与客户同行，不断加深联结、丰富服务领域。自 2020 年起，中国外运已开始为海信集团提供全面的供应链管理服务，涵盖海外订单管理、生产跟进、厂内物流、订舱、报关、公路拖运、内河港口起运等多个环节。

中国外运华南有限公司顺德分公司海信订单管理项目部经理苏锦光认为："对外，公司相当于客户的代言人，发布需求指令；对内，公司属于海信的乙方团队。相较传统的第三方物流，中国外运更深入客户的供应链全程，更深入客户的一线"。

青岛海信国际营销股份有限公司供应链管理部副总经理王磊在采访中表示："对国际贸易来讲，物流体系对我们的支撑很大，不管是国内还是进口的原材料供应，都因为物流体系的快速响应，保证了我们及时生产交付。我们交付的产品，通过整个物流体系的运营，也能及时传递给海外客户。"

中国外运的订单管理服务，也进一步帮助海信集团聚焦海外订单谈判及生产管理工作。通过深度参与海信集团的生产环节、提供全程端到端的供应链物流管理服务，中国外运有力地帮助客户提高管理效率、降低物流成本。

自 2021 年起，中国外运同样为战略客户美的量身定制了订单管理中心业务模式，通过提供物流订单管理、关务协调、费用结算、商业单证缮制及铁路操作等个性化服务，帮助美的实现了国际物流层面的降本增效，进一步深化了双方的合作。

未来，中国外运将继续秉持"成就客户 创造价值"的理念，进一步整合通道和资源，延伸物流服务链条、提升全链路服务能力，带动物流产业持续升级，畅通国内国际双循环，为更多企业提供一站式长交付的高品质物流解决方案，助推中国经济高质量发展。

资料来源：物流时代周刊

时间：2024-11-08

网址：https：//mp.weixin.qq.com/s/oeEtoYePto0jEVxNWjltEw

央视财经频道《经济半小时》报道

请结合以上案例以及本项目内容分析以下问题：

1. 在本案例中，中国外运华南有限公司顺德分公司承担的角色是什么？

2. 中国外运华南有限公司顺德分公司为青岛海信国际营销股份有限公司提供哪些服务？

3. 中国外运为美的、海信等企业量身定制的订单管理中心业务模式对于出口企业而言有何意义?

在全球化深度交融的当下，国际物流作为连接各国经济的关键纽带，已然成为驱动世界贸易增长的核心动力。随着中国“一带一路”倡议的持续深化以及加快构建以国内大循环为主体、国内国际双循环相互促进新发展格局的战略推进，国际物流的重要性越发显著。一个高效且畅通的国际物流网络，不仅能有效削减贸易成本、提高贸易效率，还能推动资源要素在全球范围内优化配置，为构建以国内大循环为主体、国内国际双循环相互促进的新发展格局筑牢坚实根基。本模块将系统梳理国际物流的历史演进脉络，深入分析其未来发展趋势，并全面剖析国际物流的特点与分类，为读者构建起对国际物流体系的整体认知框架。

任务一　初识国际物流

一、国际物流的内涵

《物流术语》(GB/T 18354—2021) 对物流做出了定义：物流（logistics）是指根据实际需要，将运输、储存、装卸、搬运、包装、流通加工、配送、信息处理等基本功能实施有机结合，使物品从供应地向接收地进行实体流动的过程。

随着经济社会蓬勃发展，供应链分工步入高度精细化阶段。各国凭借自身优势融入全球产业链，紧密依存。例如一部手机，芯片可能由中国企业设计，芯片的生产由美国企业完成，屏幕的生产由韩国企业完成，最后整机的组装在中国完成。这种精细化分工，极大提高了供应链的生产效率与经济效益。国际物流作为连接生产与消费的关键纽带，其重要性越发凸显。顺畅的国际物流活动能够保障原材料及时运达生产地，推动生产顺利进行，制成品快速进入全球市场。一旦国际物流受阻，全球产业链和供应链便会遭受冲击，企业生产停滞、成本剧增。所以，国际物流是国际经济交流的重要支撑，对全球经济发展起着不可替代的作用。《物流术语》(GB/T 18354—2021) 对国际物流做出了定义：国际物流（International Logistics）是指跨越不同国家（地区）之间的物流活动。

国际物流的概念有广义和狭义之分。

广义的国际物流研究的范围包括国际贸易物流、国际非贸易物流、国际物流投资、国际物流合作、国际物流交流等领域。其中，国际贸易物流主要是指为实现跨境商品所有权有偿转移而进行的系统性物流活动，其核心是依托国际贸易合同，以营利为目的，将货物从出口国卖方实体交付至进口国买方实体，并完整覆盖跨境运输、通关、结算及风险转移的全过程；国际非贸易物流是指不以商品所有权转移为目的的跨境物品流动，其本质是物品物理位置的国际转移，不涉及商业销售行为，主要服务于社会公益、外交活动、个人需求或企业非商业运营；国际物流投资是指不同国家物流企业共同投资建设国际物流企业；国际物流合作是指不同国别的企业完成重大的国际经济技术项目的国际物流；国际物流交流主要是指物流科学、技术、教育、培训和管理方面的国际交流。

狭义的国际物流主要是指当生产消费分别在两个或两个以上的国家（地区）独立进行时，为了克服生产和消费之间的空间间隔和时间距离，对货物（商品）进行物理性移动的过程，从而达到国际商品交易的最终目的。

二、国际物流的发展现状与趋势

（一）第三方物流在国际物流运作中处于主导地位

第三方物流（Third Party Logistics）是指在物流渠道中，由中间商提供专项或全面的物流系统设计，以及系统运营的物流服务模式。因此，第三方物流服务的提供者，就是一个为外部客户管理、控制和提供物流服务的公司，他们并不参与客户企业的经营业务，仅是第三方，但是作为供应链的合作伙伴、战略联盟，通过提供一整套的物流服务，来提高供应链的竞争优势。

国际物流中的大多数第三方物流公司，是以传统的“类物流”业为起点发展起来的，如仓储业、运输业、空运、海运、货运代理与企业内部的物流部门等，在国际物流不断发展的环境中，他们根据客户的不同需要，在传统业务服务的基础上，通过增加服务内容，提高服务质量，为客户提供各具特色的物流服务，来扩展物流服务的业务链，进而向第三方物流服务提供商转化。因此，全球的第三方物流市场具有潜力大、渐进性与增长率高的特征，这种状况使第三方物流企业拥有大量的服务客户，并且使第三方物流在国际物流服务中占据主导地位。随着专业化分工的深化，企业为降低成本、提高效率，倾向于将物流业务外包给专业第三方。第三方物流凭借规模经济、专业能力和广泛网络，在国际物流中的作用日益凸显，占据主导地位的趋势明显。

近年来，第三方物流在全球范围内呈迅猛发展态势。市场研究机构的数据显示，在过去的 10 年间，全球第三方物流市场规模以年均约 8%的速度增长。2024 年，全球第三方物流市场规模已达到约 1.5 万亿美元。以我国的菜鸟网络为例，菜鸟通过整合全球物流资源，搭建起了覆盖 200 多个国家和地区的物流网络。以东南亚市场为例，菜鸟与当地众多物流合作伙伴协同，为速卖通等电商平台提供高效的仓储、分拣、运输与配送服务。仅在 2024 年，菜鸟在东南亚地区处理的跨境包裹量就超过了 10 亿件。通过大数据、智能算法等技术，菜鸟优化了物流路线规划与库存管理，许多中国跨境电商企业借助菜鸟的服务，将商品交付时间缩短了3～5天，有力证明了第三方物流在国际物流中的主导作用。

（二）绿色物流成为国际物流追求的目标

在全球对环境保护日益重视的大背景下，绿色物流已成为国际物流行业发展的核心目标与必然趋势。这一转变不仅源于法规政策的外部约束，还是行业自身可持续发展的内在需求。

1．政策法规推动绿色转型

各国政府纷纷出台严格的环保法规与政策，对物流各环节碳排放、废弃物处理等进行规范。欧盟不断提高排放标准，促使物流企业升级运输设备、优化配送路线以降低能耗。中国也大力推行绿色物流政策，鼓励企业采用新能源车辆、建设绿色仓储设施，违规者将面临高额罚款与运营限制，政策“指挥棒”引导行业迈向绿色发展之路。

2．环保意识引发需求转变

消费者环保意识觉醒，更青睐支持环保的企业。国际物流企业践行绿色物流理念也是提升品牌形象、增强竞争力的关键。电商巨头亚马逊承诺通过使用可降解包装、推广电动配送车辆等实现到2040年全球业务碳中和。

3．技术革新赋能绿色物流

科技进步为绿色物流提供强大支撑。新能源在物流领域加速应用，电动、氢燃料电池货车逐步替代传统燃油车，降低尾气排放。物流企业利用大数据和人工智能优化运输路线，减少迂回运输，降低油耗与碳排放。在造船技术层面，诸多船企研发以液化天然气为燃料的新型船舶，有效降低硫氧化物与颗粒物排放，减少对空气的污染。还有企业探索氢燃料电池、甲醇等清洁能源在船舶动力上的应用，从源头上削减碳排放。在港口作业方面，岸电技术不断升级，能为靠港船舶稳定供电，使船舶关停高污染的自备发电机。同时，自动化装卸设备搭配智能调度系统，大幅提高作业效率，减少设备空转能耗，有力推动国际物流迈向绿色发展。

（三）国际物流产业由单一业态向多元化业态发展

市场需求的多样化促使物流企业不断拓展业务边界，不再局限于传统运输、仓储，而是向配送、加工、供应链金融等多元业态延伸，提供一站式解决方案。这一趋势促使物流企业模式即物流产业经营类型与业态，向着多样化与细分化的方向发展。

以中国的中远海运为例，它从传统单一的海运业务，逐步发展成为多元业态的综合性国际物流企业。在海运业务方面，中远海运拥有庞大的船队，在全球海运市场占据重要地位，为全球客户提供稳定、高效的海上运输服务。在此基础上，中远海运积极拓展多元业务。在空运领域，通过与多家航空公司合作，开通了多条国际空运航线，提供航空货运服务，满足客户对时效性要求较高的货物运输需求。在陆运方面，中远海运在多个国家和地区建立了公路运输网络，配备专业的运输车辆和司机队伍，提供门到门的陆运服务，实现了货物从港口到内陆地区的快速配送。在仓储业务方面，中远海运在全球主要港口和物流枢纽城市建设了现代化的仓库，提供仓储、分拣、包装、贴标等增值服务，帮助客户优化供应链管理，降低物流成本。此外，中远海运还涉足供应链金融领域，利用自身的行业优势和资源，为客户提供融资、结算、风险管理等金融服务，支持客户的业务发展，实现了物流与金融的深度融合。

（四）增值服务不断增加

现在的物流服务已远超出传统意义上的货物运送、仓储或者寄存等基本的物流服务内容。对于现代物流企业来说，传统的业务形式已经无法满足客户的需求和适应企业竞争的需要。所以，一方面要增加新的业务内容，扩大业务范围；另一方面要不断推陈出新，为客户提供增值服务，以提高自身的竞争能力。

物流增值服务（Value Added Services，VAS）起源于竞争激烈的信件与包裹快递业务，现在则在整个物流行业中全面展开，无论是海运、空运还是陆运物流企业，都在不断地提供增值服务。国际物流企业不断增加增值服务的原因主要有以下几点：

第一，增加国际物流增值服务可以满足客户多样化需求。不同客户对物流服务有不同的要求，例如一些客户可能需要货物的包装、分拣、贴标等服务，一些客户可能需要定制化的物流解决方案。通过提供增值服务，企业可以更好地满足客户的个性化需求，提高客户满意度和忠诚度。

第二，增加国际物流增值服务可以提高市场竞争力。在激烈的市场竞争中，增值服务可以成为企业的差异化竞争优势。如果企业能够提供其他竞争对手没有的增值服务，就可以吸引更多的客户，从而扩大市场份额。

第三，增加国际物流增值服务可以增加利润来源。增值服务通常可以为企业带来额外的收入。在基础的运输和仓储服务利润空间逐渐缩小的情况下，通过提供增值服务，企业可以开辟新的利润增长点，提高企业的盈利能力。

第四，增加国际物流增值服务可以优化供应链管理。国际物流企业通过提供增值服务，如库存管理、物流配送规划等，可以帮助客户优化其供应链，提高供应链的效率和效益。这不仅有利于客户的业务发展，也能增强客户对物流企业的依赖度。

第五，增加国际物流增值服务可以适应行业发展趋势。随着科技的不断进步和物流行业的发展，客户对物流服务的期望也在不断提高。国际物流企业不断增加增值服务，也是为了适应行业的发展趋势，保持自身的领先地位。例如，利用大数据，为客户增加库存提供管理服务，实现库存的优化和调配。

例如，菜鸟提供国际快递税费代缴与快速清关服务。菜鸟与速卖通在巴西通过“巴西税费代缴物流服务”，让消费者在速卖通平台购物结算时在线缴纳税款，订单在到达巴西之前就可进行“清关”，通过“绿色清关通道”快速清关，提升履约时效，提高消费者满意度和购买转化率。

（五）国际物流与国际供应链深度融合

在全球化浪潮的推动下，国际物流与国际供应链之间的联系越发紧密，呈现相互交织、协同发展的趋势。从国际物流角度看，其不再仅仅局限于货物的运输与仓储，而是深度融入国际供应链的各个环节。一方面，在服务理念上不再聚焦于单一要素、自有要素，而是聚焦于一站式、集成化、全程服务。为满足供应链上下游企业的多样化需求，国际物流不断拓展服务范畴，向供应链两端延伸，涵盖了从原材料采购、生产制造过程中的零部件配送，到产品售后服务、逆向物流等的全流程。另一方面，国际物流在技术应用上不断革新，大数据、物联网、人工智能等先进技术广泛应用，实现物流信息的实时追踪与智能管理，提升供应链的透明度与可视性。通过这些技术，供应链上的企业能够实时掌握货物运输状态，提前做好生产、库存调配等决策。

就国际供应链而言，国际物流是其高效运转的核心支撑。稳定、高效的国际物流体系能够保障供应链的流畅性与敏捷性。在全球贸易竞争日益激烈的当下，供应链的竞争力在很大程度上取决于物流的效率与成本控制。一条具备快速响应能力的供应链，能够借助精准的物流配送，快速将产品推向市场，占据竞争优势。同时，国际供应链的整合与优化也促使国际物流企业不断提升服务质量与协同能力。不同地区、不同环节的企业通过供应链整合，对物流提出了更高的一体化运作要求，推动国际物流企业加强与供应链上下游企业的深度合作，实现资源共享与协同规划。

三、国际物流的特点

国际物流是按照国际分工协作的原则，依照国际惯例，利用国际化的物流网络、物流设施与物流技术，实现物品的国际流动与交换，以促进区域经济的发展与世界资源的优化配置。国际物流为国际贸易与跨国经营服务，它以最佳的方式与路径，以最低的费用与最小的风险，保质、保量、适时地将物品从一国的供应方转给另一国的需求方。

相对国内物流，国际物流具有如下特点。

（一）国际物流政策性更强

物流本身的功能、要素系统与外界的沟通已经很复杂，国际物流又在这复杂的系统中增加了不同国家（地区）的要素，这不仅使地域和空间变得更广阔，而且所涉及的国内外因素更多，所需要的时间更长，带来的直接后果是难度与复杂性有所增加，风险也有所增大。正因如此，国际物流一旦融入了现代化系统技术，其效果就会十分显著。国际物流作为国际贸易的一个组成部分，在物流过程中，需要经常同国外发生直接或间接的联系，这种联系不仅是经济上、业务上的联系，而且会涉及国际政治问题。所以，国际物流既是一项经济工作，也是一项政策性很强的涉外活动。

国际物流涉及不同国家和地区，各国贸易政策、关税制度、进出口法规、通关政策千差万别。货物出入境通关过程要遵循严格的政策法规，包括许可证、配额管理、原产地证明等。贸易政策调整也会对国际物流产生重大影响。

在“一带一路”倡议下，中国与沿线众多国家加强贸易合作，国际物流的政策性优势得以充分体现。例如，中国与东盟国家之间的农产品贸易物流。中国—东盟自由贸易区的建立，一系列优惠贸易政策和通关便利化措施相继出台。在物流方面，双方海关协调合作，实施“绿色通道”政策。以泰国的新鲜水果进口到中国为例，根据相关协定，泰国水果在符合一定质量和检验检疫标准的基础上，能够享受较低的关税甚至零关税待遇。在物流通关环节，双方海关采用提前申报、预裁定等措施，快速审核单证。同时，为了确保水果的新鲜度，在运输工具的选择、冷链物流标准等方面也制定了配套政策。这一系列积极的政策措施促进了中泰水果贸易的蓬勃发展，也体现了国际物流在良好政策环境下的高效运作，彰显了国际合作政策对物流产业的推动作用。

（二）各国物流软硬件环境存在差异，系统协调难度大

国际物流的一个突出特点，是各国物流软硬件环境的差异性，尤其是物流软环境的差异。不同国家物流的不同，以及适用法律的不同，使国际物流的复杂性远高于一国范围以内的物流；不同国家的不同经济和科技发展水平，会造成国际物流处于不同科技条件的支撑下，甚至有些地区根本无法应用某些技术，而迫使国际物流系统的水平下降；不同国家的不同标准，也造成了国际物流“接轨”困难，使国际物流系统难以建立；不同国家的不同风俗人文，也使国际物流受到了很大的局限。

（三）运输距离长，中间环节较多，风险较大

国际物流是不同国家之间的物流，所以国际物流的运输距离比国内运输距离更长。由于运输的距离长，在运输过程中往往需要使用多种运输工具和变换不同的运输方式，造成装卸搬运和换装的中间环节较多。

当前在国际市场中，出口商品的竞争十分激烈，不仅要求商品本身的质量好，而且要求上市的速度快，以提高出口商品的竞争能力，并且巩固与扩大销售市场。所以，国际物流的时间性很强。

国际物流的运输距离长、中间环节多、涉及面广、情况复杂多变，其风险也比国内物流大得多。国际物流可能会遇到的风险，包括政治风险、经济风险、自然风险和意外事故等。例如，在国际物流运输中，由于运输距离长、时间增加、中途转运、装卸频繁等，物品遭受灭失、损坏的风险增大；由于汇率的变化、企业资信问题等，国际物流运作中会面临更多的信用及金融风险等。

（四）对物流设备和信息技术的标准化要求更高

国际物流中货物在不同国家和地区流转，需统一的物流设备标准确保顺畅衔接。集装箱尺寸遵循国际标准，便于在全球港口、运输工具间转运。若尺寸不统一，将无法在港口起重机、货船仓位、铁路货车等设备上正常装卸。例如，全球 95%以上的集装箱运输遵循国际标准尺寸，保障货物高效流转。信息技术标准化也至关重要，电子数据交换（EDI）标准让不同国家企业、物流服务商和海关等实现信息共享。如中国企业向美国出口服装，通过 EDI 系统，可将订单、报关、运输等信息实时传递给各方，提高物流效率，减少人工录入错误。要使国际物流畅通起来，统一标准是非常重要的。如果没有统一的标准，国际物流水平将难以提高。目前，美国、欧洲基本实现了物流工具、设施标准的统一，如统一托盘规格、统一集装箱规格、使用统一的条码技术等，这大幅降低了运转的难度，提高了运输的效率，节约了物流的费用。而那些尚未实现物流标准化、采用统一标准的国家，在国际物流的货物转运、换装等诸多方面，会耗费更多的时间与费用，这必将影响其物流的国际竞争能力。

（五）国际物流渠道长、环节多、涉及主体较多

国际物流从发货地到收货地，涉及生产商、供应商、货代、承运人、报关行、保险公司、港口、海关及最终收货人等诸多主体。以中国某新能源汽车企业向欧洲出口汽车为例：

1．国际物流涉及的物流渠道更长

新能源汽车从中国国内生产工厂出发，先通过陆运运输到沿海港口，然后从这些港口装船，经过漫长的海上运输，穿越大西洋，抵达欧洲的鹿特丹港或汉堡港等，最后再通过欧洲当地的陆运，将其运送到欧洲各国的经销商或消费者手中。整个运输距离远，物流渠道长。

2．国际物流涉及的物流环节更多

新能源汽车出口在工厂的装车环节，要确保车辆安全、稳固地装载到运输车辆上。国内陆运环节，要按时将车辆运到指定港口。在港口有报关、报检环节，需提交各种单证，办理相关手续，确保车辆符合出口标准和欧洲进口要求。装船环节也很关键，要合

理安排车辆在船舱的位置，固定好车辆以防止运输途中受损。海上运输过程中要关注天气、海况等因素，确保船舶安全航行。到达欧洲港口后，还有清关环节，要缴纳关税，办理进口手续。最后是欧洲当地的陆运配送环节，要将车辆准确无误地送到目的地。

3. 国际物流涉及的物流主体更多

新能源汽车出口时发货方是中国的某新能源汽车企业，国内陆运可能涉及专业的汽车运输公司。货代公司负责订舱、报关等事宜，协调各方确保物流顺利进行。港口企业负责货物的装卸和仓储服务，提供场地和设备支持。船运公司承担海上运输任务，保障船舶的正常运行和货物安全。保险公司为运输过程中的车辆提供保险，降低风险。欧洲的清关代理公司负责在当地办理清关手续，熟悉当地法规政策。还有欧洲的经销商或最终消费者，他们是货物的接收方。

四、国际物流的分类

（一）国际贸易物流

国际贸易物流是随着国际贸易的发展而产生和发展起来的，而且已成为影响和制约国际贸易进一步发展的重要因素。国际贸易是指世界各国（地区）之间的商品、服务和技术的交换活动。对于本国而言，国际贸易是该国的对外贸易；从国际范围来看，世界各国对外贸易的总和，就构成了国际贸易。这种物流活动具有明确的商业目的，货物的流动是基于贸易合同规定的。它的主要特点是货物批量较大、物流流程较为规范，并且严格遵循国际贸易惯例和各国的贸易政策。

国际物流是国际贸易的物质基础和条件。各国之间商品的流动主要由商流、物流、信息流等构成。商流由国际交易机构按照国际惯例进行，物流则由物流企业通过一定的技术和管理方法实现。跨国经营与国际贸易的发展，促进了商品和信息在世界范围内的大量流动和广泛交换，与此同时，物流国际化也得到了迅速发展，而国际贸易的发展也对国际物流提出了更新、更高的要求。

（二）国际非贸易物流

国际非贸易物流是指不涉及货物买卖交易，而是基于其他目的进行的跨国物流活动，包括国际展品运输、国际援助物资运输、个人物品国际邮寄等。其特点是物流需求多样、单次物流规模大小不一，且往往具有较强的时效性或特殊要求。国际非贸易物流在人道主义援助、文化交流、人员往来等方面发挥着重要作用。它体现了国际互助合作、文化传播和个人权益保障等诸多重要价值。

1．国际展品运输

例如，当中国的企业参加国际展会，如德国汉诺威工业展时，展品的运输就属于国际非贸易物流。展品需要从中国企业的所在地运输到展会举办地，这个过程包括精心包装展品以防止损坏、选择合适的运输方式（可能是航空运输以确保时效性）、办理海关的临时进出口手续，以及在展会现场的仓储和布展。展品在展会结束后，还需要按照规定运回国内或转运到其他地方。国际展品物流有助于促进各国之间的文化和技术交流，推动全球经济和科技的发展。

2．国际援助物资运输

例如，在发生国际自然灾害时，各国政府或国际组织向受灾地区提供救援物资。这些物资包括食品、药品、帐篷等各种生活必需品。物流流程首先是在援助国国内收集和整理物资，然后选择合适的运输方式，如空运或海运，将物资快速运往受灾国。在受灾国，还需要协调当地的物流渠道，确保物资能够及时分发到受灾群众手中。

3．个人物品国际邮寄

例如，留学生在国外留学结束后，将个人物品邮寄回国。这涉及将物品打包，联系国际快递公司，填写海关申报单，说明物品的内容、价值等。快递公司根据物品的性质和重量，选择合适的运输路线和方式，将物品运送到中国，然后经过中国海关的查验和清关后，再送到收件人手中。

案例 1-1　中远海运集运华南分部为客户解决特大件端到端业务难题

中远海运集运华南分部销售部接到客户出口越南的紧急国际物流订单，某工厂有一台大型自带仪表盘的锅炉设备，尺寸为 11 m×3.3 m×3.9 m、重约 30 t，急需赶上 12 月 6 日班期运输至越南，中远海运集运华南分部客户销售部与延伸业务部在收到客户需求后，立即展开协同作战，针对客户提供的货物尺寸信息，迅速与集运总部落实舱位，并根据货物情况探讨制定详细的装箱绑扎技术方案。

工厂当天下午便从内地发车，12 月 3 日下午实际到库货物却出乎大家意料，整批货物不单有一个锅炉主体，还额外配载了 12 件零散的器械，由于船期非常紧急，转船之前还有报关和查验等环节，留给装箱的时间极短，这给原本做好技术方案准备并已根据货物尺寸定制雨布的现场人员带来了巨大的困难。经与客户沟通，该 12 件配件尺寸和重量未知，由于担心加载后整个柜子超重太多，便临时取消了已到堆场提柜的拖车。

随后，中远海运集运华南分部延伸业务部又收到客户的紧急要求，因该批机械与锅炉主体属于同一批清关，如果分开出运将会造成巨大的成本压力，为了帮助客户解决成本和运输矛盾的难题，华南分部延伸业务人员配合客户连夜进行装箱绑扎，协调现场安排拖车重新提柜，并联系码头吊机进行加班作业。

由于前期客户提供的吊点呈“T”形，现场评估用这两个吊点吊起时货物将会倾斜，为了避免精密仪表盘被震坏，现场吊车师傅凭借多年经验，采用钢丝绳从底部4个受力吊点穿过后，绕上顶部2个吊点平稳将锅炉吊起。再加上12件配件缺乏重量和尺寸信息，且柜子位置不够，绑扎难度极大，延伸业务人员随即与客户逐个沟通、确认，将部分小的配件放在锅炉主体的内部进行加固，并将位置一一与客户确认无误后进行绑扎，同时将部分长条货物放置在锅炉的合适位置（烟囱）固定，并将剩余6个较大件货物分别采用大三角木顶住，再用承重5 t的飞机带四面拉紧稳固在柜子两端。经过9小时的持续奋战，柜子终于在次日凌晨2点半顺利、安全地绑扎完毕，为客户预留了充足的报关时间。

经过整个团队的协作，一方面精准对接客户以及设备的报关信息，确保所有出口手续的合规性，并及时确定出口船期，提供合适的舱位保障；另一方面派遣骨干力量赶赴异地港口，提前进行场地勘查，并安排专人坚守码头一线，从设备内陆运输、交接、检验到监装上船和绑扎加固，项目组成员克服重重考验，凭借优质的“海运+货代服务+港口服务”确保了设备如期装船出海。

资料来源：中国远洋海运报

时间：2019-12-13

网址：https: //newspaper.coscoshipping.com/col24184/art/2019/art_24184_277195.html

请结合以上案例及所学知识分析以下问题：

1. 中远海运集运华南分部解决特大件端到端业务难题的过程具体体现了国际物流的哪些特点？

2. 从这个案例来看，国际物流政策性强的特点可能会在哪些环节对业务造成较大影响？中远海运集运华南分部是如何应对这些影响的？

任务二　初识国际货运代理

国际货运代理（简称货代）是从国际贸易和国际物流这两个关系密切的行业中分离出来而独立存在的行业。国际货物的买卖大都远隔重洋，买卖双方必须借助海、陆、空等不同的运输方式和不同的交通工具才能实现货物的流动。为了货物安全、运输便捷、节省费用和降低成本，货代主要广泛收集货物运输方面的信息，选择最佳的运输方式、最新的运输工具、最好的承运人和支付最低的费用。但事实上，限于人力、物力，绝大多数单纯从事国际贸易的货主很难达到这个目的，而且往往由于对某一环节的疏漏或对有关的手续不熟悉而事倍功半，甚至造成某种经济损失。另外，运输承运人也需要货运代理的揽货服务，而不可能亲自处理每一项具体运输业务，不少工作需要委托代理人代为办理。于是，国际货运代理行业便应运而生。国际货运代理接受委托人的委托，代办各种与货物运输相关的业务，并按提供的服务收取一定的报酬，即代理费、佣金或运费。

一、国际货运代理的概念

国际货运代理（International Forwarder 或 International Freight Agent）是商品交换和社会分工不断发展的产物，是国际贸易和国际物流不断发展的结果。早在数百年前，国际货运代理行业就逐渐成为货主与承运人之间不可缺少的中介。国际货运代理在国际上被誉为“国际贸易的桥梁”“国际贸易运输的设计师和执行人”。

关于国际货运代理，国际货运代理协会联合会（FIATA）的定义是：国际货运代理是根据客户的指示，并为客户的利益而揽取货物运输的人，其本身并不是承运人。国际货运代理也可以依据这些条件从事与运输合同有关的活动，如储货（也含寄存）、报关、验收、收款等。

《中华人民共和国国际货物运输代理业管理规定》对国际货运代理的定义是：接受进出口货物收货人、发货人的委托，以委托人的名义或者以自己的名义，为委托人办理国际货物运输及相关业务，并收取服务费用的行业。

《物流术语》（GB/T 18354—2021）对国际货运代理的定义是：接受进出口货物收货人或发货人的委托，以委托人或自己的名义，为委托人办理国际货物运输及相关业务的服务方式或经济组织。

二、国际货运代理的性质

通常，国际货运代理可分为两种：公共货运代理和无船承运人。前者没有自己的提单，只能接受货主的委托，代为处理仓储、运输、检验检疫报关、代缴运杂费、寄单等业务，与货主是委托代理关系，收取劳务费或佣金；后者除了接受上述业务，还能以承运人的名义接受货主订舱，收取运费并签发自己提单。目前，我国内地的中资货代公司大多属于前者，中外合资或外商独资货代公司几乎全部属于后者。也就是说，国际货运代理具有双重身份，即国际货运服务代理人与货运服务当事人（独立经营人）。

（一）国际货运代理的基本性质：作为中间人行事的代理人

国际货运代理企业作为代理人从事国际货运代理业务，是指国际货运代理企业接受进出口货物收货人、发货人或其代理人的委托，以委托人名义办理有关业务。它属于货物运输关系人的代理人，是联系发货人、收货人和承运人的货物运输中间人。国际货运代理是以货主的代理人身份，并按代理业务项目和提供的劳务向货主收取劳务费或佣金。国际货运代理根据货主的要求，代办货物运输业务，其在托运人与承运人之间起到桥梁作用。

（二）国际货运代理的扩展性质：作为当事人行事的承运人和物流商

国际货运代理的上述中间人性质在过去尤为突出。然而，随着国际物流和多种运输形式的发展，国际货运代理的服务范围不断扩大，其在国际贸易和国际运输中的地位也越来越重要。在实践中，国际货运代理对其所从事的业务，正在越来越高的程度上承担着承运人的责任，这说明国际货运代理的角色发生了很大的变化。许多国际货运代理企业拥有自己的运输工具，用来从事国际货运代理业务，包括签发多式联运提单，有的甚至还开展了物流业务，这实际上已具有承运人的特点。

国际货运代理企业作为独立经营人或当事人从事国际货运代理业务，是指国际货运代理企业接受进出口货物收货人、发货人或其代理人的委托，签发运输单证、履行运输合同并收取运费以及其他业务费的行为，通常被称为无船承运人（Non-Vessel Operating Common Carrier，NVOCC）。

总之，国际货运代理已不是传统的纯粹代理人，这不仅是因为其业务范围的拓宽，而且是因为其服务内容也发生了很大变化，所以，角色的扮演不再是单一的。它有时作为代理人行事，有时作为当事人行事，有时二者兼而有之。目前，国际货运代理更注意在“产品”开发上集中财力、物力，如改善服务、开辟新航线、提供新的联运方式、开拓国际物流和增值服务市场等，以增加效益。国际货运代理行业是随着国际经济贸易的发展、国际运输方式的变革、信息科学技术的进步发展起来的一个相对年轻的行业，在社会产业结构中属于第三产业，在性质上属于服务行业。

三、国际货运代理的服务对象和业务内容

（一）国际货运代理的服务对象

国际货运代理的服务对象包括发货人（出口商）、收货人（进口商）、海关、承运人、班轮公司、航空公司、铁路部门等，在物流服务中还包括工商企业等。国际货运代理与相关部门（包括政府当局和某些公共机构）建立、发展和保持联系也必不可少。

（二）国际货运代理的业务内容

国际货运代理的业务范围很广泛，其既可作为货运服务代理人提供服务，又可作为

货运服务当事人（独立经营人）开展服务活动。根据《中华人民共和国国际货物运输代理业管理规定》和《中华人民共和国国际货物运输代理业管理规定实施细则》，我国国际货运代理企业可作为货主的代理人提供货运代理服务，作为承运人的代理人提供货运代理服务，作为独立经营人提供相关货运服务（如国际货运代理企业以缔约承运人、无船承运人和多式联运经营人的身份提供货物运输服务）。

1. 国际货运代理作为货运服务代理人提供服务

国际货运代理作为货运服务代理人提供服务，主要是接受客户的委托，完成货物运输的某一个环节或与此有关的各个环节的任务，除非客户（发货人或收货人）想亲自参与各种运输过程和办理单证手续，否则，国际货运代理可以直接或通过其分支机构及其雇佣的某个机构为客户提供各种服务，也可以利用其在海外的代理提供服务。从货主（发货人、出口商）到买方（收货人）之间的货物运输的某一个环节或与此有关的各个环节的任务，都可以成为国际货运代理的业务内容。

国际货运代理为委托人服务，并从委托人那里获得服务报酬，其工作内容完全属于商业或贸易行为。

根据国际货运代理作为货运服务代理人的不同服务对象，可将其业务内容分为以下4项：

（1）国际货运代理为发货人服务。国际货运代理可代替发货人（出口商）承担各种不同阶段货物运输中的任何一项业务。例如，选择运输路线、运输方式和适当的承运人；向选定的承运人提供揽货、订舱；提取货物并签发有关单证；研究信用证条款和所有政府的规定；包装；储存；称重和量尺码；安排保险；货物到港后办理报关及单证手续，并将货物交给承运人；做外汇交易；支付运费及其他费用；收取已签发的正本提单，并付发货人；安排货物转运；通知收货人货物动态；记录货物灭失情况；协助收货人向有关责任方进行索赔。

（2）国际货运代理为收货人服务。国际货运代理可以作为收货人（进口商）的代理开展各种服务。例如，报告货物动态，接收和审核所有与运输有关的单据，提货和付运费，安排报关和付税及其他费用，安排运输过程中的存仓，向收货人交付已结关的货物，协助收货人储存或分拨货物。

（3）国际货运代理为检验检疫机构和海关服务。当国际货运代理作为报检、报关代理，办理有关进出口商品的检验检疫、海关手续时，不仅代表其客户，也代表检验检疫机构、海关。事实上，在许多国家，货运代理已取得这些政府部门的许可，办理检验检疫和海关手续，并对检验检疫机构、海关负责，负责在法定的单证中申报货物确切的金额、数量和品名等。

（4）国际货运代理为实际承运人服务，如班轮公司、航空公司和铁路部门。国际货运代理向承运人及时地订好足够的舱位，认定对承运人和发货人都公平合理的费率，安排在适当的时间交货，以及以发货人的名义解决与承运人的运费结算等问题。

2. 国际货运代理作为当事人开展服务

（1）国际货运代理作为经营人提供多式联运服务。例如，集装箱化使国际货运代理介入了多式联运。这时，国际货运代理充当了总承运人的角色，并且负责组织在一个单一合同下，通过多种运输方式，进行门到门的货物运输，其可以当事人的身份与其他承运人或其他服务的提供者分别谈判并签约。国际货运代理作为多式联运经营人时，通常需要提供包括所有运输和分拨过程的全面的“一揽子”服务，并对其客户承担更高水平的责任。

（2）国际货运代理从提供运输服务延伸到提供物流服务。提供物流服务是国际货运代理为满足客户的更高要求，提高其市场竞争能力，顺应国际发展的一种新趋势。物流服务是一项从生产到消费的高层次、全方位、全过程的综合性服务。与多式联运相比，国际货运代理提供物流服务，不仅提供一条龙的运输服务，而且延伸到运输前、运输中和运输后的各项服务。凡与运输相关的、客户需要的服务，均为国际货运代理服务的内容，而且要做到高速度、高效率、低成本、少环节和及时、准确。这就需要国际货运代理熟悉客户的业务，了解客户生产乃至销售的各个环节，主动为客户设计、提供其所需，从而能够在运输的延伸服务中获得收益。

（三）我国国际货运代理企业的业务内容

根据《中华人民共和国国际货运代理业管理规定实施细则》的规定，国际货运代理企业可以从事下列全部或部分业务：

（1）揽货、订舱（含租船、包机、包舱）、托运、仓储、包装。

（2）货物的监装、监卸，集装箱的拆箱、分拨、中转及相关的短途运输服务。

（3）报关、报检、报验、保险。

（4）缮制签发有关单证、交付运费、结算及交付杂费。

（5）国际展品、私人物品及过境货物运输代理。

（6）国际多式联运、集运（含集装箱拼箱）。

（7）国际快递（不含私人信函）。

（8）咨询及其他国际货运代理业务。

四、国际货运代理的作用

国际货运代理企业通晓国际贸易环节，精通国际运输业务，熟悉有关法律、法规，业务关系广泛，信息来源准确、及时，与进出口货物收发货人、承运人、仓库、堆场、货运站、码头、港口代理、机场、车站、保险公司、报关行、快递公司、拖车行、集装箱公司以及银行等相关企业和海关、外汇管理、港务等有关政府部门有着密切的业务关系，是连接这些关系人和政府部门的重要桥梁。

国际货运代理的作用集中表现在以下五个方面：

第一，提供专业服务。国际货运代理凭借深厚的行业知识和丰富的实操经验，为客户提供全方位专业服务。在货物包装环节，能依据货物特性，如易碎品、液体、精密仪器等，选用适配的包装材料与技术，确保货物在运输途中的安全。同时精通各类运输文件的准备与处理，包括提单、报关单、原产地证书等，保障货物进出口的合规性，避免因文件问题导致的延误与罚款。而且熟悉不同国家和地区的海关政策与流程，协助客户办理复杂的清关手续，高效解决清关过程中出现的各类问题。

第二，办理集中托运。货运代理将多个客户的小批量货物集中起来，以整批货物的形式进行托运。这能为客户大幅降低运输成本，例如在空运中，整批货物的运费单价往往低于零散小批量货物。同时，办理集中托运时，货运代理凭借与各大航空公司、船运公司等建立的长期稳定合作关系，可争取到更优的舱位和运输时段，确保货物按时出运。此外，在整合货物的过程中，货运代理会对货物进行分类、整理与重新包装，进一步提高运输效率，简化客户的物流操作流程。

第三，安排合理运输。根据货物的性质、重量、体积、交货期以及客户预算等因素，国际货运代理制定最适宜的运输方案。对于紧急且高价值货物，优先选择快速的空运方式，并规划最优中转路线，缩短运输时间；对于大批量、低价值且对时间要求不苛刻的货物，安排成本较低的海运。同时，巧妙结合多种运输方式开展多式联运，如海陆联运、海空联运等，充分发挥不同运输方式的优势，实现运输时间与成本的最佳平衡。

第四，提供咨询和货物跟踪服务。为客户提供专业的物流咨询服务，内容涵盖国际物流市场动态、运输法规政策变化、不同运输方式的优缺点等信息，帮助客户作出明智的物流决策。利用先进的信息技术，为客户提供货物实时跟踪服务。客户可通过货运代理的专属平台或系统，输入货物单号，随时获取货物的位置、运输状态、预计到达时间等详细信息。这使客户能够对货物运输全程了如指掌，便于安排后续的生产、销售等环节。在货物出现异常情况，如延误、破损时，货运代理能及时通知客户，并协助客户采取相应的补救措施。

第五，组织和协调运输并提供综合国际物流解决方案。国际货运代理是“运输的设计师”，是“门到门”运输的组织者和协调者。货运代理作为物流供应链的组织者与协调者，整合各方资源，包括运输公司、仓储企业、报关行等。在货物运输前，协调各方做好准备工作，如安排运输工具按时提货、确保仓库有足够存储空间等。运输过程中，实时监控各环节，及时处理可能出现的问题，如调整运输计划以应对恶劣天气、交通拥堵等情况。根据客户的特定需求，提供从货物起运地到目的地的一站式综合物流解决方案。方案涵盖运输、仓储、配送、包装、保险等多个环节，为客户量身定制个性化服务，满足客户多样化的物流需求，帮助客户实现高效的供应链管理。

案例 1-2 外运物流“私人定制”全供应链解决方案

医疗器械行业某全球头部生产企业与中国外运合作多年，最近该企业向中国外运提出全生命周期供应链物流需求，业务场景要覆盖厂内物流、外仓仓储、样机包装、产线增值服务、国内及海外地区成品运输及卸货就位、设备辅助安装、进出口货代、跨境运输等业务需求，要求物流服务供应商具有国内及海外全网运营能力、深耕医疗器械供应链物流运作经验、能够快速响应生产企业及其共同的终端客户的物流配送需求。中外运物流有限公司（以下简称外运物流）医疗健康供应链物流团队为该客户打造和提供了贯穿上游生产商、中间流通商以及下游终端医疗机构和医疗消费者的“私人定制”全供应链解决方案。

一、全生命周期护航

外运物流构建了一套从采购、生产、销售到售后的全供应链业务服务体系，在医疗器械层面提供包括采购 VMI、外仓、Milkrun 运输，厂内物流、生产包装、产前综合物流，成品仓储、成品运输、卸货就位、辅助安装、展会服务、样机服务，旧设备回收、售后备件调拨、设备移机、院内物流，国际进出口、跨境运输、货运代理，国际冷链运输、物流自动化、绿色物流等在内的专项服务、一体化服务或增值服务。

在药品和生物制剂层面还可以提供全温区、“门到门”的全链路进出口物流服务，针对医药品、疫苗、生物试剂、IVD 体外诊断、防疫物资提供空海运进出口、港前温控、定制化冷链包装、医疗医药关务、保税冷库仓储等专业服务，其中空运服务网络航线覆盖全球 100 多个国家和地区，海运服务覆盖全球 85%的港口，冷链打包服务提供 2～8℃、−25～−15℃等全程温控箱设计方案。

二、全技术人才的专业咨询服务

在行业内，外运物流拥有一支高素质、高水准、拥有自主知识产权的医疗健康供应链物流专业化队伍，覆盖质量管理体系、IT 数字化转型、仓储及运输精益项目运营、海内外现场服务及医工服务等环节，体现了中国外运的工匠精神、奉献精神和能打胜仗的团队特质，特别是在奥运赛事、疫情防控、自然灾害、对外援助等国家重大时刻，在外运物流 BCM 业务连续性体系和“招商局灾急送”公益应急物流平台指引下，帮助客户解决实际卡点，满足全社会的医疗应急保障，获得了无数客户的赞誉和信任。

三、全范围资质的质量保障

外运物流及其合资公司拥有可为医疗器械注册人、备案人和经营企业提供运输、贮存服务的医疗器械经营许可证（医疗器械 GSP 第三方物流企业资质）、第二类医疗器械经营备案凭证、辐射安全许可证（销售Ⅴ类放射源，销售Ⅱ类、Ⅲ类射线装置）、危险化学品经营许可证，同时在公司综合管理体系的基础上取得“医疗设备的物理安装”认证证书（ISO 9001）、“危险化学品（氦）技术服务（磁体的氦充装及维护）”认证证书（ISO 9001）、医疗器械质量管理体系认证证书（ISO 13485）。另外，公司在核磁冷链运输箱、减震托盘（电动地坦克）、精密仪器集装箱等实用新型证书专利的申请上在行业内占得先机，并陆续获得厂商客户颁发的“辅助安装资质”“液氦加注资质”等增值服务认证证书。

四、全交付链条的数据支撑

在业务数字化方面，重点打造医药全生命周期管理平台，通过数字化质量管理手段，实现医疗数据全程追溯管理，围绕医疗产品端到端交付链条，全面提升供应链业务服务能力。对于“最后一公里”的交付痛点，通过建设医疗设备现场服务管理系统和医药冷链运输管理系统，以客户服务（订单交付）为核心，规范和重塑客户服务交付流程，实现交付结果管理数字化、服务过程可视化、客户评价及数据报表线上化，提升客户体验、确保流程透明、增强数据安全，并反哺业务分析、服务质量提升和运作团队赋能。

资料来源：中外运物流有限公司官方微信公众号

时间：2024-11-22

网址：https: //mp.weixin.qq.com/s/oiWP2CbysYWJGNC_3aIerA

请结合以上案例及所学知识分析以下问题：

1. 以上案例反映了国际货运代理企业的哪些作用？

2. 请分析货运代理企业为什么不断拓展服务范围，为客户提供全链路的物流服务。

任务三　国际贸易与货运代理

在国际贸易中，贸易术语［如装运港船上交货（FOB）、成本、保险费加运费（CIF）］和结算方式（如信用证、托收）是交易双方明确责任、划分风险、确定成本的重要工具。对于国际货运代理从业者而言，深刻理解这些术语和结算方式不仅是提供专业化服务的基础，还是确保物流流程顺畅、降低贸易风险的关键。贸易术语决定了货运代理的服务范围和责任边界，而结算方式则直接影响资金流动和交易安全。只有熟练掌握这些知识，货运代理从业者才能为客户设计高效、经济的物流解决方案，帮助企业在全球贸易中赢得竞争优势。因此，国际贸易术语与结算方式不仅是理论框架，还是国际货运代理实践中不可或缺的核心能力。

一、国际贸易与货运代理的关系

国际贸易与货运代理是全球化供应链中不可分割的两个环节，二者通过协同作用实现货物跨国流动的高效性与安全性。货运代理既是国际贸易术语的实践执行者，也是国际贸易结算单据的合规提供者。二者关系如下。

（一）战略协同关系

国际贸易的核心是商品与服务的跨境交换，而货运代理作为国际物流服务的集成商，承担了运输方案设计、单证处理、通关协调、风险管控等关键职能。例如，国际货运代理可以根据贸易合同章的付款方式条款选择最优运输方式；确保商业发票、装箱单、提单等单据符合国际贸易结算（如信用证）的要求；通过贸易术语明确买卖双方责任划分，货运代理据此协调运输与保险安排。

（二）流程依存关系

国际贸易与国际物流的各环节在一定程度上都依赖国际货运代理的专业服务。例如，在贸易合同签订前，国际货运代理企业可以为出口商提供运输成本测算、运输方式和运输路线规划建议。国际贸易合同执行阶段，国际货运代理可以帮助出口商协调订舱、报关、仓储、保险等环节，确保货物按约定条件交付。在国际贸易结算方面，国际货运代理可以通过规范的单证管理保障国际贸易顺利结算。

二、国际贸易术语

（一）国际贸易术语的含义

在国际贸易中，买卖双方交接货物地点的确定，货物运输中风险范围的划分，货物运输手续、保险手续、进出口手续及申领有关批准文件的手续由谁办理，在办理各种手续中所支出的费用由谁负担等问题，都需要在买卖双方签订合同时加以明确。为了简化手续和交易过程，在长期的贸易实践中，逐渐形成了一些简短的概念或外文字母缩写，用于说明买卖双方有关风险、责任和费用的划分，确定双方应尽的义务。这种简短的概念或外文缩写字母被称作贸易术语（Trade Term）或价格术语（Price Term）。

（二）国际贸易术语的产生

贸易术语是国际贸易发展到一定历史阶段的产物。由于国际贸易涉及国际运输、保险、海关等各方面的工作，需要办理货物装卸、投保、报关、纳税等手续，并需支付运费、保险费、关税以及其他各项费用。同时货物在运输和装卸过程中，还有可能遭受自然灾害、意外事故和各种外来风险。有关这些事项由谁办理，费用由谁支付，风险由谁承担，买卖双方需要交接哪些单据，在什么地方、以什么样的方式办理交货等一系列问题，在国际贸易中几乎都有涉及。如果每一次国际贸易活动都要求买卖双方反复对这些问题进行洽商，不仅费时、费力，还会阻碍国际贸易的发展。因此，在长期的国际贸易实践中，各种为买卖双方所熟悉的国际贸易术语便产生了。

（三）国际贸易术语的性质和作用

1．国际贸易术语的性质

国际贸易术语是用来表示买卖双方各自承担义务的专门术语。从贸易术语的概念中可以看出，贸易术语具有两重性：一方面表示价格构成；另一方面表示交货条件。

（1）表示价格构成。

不同贸易术语代表了不同的交易模式，体现了不同的价格构成。因此，采用不同的贸易术语成交，货物的成交价格是有区别的。

由于价格构成因素不同，成交价格也有所区别。具体来说，FOB 价是国内价格加上合理的利润，不包括从装运港到目的港的运费和保险费，而 CIF 价则是在 FOB 价的基础上，加上了从装运港到目的港的运费和保险费。

（2）表示交货条件。

每种贸易术语都有其特定的含义，采用某种专门的贸易术语，可以确定交货条件，即买卖双方所承担的责任、费用和风险的划分。

按装运港船上交货的 FOB 术语成交和按目的地港船上交货的 DAP（delivered at place，目的地交货）术语成交，二者的交货条件不同，买卖双方各自承担的责任、费用和风险也是不同的。比如，在 FOB 交货条件下，买方要负责派船到约定的装运港接运货物，而且货物装船之后的一切费用和风险也将由买方承担。而卖方的主要责任就是把约定的货物按约定的时间交到买方指定的船上，并承担货物装上船之前所有的费用和风险。而在 DAP 交货条件下，派船将约定货物运到指定的目的港是由卖方负责的，而且卖方要承担相应的货物在目的港船上交货之前的一切费用和风险，交货之后的一切费用和风险由买方承担。由此，可以看到，用 DAP 交货条件成交，卖方所承担的责任、费用和风险要比用 FOB 交货条件成交更大。

不同的贸易术语表明买卖双方各自承担不同的责任、费用和风险，而责任、费用和风险的大小又反过来影响成交商品的价格。一般来说，凡使用在出口国国内交货的贸易术语，如工厂交货（EXW）和装运港船边交货（FAS）等，卖方承担的责任、费用和风险都比较小，商品的成交价相对较低。反之，使用在进口国国内交货的贸易术语，如目的地交货（DAP）和完税后交货（DDP）等，卖方承担的责任、费用和风险就比较大，这就会引起商品成交价的提高。因此，在进口国国内交货比在出口国国内交货的价格高，有时还会高出很多。所以，经常就有人把贸易术语当作单纯表示价格的用语，而称其为“价格术语”或“价格条件”。

由此可见，正是由于贸易术语具有两重性，买卖双方只要确定以何种贸易术语成交，即可明确彼此之间在货物交接方面所应当承担的责任、费用和风险，从而简化复杂的国际贸易环节。

2．国际贸易术语的作用

（1）有利于买卖双方洽商交易和订立合同。

由于每种贸易术语都有其特定的含义，一些国际组织对各种贸易术语也做了统一的解释与规定，这些解释与规定在国际上被广泛接受，并成为惯用的做法或行为模式。因此，买卖双方只需要商定按何种贸易术语、何种规定成交，即可明确彼此在交接货物方面所应该承担的责任、费用和风险。这样，规范且简化了交易手续，缩短了洽商交易的时间，有利于买卖双方迅速达成交易和订立合同，节约有关费用开支。

（2）有利于买卖双方进行国际价格对比和成本核算。

由于贸易术语表示价格构成因素，所以买卖双方确定成交价格时，必须考虑采用的贸易术语包含哪些从属费用（如运费、保险费、装卸费、关税、增值税和其他费用），这就有利于买卖双方进行价格比较和成本核算。

（3）有利于解决合同履行中的争议。

买卖双方商定合同时，如果对合同条款考虑欠周，使某些事项规定不明确或不完备，致使履约过程中产生的争议不能依据合同的规定解决，可以援引有关贸易术语的一般解释来处理。这些贸易术语的一般解释已成为国际惯例，被国际贸易从业人员和法律界人士所广泛理解和接受，既可作为国际贸易中公认的一种行为和准则，也可作为具有法律效果的依据。因此，运用国际贸易中的各种贸易术语，有利于妥善解决贸易争端。

（四）国际贸易术语的分类和解读（基于 Incoterms® 2020）

国际贸易术语解释通则（International Commercial Terms，Incoterms®）是国际商会（ICC）制定的一套国际规则，用于明确国际贸易中买卖双方的责任、费用和风险划分。Incoterms® 2020 是迄今为止的最新版本，于 2020 年 1 月 1 日起正式生效。

1．适用于任何运输方式或多种运输方式的术语

EXW（Ex Works）工厂交货：卖方在指定地点（如工厂、仓库）将货物交给买方处置，即完成交货。买方承担自提货起的所有费用和风险。

FCA（Free Carrier）货交承运人：卖方在指定地点将货物交给买方指定的承运人或其

他人，即完成交货。

CPT（Carriage Paid To）运费付至：卖方支付将货物运至指定目的地的运费，在将货物交给承运人或第一承运人时，即完成交货。

CIP（Carriage and Insurance Paid To）运费和保险费付至：卖方除了承担 CPT 术语下的义务，还需为货物投保。

DAP（Delivered at Place）目的地交货：卖方在指定目的地将仍处于抵达的运输工具上且做好卸货准备的货物交由买方处置，即完成交货。

DPU（Delivered at Place Unloaded）目的地卸货交货：卖方在指定目的地将已卸货的货物交由买方处置，即完成交货。

DDP（Delivered Duty Paid）完税后交货：卖方在指定目的地将已办妥进口清关手续且仍处于抵达的运输工具上且做好卸货准备的货物交由买方处置，即完成交货。

2．适用于海运和内河水运的术语

FAS（Free Alongside Ship）装运港船边交货：卖方在指定装运港将货物交至买方指定的船边（如码头或驳船上），即完成交货。

FOB（Free On Board）装运港船上交货：卖方在指定装运港将货物装上买方指定的船舶，即完成交货。

CFR（Cost and Freight）成本加运费：卖方支付将货物运至指定目的港的运费，在装运港将货物装上船舶，即完成交货。

CIF（Cost，Insurance and Freight）成本、保险费加运费：卖方除了承担 CFR 术语下的义务，还需为货物投保。

表 1-1　国际贸易术语解读

贸易类别	贸易术语	中英文全称	卖方责任	买方责任	风险转移点	货运代理的核心职责
E 组启运	EXW	Ex Works（工厂交货）	工厂交货	承担所有费用和风险，安排运输	货物交由买方处置时	协助买方安排运输和清关
F 组主要运费未付	FCA	Free Carrier（货交承运人）	将货物交给买方指定的承运人	指定承运人，承担交货后的费用和风险	货物交给承运人时	协助卖方联系承运人，协助买方安排运输
	FAS	Free Alongside Ship（装运港船边交货）	将货物交至装运港船边	承担装船费用和风险，安排运输	货物交至船边时	协助卖方联系船方
	FOB	Free On Board（装运港船上交货）	将货物装上买方指定的船舶	承担装船后的费用和风险，安排运输	货物装上船时	协助卖方联系船方，协助买方安排装船

贸易类别	贸易术语	中英文全称	卖方责任	买方责任	风险转移点	货运代理的核心职责
C 组主要运费已付	CFR	Cost and Freight（成本加运费）	支付至目的港的运费，将货物装上船	承担装船后的风险，办理保险	货物装上船时	协助卖方安排运输，协助买方办理保险
	CIF	Cost，Insurance and Freight（成本、保险费加运费）	支付至目的港的运费和保险费，将货物装上船	承担装船后的风险	货物装上船时	协助卖方安排运输和保险
	CPT	Carriage Paid To（运费付至）	支付至目的地的运费，将货物交给承运人	承担交货后的风险，办理保险	货物交给第一承运人时	协助卖方安排运输，协助买方办理保险
	CIP	Carriage and Insurance Paid To（运费和保险费付至）	支付至目的地的运费和保险费，将货物交给承运人	承担交货后的风险	货物交给第一承运人时	协助卖方安排运输和保险
D 组抵达	DAP	Delivered at Place（目的地交货）	承担至目的地的所有费用和风险，在指定地点交货	办理进口清关，承担卸货费用	货物交由买方处置时	协助卖方安排运输和清关，协助买方办理进口手续
	DPU	Delivered at Place Unloaded（目的地卸货交货）	承担至目的地的所有费用和风险，在指定地点卸货并交货	办理进口清关	货物交由买方处置时	协助卖方安排运输、卸货和清关，协助买方办理进口手续
	DDP	Delivered Duty Paid（完税后交货）	承担至目的地的所有费用和风险，办理进口清关，在指定地点交货	无	货物交由买方处置时	协助卖方安排运输、清关和交货

三、国际贸易结算方式

国际贸易结算是不同国家间的工商企业相互提供货物或劳务所引起的债务结算。国际贸易货款的结算主要涉及结算工具、结算方式及付款时间和地点等问题。这些问题都直接关系到买卖双方的利益，在磋商交易时，买卖双方必须取得一致的意见，并在合同中进行明确的规定。国际贸易中，买卖双方位于不同的国家和地区，存在语言、文化、法律等方面的差异，因此需要采用安全、可靠的结算方式来完成货款的收付。常见的国际贸易结算方式主要包括电汇、托收、信用证等。

（一）电汇（T/T）

1．电汇的概念及当事人

电汇（Telegraphic Transfer，T/T）是一种国际贸易结算方式，指汇款人（通常为进口商）委托银行通过电子通信系统（如 SWIFT、电报、电传等）将款项汇付给收款人（通常为出口商）的支付方式。电汇当事人有汇款人、收款人、汇出行、汇入行。

2．电汇流程

（1）汇款人提交电汇申请：汇款人填写电汇申请表，明确选择电汇方式，并将款项及手续费交给汇出行。

（2）汇出行提供电汇回执：汇出行在收到申请表和款项后，仔细核对信息，确认无误后向汇款人发出电汇回执，作为汇款人已提交汇款申请且银行已受理的证明。

（3）汇出行发送指令：汇出行根据申请表内容，通过电报、电传或 SWIFT 向汇入行发出支付指令。

（4）汇入行验证密押：汇入行收到指令后，核对密押无误。

（5）汇入行通知收款人：汇入行向收款人发出取款通知或将款项直接划入收款人账户。

（6）收款人取款或确认收款：收款人凭通知书或收账通知单到汇入行取款或确认收款。

（7）汇入行反馈付讫通知：汇入行将已支付的借记通知书寄给汇出行，告知款项已解付。

国际贸易电汇结算流程见图 1-1。

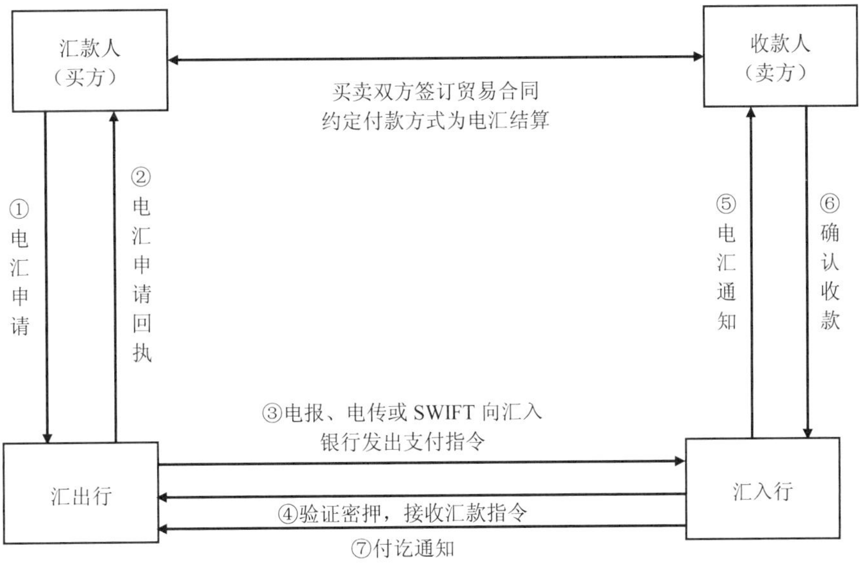

图 1-1　国际贸易电汇结算流程

3．电汇结算方式的特点

（1）电汇付款方式的优点。

①手续简便：操作流程相对简单，无须复杂的单据。

②对于出口商而言资金到账速度快：通过 SWIFT 系统汇款，通常 1～3 个工作日即可到账。

（2）电汇付款方式的缺点。

①进口商风险较高：进口商需在发货前支付货款，面临出口商收款后不发货、延长发货或货不符约的风险。

②资金压力大：对于进口商来说，需要在发货前支付全部或部分货款，资金压力较大。

③单笔交易费用相对较高，尤其是对于小额交易，手续费可能占比较大。

（二）托收

1．托收的含义与当事人

托收是国际贸易中一种重要的结算方式，指的是在货物出口后，出口商（委托人）基于对进口商的信任，主动开具金融票据（如汇票），并附上商业单据（如商业发票、提单、装箱单等），将这些单据及一份详细的托收申请书一并委托给本国的银行（托收行）。托收行在收到这些材料后，依据出口商的指示，选择进口商所在国家或地区的银行（代收行），通过特定的方式（如邮寄等）将托收申请书和相关单据传递给代收行。代收行收到单据后，向进口商（付款人）提示单据，要求其按照单据内容和合同约定进行付款或承兑。如果进口商付款，代收行在收到款项后，会按照托收行的指示将款项扣除手续费后划给托收行，托收行再将款项扣除手续费后交付给出口商；若进口商承兑，则代收行在汇票到期时提示付款，收到款项后同样按流程将款项划转，同时交付单据。整个过程中，银行仅提供中介服务，不承担付款责任，主要依靠买卖双方的商业信用。这种结算方式在一定程度上简化了交易流程，减少了银行复杂的信用审查环节，相较于信用证结算，费用更低，但也因银行信用介入有限，使出口商面临进口商拒付或承兑后不付款的风险，所以在选择托收结算时，出口商需要对进口商的信用状况进行充分评估。

托收业务中的 4 个当事人（付款人、委托人、托收行、代收行）各司其职，共同完成货款的收取和单据的传递。理解每个当事人的角色和职责，有助于更好地掌握托收业务的流程和风险控制。

付款人（Drawee）是托收业务中承担付款责任的一方，通常是进口商（买方）。付款人需要根据托收指示，向代收行支付货款或承兑汇票。在付款或承兑后，从代收行取得相关单据（如提单、发票等），以便提货。付款人是托收业务的最终付款方。在即期付款交单（D/P）方式下，付款人需立即付款；在远期付款交单（D/A）方式下，付款人可承兑汇票并在到期日付款。

委托人（Principal）是托收业务中委托银行向付款人收取货款的一方，通常是出口商（卖方）。委托人需要按合同要求发货，并准备相关单据（如商业发票、装箱单、提单等），向托收行提交托收申请书及相关单据，委托银行向付款人收款。委托人是托收业务的发起方，委托人需承担付款人拒绝付款或承兑的风险。

托收行（Remitting Bank）是接受委托人委托，办理托收业务的银行，通常是出口商所在地的银行。托收行需要审核委托人提交的单据，确保单据齐全且符合要求，将单据及托收指示寄送给代收行，在收到代收行的付款后，将款项支付给委托人。托收行是委托人与代收行之间的桥梁，托收行不承担付款责任，仅负责传递单据和指示。

代收行（Collecting Bank）是接受托收行委托，向付款人收取货款的银行，通常是进口商所在地的银行。代收行需要在收到托收行寄送的单据后，通知付款人付款赎单，在付款人付款或承兑后，将单据交给付款人，并将收到的货款汇给托收行。代收行是托收业务的执行方，需严格按照托收指示操作，确保付款人付款或承兑后释放单据。

2．托收方式

（1）光票托收。

光票托收是指在托收时汇票只附有“非货运单据”（如发票等）而不附任何货运单据（如提单等）的托收方式。

（2）跟单托收。

跟单托收是指在托收时汇票不仅附有“非货运单据”，而且附有货运单据（如提单等）的托收方式。根据交单条件的不同，跟单托收分为付款交单和承兑交单。

1）付款交单。

付款交单（Document Against payment，D/P）是指出口商把汇票连同货运单据交给银行托收时，代收行只有在进口商付清货款的条件下才能交出货运单据，即所谓“一手交钱，一手交单”。这种托收方式为出口商取得货款提供了一定程度的保障。

根据付款时间的不同，付款交单又分为两种形式：一是即期付款交单，即出口人开具即期汇票交付银行代收货款，进口人见票后须立即支付货款并换取单据；二是远期付款交单，即出口人开具远期汇票托收，进口人要先行向银行承兑，等到汇票到期日才能付清货款，领取货运单据。

2）承兑交单。

承兑交单（Document Against Acceptance，D/A）是指在使用远期汇票收款时，在代收银行向进口人提示汇票和单据时，若单据合格，进口人对汇票加以承兑，则银行即凭进口人的承兑向进口人交付货运单据。这种托收方式下，进口人承兑付款，代收银行交付单据。这为进口人提供了融资上的便利，但增加了出口人的风险。

3．托收业务流程

出口商与进口商签订贸易合同，约定采用托收方式结算。

（1）发货、准备单据并提交托收申请：出口商按合同要求发货，并准备相关单据（如商业发票、装箱单、提单、保险单等），出口商向托收行提交托收申请书及相关单据，委托银行向进口商收取货款。托收行审核出口商提交的单据，确认无误后受理托收申请。

（2）托收行寄送单据：托收行将单据寄送给代收行（进口商所在地的银行），并附上托收指示。

（3）代收行通知付款人（进口商）：代收行在收到托收行寄来的单据和托收指示后，会及时向进口商（付款人）提示单据，要求付款人按照单据内容和合同约定进行付款或承兑操作。

（4）进口商付款赎单：进口商在接到代收行的提示后，对单据进行审核。若选择付款交单（D/P）方式，进口商需在付清款项后，代收行才会将单据交付给进口商；若采用承兑交单（D/A）方式，进口商在对汇票进行承兑后，即可先取得单据，待汇票到期时再进行付款。

（5）代收行汇款：如果进口商付款，代收行在收到款项后，会扣除相应的手续费，然后按照托收行的指示，通过银行间的清算系统将款项划转给托收行。

（6）托收行交付款项：托收行收到代收行划转的款项后，扣除自身的手续费，将剩余款项支付给委托人，至此，托收业务流程结束。出口商收到货款，进口商取得单据并提货。

国际贸易托收结算流程见图 1-2。

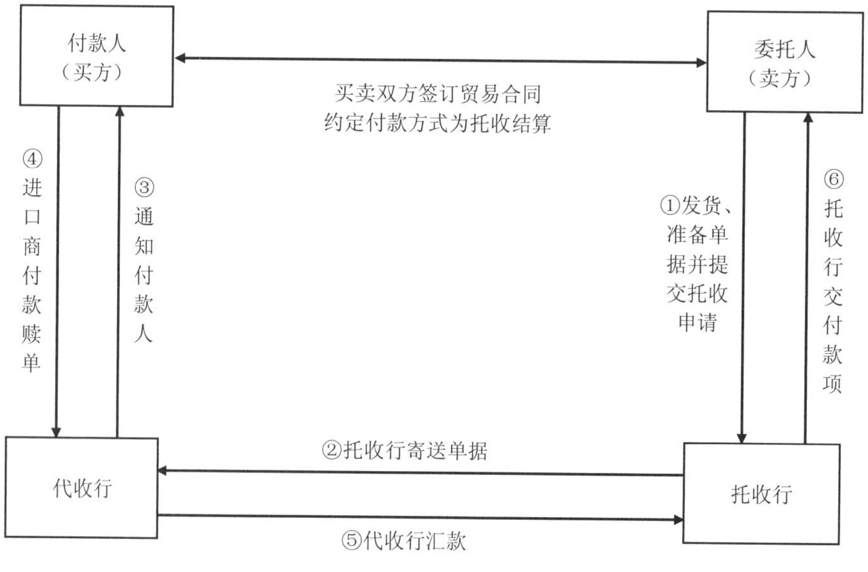

图 1-2　国际贸易托收结算流程

4. 托收结算方式的特点

通过托收流程可以看出，银行只是作为卖方的受托人行事，并没有承担付款的责任，进口商不付款与银行无关。如果遇到进口商拒绝付款，除非另外有规定，银行没有代管货物的义务，出口商仍然应该关心货物的安全，直到对方付清货款为止。

托收对出口商的风险较大，D/A 比 D/P 的风险更大。跟单托收方式是出口商先发货，后收取货款，因此对于出口商来说风险较大。进口商付款依靠的是他的商业信誉，如果进口商破产倒闭，丧失付款能力，或货物发运后，进口地货物价格下跌，进口商借故拒不付款，或进口商事先没有领到进口许可证，或没有申请到外汇，被禁止进口或无力支付外汇等，出口商不但无法按时收回货款，还可能造成货、款两空的损失。如果货物已经到达进口地，进口商借故不付款，出口商还要承担货物在目的地的提货、存仓、保险费用和可能变质短量、短重的风险；如果货物转售他地，会产生数量与价格上的损失；如果货物转售不出去，出口商就要承担货物运回本国的费用及承担可能因为存储时间过长而被当地政府低价出售的损失等。虽然上述损失出口商有权向进口商索赔，但在实践中，在进口商已经破产或逃之夭夭的情况下，出口商即使可以追回一些赔偿，也难以弥补全部损失。尽管如此，在当今国际市场出口竞争日益激烈的情况下，出口商为了推销商品占领市场，有时也不得不采取托收方式。如果进口商信誉较好，出口商在国外又有自己的办事机构，则风险可能相对小一些。

托收对进口商比较有利，可以免去开证的手续及预付押金，还有可以预借货物的便利。当然，托收对进口商也不是没有一点风险的。如进口商付款后才取得货运单据，领取货物，如果发现货物与合同规定不符，或者根本就是假的，也会因此而蒙受损失，但总体来说，托收对进口商比较有利。

（三）信用证

1. 信用证的含义与当事人

信用证（Letter of Credit，L/C）是银行根据进口商（开证申请人）的申请，向出口商（受益人）开立的一种有条件的付款承诺。只要出口商提交符合信用证规定的单据，银行就必须履行付款义务。这一结算方式将商业信用转化为银行信用，极大地降低了国际贸易中买卖双方的风险。

信用证的当事人主要有以下 6 个：

（1）开证申请人（Applicant）：通常为进口商，是向银行申请开立信用证的一方。开证申请人需根据合同规定填写开证申请书，向开证行交付一定比例的保证金或提供其他担保，并支付开证费用。

（2）开证行（Issuing Bank）：接受开证申请人申请，开立信用证的银行。开证行承担第一性付款责任，只要受益人提交的单据符合信用证要求，开证行就必须付款，且付款后若开证申请人无力付款赎单，开证行只能处理单据或货物，自行承担损失。

（3）通知行（Advising Bank）：受开证行委托，将信用证通知给受益人的银行，通常是开证行在出口商所在地的代理行。通知行负责鉴别信用证的真实性，将信用证准确无误地通知给受益人，不承担付款责任。

（4）受益人（Beneficiary）：一般为出口商，是信用证上指定的有权使用该信用证的一方，有权根据信用证条款提交单据并要求付款。受益人收到信用证后，需仔细审核信用证条款，若发现与合同不符，应及时要求开证申请人修改信用证。发货后，受益人需按照信用证要求准备并提交单据，以获取货款。

（5）议付行（Negotiating Bank）：愿意买入或贴现受益人提交的符合信用证规定的单据的银行，可以是通知行，也可以是其他指定银行。议付行在审核单据无误后，向受益人垫付货款，然后向开证行或其指定的付款行索偿。

（6）付款行（保兑行）（Confirming Bank）：开证行在信用证中指定的付款银行，通常是开证行本身，也可以是开证行的代理行。付款行收到符合信用证要求的单据后，向议付行或受益人支付款项。

2．信用证结算方式业务流程

（1）开证申请人申请开证：进口商根据贸易合同向其所在地的银行（开证行）提出开证申请，填写开证申请书，明确信用证的各项条款，如货物描述、金额、装运期、有效期等，并缴纳一定比例的保证金或提供其他担保，同时支付开证费用。

（2）开证行开立信用证：开证行依据开证申请书的内容，开立信用证。信用证内容涵盖对货物、装运、单据等方面的要求，以及付款保证等条款。开证行通过通知行将信用证通知给受益人。

（3）通知行通知受益人：通知行收到信用证后，仔细核对信用证的真实性（如密押、印鉴等），确认无误后将信用证通知给出口商（受益人）。

（4）受益人审核并发货：受益人收到信用证后，严格审核信用证条款。若发现与合同不符，及时要求开证申请人修改信用证。审核无误后，受益人按照信用证和合同要求安排货物的生产、包装、装运等工作，并取得相关货运单据，如提单、保险单等。

（5）受益人交单：受益人在信用证规定的交单期内，将符合信用证要求的全套单据（包括商业发票、提单、保险单等）提交给议付行。

（6）议付行议付：议付行收到单据后，认真审核单据与信用证条款是否相符。若单据相符，议付行按照信用证规定的金额扣除利息和手续费后，向受益人垫付货款，即进行议付。

（7）议付行寄单索偿：议付行议付后，将单据寄给开证行或其指定的付款行，同时向开证行或付款行发出索偿通知，要求偿付垫款。

（8）开证行或付款行付款：开证行或付款行收到单据后，再次审核单据是否符合信用证要求。若单据相符，开证行或付款行向议付行支付款项。

（9）开证行通知开证申请人付款赎单：开证行在向议付行付款后，通知开证申请人付款赎单。开证申请人支付货款及相关费用后，从开证行取得单据，凭单据提货。

国际贸易信用证结算流程见图 1-3。

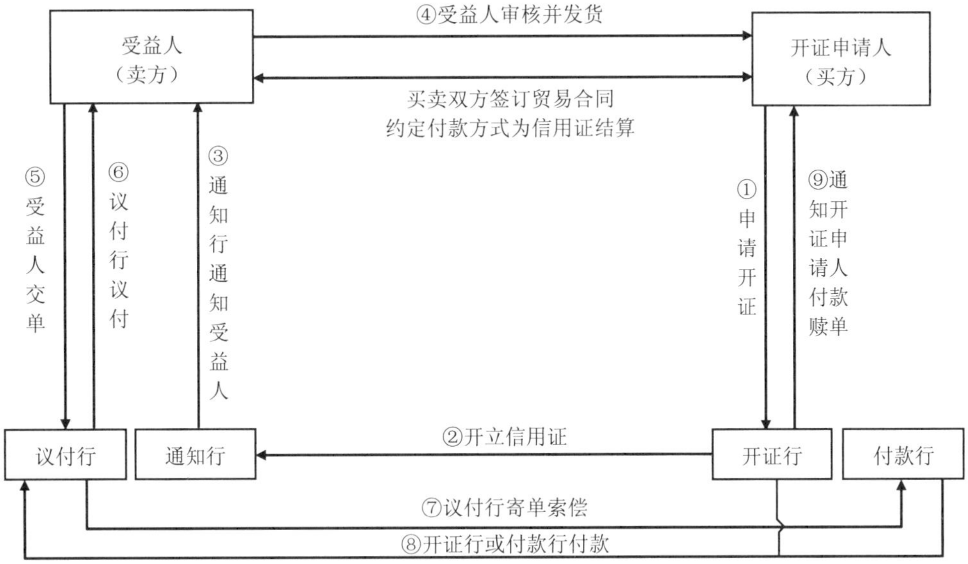

图 1-3　国际贸易信用证结算流程

3．信用证结算方式的特点

（1）信用证结算的优点。

①银行信用保障：信用证结算将商业信用转化为银行信用，开证行承担第一性付款责任，只要受益人提交符合信用证要求的单据，银行就必须付款，极大地降低了出口商的收款风险，也让进口商能确保收到符合要求的货物。

②促进贸易达成：对于不熟悉或信任度不高的买卖双方，信用证提供了一种可靠的支付方式，增加了双方的信任度，有助于促进国际贸易的顺利进行。

③单据交易：信用证业务处理的是单据而非货物，只要单据表面符合信用证条款，银行就需付款，减少了因货物质量等问题产生的纠纷对付款的影响。

（2）信用证结算的缺点。

①手续烦琐：涉及开证申请、审核、通知、交单、议付、付款等多个环节，每个环节都有严格的规定和要求，操作流程复杂。

②费用较高：开证申请人需支付开证费、保证金，受益人可能需承担通知费、议付费等，对于一些利润微薄的贸易，较高的费用可能会压缩利润空间。

案例 1-3 无单放货钱货两空，省市合力巧追货款

2023 年 5 月，中国贸促会/中国国际商会嘉兴调解中心（以下简称嘉兴调解中心）接到嘉兴某公司（以下简称嘉兴公司）的求助。嘉兴公司称其 2018 年与韩国某公司（以下简称韩国公司）开展合作，付款方式一项约定为 10%的定金+见提单后支付全部尾款。2022 年 5 月至 9 月，韩国公司采取形式发票的方式向嘉兴公司采购三批布料，总货值为 351 450.21 美元。嘉兴公司于 7 月至 12 月按约定出运全部货物，但是韩国公司指定的上海某货代公司（以下简称货代公司）违规操作无单放货，韩国公司在没有提单的情况下，提走该三批货物，共计尾款达 333 865 美元。嘉兴公司多次沟通催讨未果，陷入钱货两空的境地，遂向嘉兴调解中心寻求帮助。

嘉兴调解中心受理申请后，认真梳理了案件材料并核实情况，在第一时间以嘉兴国际商会的名义向韩国公司发出敦促履约函。同时，在与嘉兴公司的进一步沟通中获悉，韩国公司在浙江地区的多家供应商都遇到了此类情况。这引起了嘉兴调解中心的高度重视，其立即向浙江省国际商事法律服务中心（以下简称省商法中心）反映情况。省商法中心调解员得知后，结合省内其他地区遭遇到类似案情，通过海外联络处，了解到韩国公司已经处在破产边缘，货款追回的希望渺茫，建议嘉兴公司把重点放在追究货代公司无单放货的责任上。

嘉兴公司在省商法中心和嘉兴调解中心的指导下，立即与货代公司取得联系。起初，货代公司负责人避而不见。嘉兴调解中心了解到情况后，联合省商法中心一起与货代公司严正交涉，指出其无单放货行为的违法性以及应当承担的法律责任。同时，由于了解到至少已有 8 家韩国公司的供应商被该货代公司无单放货，涉及货值巨大，建议嘉兴公司提高重视，加快推动协商。考虑到无单放货追责时效限制，提醒嘉兴公司尽快收集货代公司无单放货的证据，以便一旦协商不成，立即提起诉讼或者仲裁。经过几轮电话沟通和当面谈判，货代公司同意承担无单放货的赔偿责任，但是提出要求在赔偿金额上能适当给予一定折扣，嘉兴公司出于尽快收回货款、减少损失的考虑，同意给予 10%左右的折扣，最终双方就赔偿金额折后 30 万美元达成一致。在省商法中心和嘉兴调解中心的指导下，嘉兴公司与货代公司于 2023 年 8 月初签订分期赔偿协议，目前嘉兴公司已经如期收到全部赔偿。

国际贸易中，无法收回货款是外贸企业经常面临的风险，本案虽然源于韩国公司濒临破产拖欠货款，但货代公司无单放货的行为却是直接导致嘉兴公司钱货两空的“罪魁祸首”。

无单放货在我国属于违法行为已没有争议，但是在不少地区，基于其现实考虑，仍然被允许。拉美、西非等很多国家，均存在无单放货的情况，如安哥拉、尼加拉瓜、危地马拉、洪都拉斯、萨尔瓦多、哥斯达黎加、多米尼加、委内瑞拉等国，都是可以无单放货的国家。在此，提醒外贸企业规避无单放货风险。

一、谨慎接受允许无单放货国家的订单。关注商务部、中信保、FOB论坛等网站，看其是否对订单区的国家作出允许无单放货的提醒以及其提出的建议。

二、基于可能遭遇无单放货风险情况的考虑，外贸企业在签订出口合同时，应尽量签订CIF或CFR条款，避免外商指定境外货代安排运输。如外商坚持FOB条款并指定船公司和货代安排运输，可接受指定的船公司，但不能接受未经备案经营国际货运代理业务的货代企业或境外货代代表处安排运输。

三、不要轻易接受货代提单，尤其是外商指定的境外货代提单。如接受指定货代提单，货物的控制权就始终掌握在境外货代手中，实际承运人无法控制货权，只能听从货代的指令。一旦指定的境外货代与收货人串通一气无单放货，就会造成出口商钱货两空。

四、及时寻求帮助。一旦出现此类问题，及时向当地贸促会求助，因无单放货提起诉讼的时效是1年，外贸企业要申请调解或诉讼维权，以免错过争议解决的最佳时间。

资料来源：中国国际贸易促进委员会浙江省委员会官方网站

时间：2023-09-20

网址：https: //www.ccpitzj.gov.cn/art/2023/9/20/art_1229574285_41281.html

请结合以上案例以及本任务模块内容分析以下问题：

1. 在 FOB 贸易术语下，买卖双方的责任和风险如何划分？如果嘉兴公司选择 CIF 或 CFR 条款，是否可以避免此类风险？为什么？

2. 在 FOB 条款下，出口企业应如何防范因指定货代操作不当导致的风险？

3. 货代企业在操作中应如何规避无单放货的风险？请从合规操作和风险控制的角度提出建议。

【行业前沿】

中国物流与采购联合会副会长兼秘书长在2024年第十九届中国国际货运产业链博览会上的致辞（节选）

当前，国际形势复杂多变，地缘政治紧张、全球经济复苏进程缓慢、贸易保护主义抬头等多重因素交织，给国际贸易和物流行业带来了前所未有的挑战。

中国作为全球第二大经济体，依然展现出强大的经济韧性和活力。根据海关总署数据，2024 年前三季度，我国货物贸易进、出口总值达到 28.5 万亿元，同比增长 4.7%。其中，出口 15.4 万亿元，增长 5.5%；进口 13.1 万亿元，增长 3.8%。这一成绩不仅彰显了我国经济的强大韧性，也为我们货运代理行业的发展提供了广阔的市场空间。

在全球物流行业的发展中，中国占据了举足轻重的地位。2024 年前三季度，中国社会物流总额达到 245 万亿元，同比增长 5.1%。物流业总收入达到 8.5 万亿元，同比增长 3.4%。这些数字背后，是中国物流行业不断创新、转型升级的生动实践。

在物流设施建设方面，中国取得了显著成就。近年来，我国不断加大基础设施的投资力度，提高物流通道的通行能力和效率。目前，我国已形成上海港、宁波舟山港等多个世界级大港。这些港口不仅在国内物流体系中发挥着重要作用，还积极参与全球物流网络建设，成为连接中国与世界的重要纽带。

货运代理行业是现代物流业的重要组成部分。从产业特点来看，货代行业具有高度的专业性和服务性。它连接着生产商、贸易商和物流服务商等多个环节，是国际贸易和物流体系中不可或缺的一部分。货代行业具有很强的灵活性和创新性，能够根据客户需求提供个性化的服务方案。2024 年，中国国际货代行业取得了显著的成绩，呈现强劲的增长势头。据不完全统计，2024 年前三季度，我国货代行业贸易总额达到近 10 万亿元，同比增长约 5%。这一指标不仅高于同期我国整体贸易增速，也高于全球货代行业的平均增速。

与此同时，行业整合加速，规模化、集约化经营趋势明显；技术创新引领，智能化、数字化水平不断提升；服务多元化，从传统的货运代理向供应链综合服务商转型。

特别值得一提的是，中国与东南亚地区国际货代行业合作发展迅速。东南亚地区拥有丰富的自然资源、庞大的消费市场和良好的投资环境，是中国的重要贸易伙伴和对外投资目的地。东南亚出海通道对于中国南向经济战略的重要性不言而喻。

数据显示，2024 年前三季度，中国与东南亚地区的贸易总额达到 4.1 万亿元，同比增长 6.3%。其中，出口 2.2 万亿元，增长 6.8%；进口 1.9 万亿元，增长 5.7%。这一增速高于同期中国整体贸易增速，也高于中国与其他主要贸易伙伴的贸易增速。

随着“一带一路”倡议的深入推进，中国与东南亚地区的经贸合作将更加紧密。东南亚出海通道将成为连接中国与东南亚市场的重要纽带，为中国南向经济发展提供有力支撑。

展望未来，我们预测，到 2025 年，中国货运代理行业的贸易总额将达到 35 万亿元以上，增长率有望保持在 5%以上。这一数据不仅反映了行业发展的潜力，也为我们国际货代行业发展指明了前进的方向。

而中国货运代理行业的发展将呈现以下趋势:

一是国际合作将进一步深化。我国将积极参与全球物流网络建设，提升国际竞争力。通过与国际知名货代企业合作，共同开发物流市场，实现互利共赢。

二是技术创新将进一步加强。利用大数据、云计算、人工智能等先进技术，提高服务质量和效率。通过智能化、数字化的手段，实现物流信息的实时共享和协同。

三是服务品质将进一步优化。满足客户多样化需求，提升客户满意度和忠诚度。通过提供个性化的服务方案，增强客户黏性，提升市场竞争力。

四是增值服务领域将进一步拓展。为客户提供更加全面的服务，如金融服务、保险服务、仓储服务等，形成完整的供应链服务体系。

为应对行业发展趋势，下面我对国际货代行业的下一步发展提出几点建议：

一是要加强人才培养和团队建设。加大对货代行业人才的培养和引进力度，提升行业整体素质和服务水平。通过举办培训、交流等活动，提高从业人员的专业素养和业务能力。

二是要拓展增值服务领域。鼓励货代企业拓展金融服务、保险服务、仓储服务等增值服务领域，为客户提供更加全面的服务。同时，加强与金融机构的合作，为客户提供更加便捷的融资渠道和风险管理方案。

三是要积极参与国际物流网络建设。鼓励货代企业积极参与国际物流网络建设，加强与东南亚地区物流企业的合作与交流。通过共建共享物流设施、共同开发物流市场等方式，实现互利共赢。

四是要推动标准互认和互联互通。加强与东南亚地区在物流标准等方面的互认和互联互通，降低物流成本，提高物流效率。同时，积极参与国际物流标准的制定和修订工作，提升中国在国际物流领域的话语权和影响力。

随着中国经济的高速发展，中国国际货运产业链博览会已经举办十九届。多年来，中国贸易额快速增长，贸易方式不断优化升级，在“一带一路”倡议推动下，贸易流通更加顺畅、高效。同时，随着贸易和投资自由化水平的提高，产业链、供应链的协同合作也必将得到有力加强。可以预见，在新形势下，为满足经济社会发展的新需求，国际货运代理行业必将发挥更大作用，提供更专业和创新化的服务，助力贸易、物流的进一步发展。

资料来源：中国物流与采购杂志

时间：2024-11-26

网址：https：//mp.weixin.qq.com/s/h0hlixPS39itr_BZaC-LcA

【课后习题】

一、单项选择题

1. 在国际贸易术语中，卖方承担责任最小的是（ ）。

A. FCA B. EXW

C. DDP D. CIF

2. 按照 CFR 贸易术语成交，货物运输保险由（ ）办理。

A. 卖方 B. 买方

C. 双方协商 D. 货代

3. 在国际贸易中，FOB 条款下，货物的风险从卖方转移至买方的时点是（ ）。

A. 货物出厂时 B. 货物装船时

C. 货物到达目的港时 D. 货物交付买方时

4.在国际贸易中如果选择信用证结算，进口商应到以下哪个角色开立信用证（ ）。

A. 通知行（Advising Bank） B. 开证行（Issuing Bank）

C. 议付行（Negotiating Bank） D. 保兑行（Confirming Bank）

二、多项选择题

1. 国际贸易在发展中对国际物流和货运代理提出了（ ）。

A. 质量要求 B. 效率要求

C. 安全要求 D. 信息化要求

2. 根据《中华人民共和国国际货运代理业管理规定实施细则》规定，国际货运代理企业可以从事下列哪些业务？（ ）

A. 托运订舱 B. 集装箱拼箱

C. 报关报检 D. 国际多式联运

3. 以下属于国际货运代理行业协会的有（ ）。

A. FIATA B. CLIA

C. CIFA D. IRU

4. 国际货运代理可分为（ ）。

A. 实际承运人 B. 公共货运代理

C. 无船承运人 D. 多式联运经营人

5. 在国际贸易中，托收结算方式的主要形式包括（ ）。

A. 付款交单（D/P） B. 承兑交单（D/A）

C. 信用证（L/C） D. 电汇（T/T）

6. 根据《国际贸易术语解释通则》(Incoterms®2020),以下关于 FOB 和 CIF 条款的描述,正确的是( )。

A. FOB 条款下卖方负责将货物装船　　B. CIF 条款下卖方负责购买海运保险

C. FOB 条款适用于海运和内河运输　　D. CIF 条款下买方承担货物装船后的风险

7. 以下属于国际物流的产生和兴起原因的有( )。

A. 自然资源不均衡　　B. 经济发展不平衡

C. 社会分工精细化　　D. 产品差异化及需求个性化

8. 以下哪些因素推动绿色物流成为国际物流追求的目标( )。

A. 政策法规的推动　　B. 环保意识引发需求转变

C. 企业单纯的追求当前经济效益　　D. 技术革新赋能绿色物流

9. 国际物流企业开始为客户提供更多的增值服务原因包括( )。

A. 可以满足客户多样化需求　　B. 可以提高市场竞争力

C. 可以优化供应链管理　　D. 可以适应行业发展趋势

10. 相较于国内物流而言,国际物流的特点包括( )。

A. 国际物流政策性更强　　B. 国际物流更追求低成本

C. 国际物流系统协调难度大　　D. 国际物流更追求高时效

三、简答题

1. 简要概括国际物流未来发展趋势。
2. 简述国际物流的分类。
3. 如何理解国际货运代理的双重身份?
4. 简述国际贸易术语的分类。

【实战训练】

【实训目的】

在国际货运代理企业中,作为销售人员,依据客户需求精准设计合理报价单是一项至关重要的核心技能。本次实训通过模拟货代销售岗位的实际工作场景,让学生在分析客户需求、核算成本并完成报价单设计的过程中,熟练掌握海运货代业务的基础流程和报价技巧。揽货报价作为国际货运代理业务的起始环节,对企业的盈利状况起着决定性作用。在此环节,货代销售岗承担着与潜在客户沟通联络、根据客户运输需求提供报价的重要职责。具体实训目的如下:

1. 能够精准解读客户的运输需求信息，明确各项要求的具体含义和重点。

2. 深入理解海运货代报价单的基本结构与涵盖内容，熟练掌握货运代理报价单中收费项目的含义及英文表述，做到准确翻译。

3. 可以根据客户的运输需求制作内容完整、条理清晰的简单海运货运代理业务报价单。

4. 着力培养与客户有效沟通、精准分析客户需求的综合能力。

【实训内容】

天津某国际货运代理有限公司接到客户 A 询价。

具体询价信息如下：

1. 装船日期：2025 年 8 月 10 日前。

2. PORT OF LOADING：XINGANG，CHINA。

3. PORT OF DISCHARGE：NHAVA SHEVA，INDIA。

4. 箱型/数量：10×40HQ。

5. 贸易术语：CIF。

6. 商品信息如下：

NO.PKGS	PACKING	DESCRIPTION OF GOODS	G. WEIGHT	N. WEIGHT	MEASURE MENT
420 Bags	210 Pallets	Activated Carbon	213.456 T	210 T	520 m^3

7. 其他要求：提单电放、委托托盘包装、委托海运保险、委托报关。

【实训要求】

1. 以 3～5 人为一组组建学习小组，通过多种渠道广泛调研，全面了解海运国际货运代理报价单中应包含的收费项目。

2. 小组成员分工明确、协作配合，充分利用互联网资源，查询各收费项目的成本信息。

3. 为天津某国际货运代理有限公司向客户 A 设计一份海运货运代理业务报价单。报价单格式不限，但需确保收费项目明细清晰、内容完整无缺、格式简洁美观。

项目二　国际物流通关

知识与能力目标

- 清晰阐述海关职责和通关的概念，概括不同物品的通关流程。
- 详细表述货物通关各阶段及注意事项，能够根据给定资料，规范填制报关单。
- 牢记海关查验概念、目的、流程与方式等要求，明确海关查验货物时进出口收发货人或其代理人职责。
- 明确海关放行条件，能清晰阐述进出口集装箱货物通关及口岸作业流程。
- 概括出入境检验检疫的内涵与目的，厘清检验检疫的范围与程序。

思政目标

- 全面梳理海关在通关政策改革进程中的关键举措，精准剖析海关如何在提高通关效率、优化营商环境以及严守国内安全底线之间实现精妙平衡，从而深入理解政策改革的深层逻辑与实际意义。
- 深刻领会畅通双循环战略下，出入境货物通关与检验检疫工作所承载的重要使命与战略地位。条理清晰地阐述大通关建设在助力畅通双循环中发挥的关键作用。

【导入案例】

进口羊肉产品通关流程

一、准入要求

（一）产品准入

海关总署对境外国家（地区）的食品安全管理体系和食品安全状况开展评估和审查，并根据评估和审查结果，确定相应的检验检疫要求。目前，已有 9 个国家的羊肉产品获得准入，分别是阿根廷、乌拉圭、智利、新西兰、澳大利亚、塞尔维亚、冰岛、拉脱维亚、蒙古国。进口企业可通过以下方式查询符合评估审查要求的国家或地区输华肉类产品名单：海关总署网站→进出口食品安全局→信息服务→产品监管重要信息→陆生动物源性食品→符合评估审查要求的国家或地区输华肉类产品名单。

（二）境外生产企业注册

所有进口羊肉境外生产企业，均需由出口国主管当局向海关总署推荐注册，海关经资料审查、视频检查或者现场检查开展评估审查工作，对符合要求的企业予以注册。进口企业可通过以下方式查询进口肉类境外生产企业注册名单：海关总署网站→进出口食品安全局→信息服务→进口食品境外生产企业注册信息→进口肉类境外生产企业注册名单。

自 2022 年 1 月 1 日起启运的输华食品，在进口申报时应在报关单“产品资质”项下“进口食品境外生产企业注册”证书栏（许可证类别代码 519）规范填写该企业在华注册编号。在实施 2020 版申报项目的海关申报进口食品，应在“其他企业”项下的“其他企业类别”栏选择“进口食品境外生产企业”，在“编号或企业名称”栏填报该企业在华注册编号。未按要求规范填报的，海关不接受申报。

（三）境外出口商或代理商、境内进口商备案

进口羊肉产品的境外出口商或者代理商、境内进口商应当通过海关总署“进口食品化妆品进出口商备案系统”进行信息备案。已经备案的进口商，方可办理羊肉产品进口手续。

（四）检疫许可证审批

海关对进口羊肉产品实行检疫审批制度。进口羊肉产品收货人应当在签订对外贸易合同或者协议前，向海关申请办理进境动植物检疫审批手续。海关对符合进口要求的羊肉产品签发《中华人民共和国进境动植物检疫许可证》。

在进口申报时应在报关单“产品资质”项下“进境动植物检疫许可证”证书栏（许可证类别代码 325）规范填写所取得的进境动植物检疫许可证号、核销货物序号以及核销数量。

（五）卫生证书

进口羊肉产品在发货前，应当经出口国官方主管部门实施检验检疫，对于符合我国进口要求的产品签发“通关文牒”——输华羊肉产品卫生证书。进口羊肉产品随附的输出国家或者地区官方检验检疫证书，应当符合海关总署对该证书的要求。

二、受理申报和现场检查

（一）企业申报，海关受理

进口商（或其代理人）在进口申报时，应规范、准确、如实申报产品名称、HS 编码、原产国（地区）等信息，并提交必要的凭证、相关批准文件等材料。海关依法对随附资料的完整性、真实性、有效性进行审查，单证审核符合要求的进口羊肉产品，海关予以受理申报；否则，海关不予受理。

（二）现场检查与放行

进境口岸海关依法对进口羊肉产品实施现场查验、抽样送检等检查。进口食品经海关评定合格的，签发《入境货物检验检疫证明》，准予生产、加工、销售、使用；涉及安全、健康、环境保护项目评定不合格的，责令企业销毁或者退运。

三、羊肉进口报关需要的单证资料

(1) 基本单证：装箱单、发票、合同、提单、申报要素信息。

(2) 国外提供的单证：动物检疫证书/健康证书/兽医证书（其一即可）原产地证。

(3) 国内办理的单证：进境动植物检疫许可证、自动进口许可证（针对部分肉类）。

(4) 其他单证资料：输华名单生产企业注册号、进口食品进出口商备案系统截图、动植物及动植物产品检验/确认证明书——仅适用于经中国香港、中国澳门中转的动植物及动植物产品进口报检标签和中文翻译件、其他海关要求的单证资料（营业执照/报关报检十位代码）。

资料来源：甘肃国际贸易单一窗口官方微信公众号

时间：2024-01-22

网址：https：//mp.weixin.qq.com/s/RZzpaK5U3TPf9jFQ8lQg4A

请结合以上案例以及本项目内容分析以下问题：

1. 在本案例中提到进口羊肉对进口国家、境外生产企业注册都有明确的准入要求，并要求境外出口商或代理商、境内进口商实施备案制度，思考海关提出以上要求目的是什么？

2. 海关受理申报、现场检查的目的是什么？

3. 请根据以上案例内容，总结进口羊肉通关流程。

国际物流与国内物流的不同之处之一在于国际物流存在国境或关境，因而需要繁杂的通关手续。由于货物的国际贸易和跨国经营具有投资大、风险高、周期长等特点，从而使进出口货物通关成为国际物流系统中一个重要的子系统。根据《中华人民共和国海关法》第八条的规定，进出境运输工具、货物、物品，必须通过设立海关的地点进境或者出境。因此，通关是国际物流的必要环节。本章主要阐述一般进出口货物的通关内容。

任务一　出入境货物通关概述

一、海关的主要职责

海关是进出境的监督管理机构，是依据本国（或地区）的法律、行政法规行使进出口监督管理职权的国家行政机关，海关的监督管理是国家行政执法活动，这是海关的基本性质，海关的主要职责包括：

第一，监管进出境运输工具、货物、行李物品、邮递物品和其他物品：对进出境的各类运输工具进行检查、申报管理等；对货物进行查验，监督其装卸、运输、存储等环节；对行李物品、邮递物品等进行检查，防止违规物品进出境。

第二，征收关税和其他税、费：依据相关法律法规，对进出口货物、物品等征收关税、增值税、消费税等税费，并负责税费的催缴、减免等管理工作。

第三，查缉走私：打击各类走私违法犯罪活动，通过巡逻、检查、情报收集等手段，查缉走私货物、物品，维护国家的经济安全和对外贸易秩序。

第四，编制海关统计：对进出口货物的贸易数据进行收集、整理、分析和发布，为国家的宏观经济决策和对外贸易管理提供数据支持。

第五，办理其他海关业务：如对加工贸易企业进行备案、监管，对保税区、出口加工区等特殊监管区域进行管理，办理海关事务担保、知识产权海关保护等业务。

二、通关概念

通关是相关义务人在办理海关申报、查验、征税、放行等手续后，海关放行，货主提货的过程。通关顺畅与否，是衡量一个地区对外开放软环境和国际化的重要标准，也直接影响着现代物流活动的效率，是发展国际物流的瓶颈。海关规定进出境货物经过审单、查验、征税、放行 4 个海关作业环节即完成通关。与之相适应，进出口货物收发货人或其代理人应当按程序办理相对应的进出口申报、配合查验、缴纳税费、提取或装运货物等手续。

三、进出口货物的分类和通关阶段

（一）进出口货物的分类

根据海关对进出口货物的不同监管要求将其划分为 5 类：一般进出口货物、保税加工货物、特定减免税货物、暂准进出口货物和其他进出口货物。

（二）进出口货物通关阶段

1. 前期阶段

货物在进出关（境）之前，向海关办理备案手续的过程。并不是所有的货物都要经过这个阶段。在前期阶段中，进出口货物收发货人或其代理人应当按照以下三大类货物，分别完成相应的工作：

（1）保税加工货物：进出口货物收发货人或其代理人应当办理加工贸易合同的备案申请、加工贸易登记手册的申领等手续。

（2）特定减免税货物：进出口货物收发货人或其代理人应当办理企业的减免税备案登记、货物减免税的申请、减免税证明的申领手续。

（3）暂准进出口货物：暂准进出口货物中的展览品实际进境以前，进出口货物收发货人或其代理人应当办理举办展览会的备案申请手续。

2．进出境阶段

进出境阶段是指根据海关对进出口货物的监管制度，进出口货物收发货人或其代理人在进口货物进境时、出口货物出境时，向海关办理进出口申报、配合查验、缴纳税费、提取或装运货物手续的过程。

在进出境阶段中，进出口货物收发货人或其代理人应当按照步骤完成进出口申报—配合查验—缴纳税费—提取或装运货物这 4 个环节。从海关的角度来说，所对应的程序就是审单（决定是否受理申报）—查验—征税—放行这 4 个阶段。所有 5 类进出口货物都需经过这一阶段，这是本章阐述的重点内容。

3．后续阶段

后续阶段是指根据海关对保税加工货物、特定减免税货物、暂准进出口货物等的监管要求，进出口货物收发货人或其代理人在货物进出境储存、加工、装配、使用后，在规定的期限内，按照规定的要求，向海关办理上述进出口货物核销、销案、申请解除监管的手续的过程。

在后续阶段中，进出口货物收发货人或其代理人应当按照以下三大类货物，分别完成相应的工作：

（1）保税加工货物：进出口货物收发货人或其代理人应当在规定时间内办理保税加工货物登记手册的核销、银行保证金台账的销账等手续。

（2）特定减免税货物：进出口货物收发货人或其代理人应当在海关监管期满，或者在海关监管期内经海关批准出售、转让、退运、放弃特定减免税货物后，向海关申请办理解除海关监管的手续。

（3）暂准进出口货物：进出口货物收发货人或其代理人应当在暂准进出境期限内，或者在经海关批准延长暂准进出境期限到期后，向海关申请办理复运出境或进境，或正式进出口销案等手续。

表 2-1 5 类货物通关阶段

<table>
<tr><th>报关程序
货物类别</th><th>前期阶段
（货物在进境前办理）</th><th>进出境阶段
（货物在进出境时办理的4个环节）</th><th>后续阶段
（进出关境后需要办理才能接结关的手续）</th></tr>
<tr><td>一般进出口货物</td><td>不需要办理</td><td rowspan="5">进出口申报（审单）
↓
配合查验（查验）
↓
缴纳税费（征税）
↓
提取或装运货物（放行）</td><td>不需要办理</td></tr>
<tr><td>保税加工货物</td><td>备案、申请登记手册</td><td>保税加工货物核销申请</td></tr>
<tr><td>特定减免税货物</td><td>特定减免税申请和申领免税证明</td><td>解除海关监管申请</td></tr>
<tr><td>暂准进出口货物</td><td>展览品备案申请</td><td>暂准进出口货物销案申请</td></tr>
<tr><td>其他进出口货物</td><td>出料加工货物的备案</td><td>办理销案手续</td></tr>
</table>

案例 2-1 如何通过跨境电商网购保税进口模式进口化妆品

“跨境电商网购保税进口模式”（海关监管方式代码 1210），又称“保税备货模式”或“保税仓发货模式”，是跨境电商零售进口模式的一种。在该模式下，电商企业可以将海外进口化妆品以批量报关方式存入海关特殊监管区域或保税物流中心（B 型）保税仓，消费者在电商平台下单付款后，化妆品通过快递包裹的形式直接从保税仓配送至消费者手中。下面将从进口化妆品的要求、企业备案和资质要求、进口通关业务流程等方面介绍跨境电商网购保税进口模式进口化妆品。

一、进口化妆品的要求

跨境电商零售进口化妆品需符合以下条件：化妆品种类在《跨境电子商务零售进口商品清单（2022 版）》内；消费者购买的进口化妆品限于个人自用，不得再次销售，满足跨境电商零售进口税收政策规定的条件；通过与海关联网的电子商务交易平台交易，能够实现交易、支付、物流电子信息“三单”比对。

二、企业备案和资质要求

参与跨境电商业务的企业（包括跨境电商平台企业、跨境电子商务企业、物流企业、支付企业等）应依据海关报关单位备案管理的相关规定，向所在地海关办理备案手续。境外跨境电子商务企业应委托境内代理人，向该代理人所在地海关办理备案手续。物流企业应获得国家邮政管理部门颁发的“快递业务经营许可证”。支付企业为银行机构的，应具备国家金融监督管理总局颁发的“金融许可证”；支付企业为非银行支付机构的，应具备中国人民银行颁发的“支付业务许可证”，支付业务范围应包括互联网支付。

三、进口通关业务流程

1. 开设电子账册。海关对跨境电商网购保税进口化妆品实行账册管理，以仓储企业为单元，开设网购保税进口专用电子账册。

2. 缴纳税收担保。符合海关监管规定且在海关备案的电商企业、电商平台企业、物流企业或申报企业等，作为税款的代收代缴义务人，依法向海关提交足额有效的税款担保。

3. 一线进口保税备货。企业以跨境电商网购保税进口模式申报跨境电商进口化妆品，需向海关申报报关单（备案清单）、保税核注清单、核放单，将进口化妆品批量存入海关特殊监管区域或保税物流中心（B 型）保税仓。网购保税进口化妆品按照个人自用进境物品监管，但对相关部门明令暂停进口的疫区商品和对出现重大质量安全风险的商品启动风险应急处置时除外。

4. 二线出区清单申报。消费者在跨境电商平台下单购买所需进口化妆品后，跨境电商平台企业或跨境电商企业境内代理人、支付企业、物流企业分别通过中国国际贸易单一窗口或跨境电子商务通关服务平台向海关传输订单、支付单、物流单。“三单”比对验核通过后，企业提交《中华人民共和国海关跨境电子商务零售进口申报清单》，采取清单核放方式办理出区报关手续。

5. 包裹寄递出区。企业对放行后的申报清单汇总生成核注清单及核放单，办理出区手续，将包裹派送出区寄递给消费者。包裹实货出区后，电子账册上的化妆品数量相应核减。

6. 缴纳税款代收代缴义务人按规定向海关办理纳税手续。

资料来源：北京海关发布微信公众号

时间：2024-11-21

网址：https: //mp.weixin.qq.com/s/vUJM-aawmqrvKxDBKEQqpA

请结合以上案例以及本任务模块内容分析以下问题：

1. 请分析跨境电商网购保税进口模式进口化妆品通关为何要求交易、支付、物流电子信息“三单”比对。

2. 请分析保税加工货物在“前期阶段”和“后续阶段”为何要进行“备案、申请登记手册”和“保税货物核销申请”两步操作。

任务二　进出口货物申报

申报是进出口货物通关的第一个环节，进出口申报是指进出口货物的收发货人或其代理人向海关办理进出境手续的过程。根据《中华人民共和国海关法》的规定，进出口申报必须符合海关的规定，必须在海关规定的期限内，采用纸质报关单或电子数据报关单的形式向海关申告其进出口货物情况，并随附有关货运与商业单据，申请海关查验放行。经过海关审核准予注册的专业报关企业、代理报关企业和自理报关企业及其报关员具有申报资格。

一、电子报关

随着通关无纸化改革的推进，企业主要通过电子数据报关单的形式向海关进行进出口货物申报，海关以电子数据形式接受申报、审核、放行等，大幅提高了通关效率，降低了企业成本。这种方式下，企业无须向海关提交纸质报关单及随附单证，海关与企业之间的信息传递和业务办理主要通过电子系统进行。

（一）电子报关的含义

电子报关是指进出口货物收发货人或其代理人通过微机或终端，利用现代通信和网络技术，向海关传送规定格式的报关单电子数据，并根据海关计算机系统反馈的审核及处理结果办理海关手续的申报方式。《中华人民共和国海关法》规定："办理进出口货物的海关申报手续，应当采用纸质报关单和电子数据报关单的形式。"这一规定确定了电子报关的法律地位，使纸质报关单和电子数据报关单具有同等法律效力。

采用纸质报关单形式和电子数据报关单形式是法定申报的两种基本方式。在一般情况下，进出口货物收发货人或其代理人应当履行这两项义务，即进出口货物收发货人或其代理人先向海关计算机系统发送电子数据报关单，接收到海关计算机系统发送的"接受申报"电子报文后，打印纸质报关单，随附有关单证，向海关提交报关单证进行申报。

在一些还没有实现海关业务计算机化管理的边远地区海关，或者在某些特殊情况下，进出口货物收发货人或其代理人可以单独使用纸质报关单向海关申报；而在特定条件下，进出口货物收发货人或其代理人可以单独使用电子数据报关单向海关申报。单独使用纸质报关单或者单独使用电子数据报关单向海关申报的，应当经海关批准。

（二）电子报关的申报方式

电子报关的申报方式有 3 种：①终端申报方式：进出口货物收发货人或其代理人使用联接海关计算机系统的电脑终端录入报关单内容，直接向海关发送报关单电子数据；②EDI 申报方式：进出口货物收发货人或其代理人在微机中安装 EDI 申报系统，在该系统中录入报关单内容，由计算机转换成标准格式的数据报文向海关计算机系统发送报关单电子数据；③网上申报方式：进出口货物收发货人或其代理人在计算机中安装"中国电子口岸"系统，登录"中国电子口岸"网站，在"联网申报"系统中录入报关单内容，通过"中国电子口岸"向海关计算机系统发送报关单电子数据。

（三）电子通关系统

我国海关已经在进出口货物通关作业中全面使用计算机进行信息化管理，成功地开发运用了多个电子通关系统。

（1）海关 H883/EDI 通关系统。H883/EDI 通关系统是中国海关报关自动化系统的简称，是我国海关利用计算机对进出口货物进行全面信息化管理，实现监管、征税、统计三大海关业务一体化管理的综合性信息利用项目。

（2）海关 H2000 通关系统。H2000 通关系统是 H883/EDI 通关系统的全面更新换代项目。H2000 通关系统是按照建设我国现代化海关的要求，通过利用计算机网络技术建立全国集中式的海关通关业务数据库，在海关各业务领域全面联网应用的大型信息化管理系统。H2000 通关系统在集中式数据库的基础上搭建了全国统一的海关信息作业平台，不但提高了海关管理的整体效能，而且使进出境企业真正享受到简化报关手续的便利。进出境企业可以在其办公场所办理保税加工贸易登记备案、减免税表的申领手续、进出境报关手续等各种海关手续。

（3）中国电子口岸系统。中国电子口岸系统又称口岸电子执法系统，简称电子口岸，是与进出口贸易管理有关的 12 个国家部委利用现代计算机信息技术，将各部委分别管理的进出口业务信息电子底账数据集中存放在公共数据中心，为政府管理机关提供跨部门、跨行业联网数据核查，为企业提供网上办理各种进出口业务的国家信息系统。

电子口岸是“中国电子政府”的雏形。各政府管理部门在本部门内部网络的基础上，通过与电子口岸数据中心联网形成外部网，实现各部门之间的数据交换和信息共享。同时，企业利用电子口岸向各政府管理部门办理进出口手续，提高贸易效率，降低贸易成本。

（四）国际贸易单一窗口

国际贸易单一窗口（Single Window）是指通过一个统一的平台，实现进出口企业、海关、检验检疫、税务、外汇管理等部门之间的信息共享和业务协同。企业只需一次性提交标准化单证和电子信息，即可完成进出口通关、物流、支付等所有手续。国际贸易单一窗口与电子口岸的区别主要体现在以下几个方面：

（1）国际贸易单一窗口是一个综合性的贸易便利化平台，涵盖海关、检验检疫、税务、外汇管理等多个部门，实现信息共享和业务协同。单一窗口是世界海关组织（WCO）和世界贸易组织（WTO）推荐的贸易便利化措施。目前，全球已有 100 多个国家和地区实施了单一窗口系统。电子口岸是中国特有的通关信息化平台，主要聚焦于海关通关业务，提供报关、查验、放行等服务。

（2）功能侧重方面，国际贸易单一窗口的重点在于为企业提供一站式的申报服务，让企业能够在一个平台上完成报关报检、舱单申报、原产地证申报等各类业务申报，降低企业的申报成本和时间成本。电子口岸除支持企业申报外，更强调政府部门之间的数据共享、联网核查和协同监管等功能，例如海关与税务、外汇管理等部门之间的数据交互和业务协作，以实现对进出口业务的全面监管。

（3）应用主体角度，国际贸易单一窗口主要是进出口企业、货代、船代等贸易相关主体使用，作为它们向多个政府部门申报业务的统一入口。电子口岸不仅面向企业，也是海关、边检、检验检疫等政府部门进行业务协同和信息共享的平台，政府部门在电子口岸平台上实现对企业申报的处理、监管和服务。

二、进出口货物申报的定义与要求

货物申报是指进出口货物的收发货人和受委托的报关企业，依照《中华人民共和国海关法》以及有关法律、行政法规和规章的要求，在规定的期限、地点，采用电子数据报关单或者纸质报关单形式，向海关报告实际进出口货物的情况，并且接受海关审核的行为。

进出口货物的收发货人和受委托的报关企业应当依法如实向海关申报，对申报内容的真实性、准确性、完整性和规范性承担相应的法律责任。具体主要有以下几方面要求。

（一）申报主体及资质

进出口货物的收发货人，可以自行向海关申报，也可以委托报关企业向海关申报。

向海关办理申报手续的进出口货物的收发货人和受委托的报关企业应当预先在海关依法办理登记注册。

办理申报手续的人员，应当是在海关备案的报关人员。

（二）申报时限

进口货物：自运输工具申报进境之日起 14 日内向海关申报。

出口货物：应当在货物运抵海关监管区后、装货的 24 小时以前向海关申报。

为了加强海关对进口货物的通关管理，加快口岸货物运输，促使进口货物收货人（以下简称企业）及时申报，根据《中华人民共和国海关法》以及有关法律、行政法规的规定，企业超过规定期限向海关申报，海关依法应当征收滞报金。

征收进口货物滞报金应当按日计征，以自运输工具申报进境之日起第 15 日为起征日，以海关接受申报之日为截止日，起征日和截止日均计入滞报期间，另有规定的除外。滞报金的日征收金额为进口货物完税价格的 0.5‰，以人民币“元”为计征单位，不足人民币 1 元的部分免予计征。

征收滞报金的计算公式：进口货物完税价格×0.5‰×滞报期间。

滞报金的起征点为人民币 50 元。

海关规定申报期限和征收滞报金是为了运用行政手段和经济手段，促使进口货物收货人或其代理人及时报关，加速口岸运输，使进口货物早日投入生产和使用，促进国民经济的发展。滞报金是由进口货物收货人或其代理人超过法定期限向海关报关从而产生的一种费用，不是罚款。海关出具的滞报金收据不是罚款通知书。如果进口货物的收货人或其代理人对海关滞报金的决定不服，可以向作出决定的海关提出异议，但必须先交纳滞报金。

案例 2-2　滞报金的计算与征收

某企业通过一般贸易方式进口了一批货物，货物完税价格为人民币 200 000 元，运载该货物的船舶于 2022 年 10 月 22 日进境到港，因外商单证未齐未及时申报，于 2022 年 11 月 10 日补齐单证后向海关提交申报，那么这票单子是否需要征收滞报金？如果需要，滞报金金额又该如何计算？

案例解析：

该案例中，货物于 2022 年 10 月 22 日到港，因此申报截止日为自 10 月 23 日起的第 14 天，即 11 月 5 日。企业于 11 月 10 日提交申报，已超过进口货物申报期限，需要征收滞报金。但由于起征日 11 月 6 日（周日）为休息日，实际起征日顺延至休息日后的第一个工作日，即 11 月 7 日（周一），海关接受申报的日期 11 月 10 日为截止日，因此该批货物的实际滞报天数为 4 天。

因此，该案例中的滞报金额=进口货物完税价格×0.5‰×滞报期间

=200 000×0.5‰×4=400 元

资料来源：阿拉甬关

时间：2023-01-10

网址：https：//mp.weixin.qq.com/s/7OK_oLXWNhXIDP-fvE9OUA

（三）申报形式

申报采用电子数据报关单申报形式或者纸质报关单申报形式。电子数据报关单和纸质报关单均具有法律效力。

电子数据报关单申报形式：企业通过电子系统按照《中华人民共和国海关进出口货物报关单填制规范》的要求向海关传送报关单电子数据并且备齐随附单证的申报方式。

纸质报关单申报形式：企业按照海关的规定填制纸质报关单，备齐随附单证，向海关当面递交的申报方式。

企业应当以电子数据报关单形式向海关申报，与随附单证一并递交的纸质报关单的内容应当与电子数据报关单一致；特殊情况下经海关同意，允许先采用纸质报关单形式申报，电子数据事后补报，补报的电子数据应当与纸质报关单内容一致。

（四）申报随附单证

申报随附单证包括合同、发票、装箱清单、提（运）单、进出口许可证件、载货清单（舱单）、代理报关授权委托协议、海关总署规定的其他进出口单证。

三、申报后续处理

（一）海关不接受申报的情形

电子数据报关单经过海关计算机检查被退回的，视为海关不接受申报，进出口货物收发货人和受委托的报关企业应当按照要求修改后重新申报。

（二）现场交单

海关审结电子数据报关单后，进出口货物收发货人和受委托的报关企业应当自接到海关“现场交单”或者“放行交单”通知之日起，持打印出的纸质报关单，备齐规定的随附单证，到海关递交书面单证并且办理相关海关手续。

按照目前无纸化报关的推广范围和一体化申报模式，对于无人工接单和查验的报关单，企业无须去现场提交纸本报关。

（三）报关单修撤

海关接受进出口货物的申报后，报关单证及其内容不得修改或者撤销；符合规定情形的，应当按照《中华人民共和国海关进出口货物报关单修改和撤销管理办法》的相关规定办理。

四、其他申报类型

（一）提前申报

经海关批准，进出口货物收发货人和受委托的报关企业可以在取得提（运）单或者载货清单（舱单）数据后，向海关提前申报。

（二）集中申报

经海关批准，进出口货物收发货人和受委托的报关企业可以自装载货物的运输工具申报进境之日起 1 个月内向指定海关办理集中申报手续。

（三）特殊运输方式申报

经电缆、管道、输送带或者其他特殊运输方式输送进出口的货物，经海关同意，可以定期向指定海关申报。

五、申报的其他规定

（一）自理报关

进出口货物收发货人以自己的名义向海关申报的，报关单应当由进出口货物收发货人签名盖章，并且随附有关单证。

（二）委托报关

报关企业接受进出口货物收发货人委托，以自己的名义或者以委托人的名义向海关申报的，应当向海关提交由委托人签署的授权委托书，并且按照委托书的授权范围办理有关海关手续。

报关企业接受进出口货物收发货人的委托办理报关手续时，应当对委托人所提供情况的真实性、完整性进行合理审查，审查内容包括：

（1）证明进出口货物的实际情况的资料，包括进出口货物的品名、规格、用途、产地、贸易方式等。

（2）有关进出口货物的合同、发票、运输单据、装箱单等商业单据。

（3）进出口所需的许可证件及随附单证。

（4）海关总署规定的其他进出口单证。

报关企业未对进出口货物的收发货人提供情况的真实性、完整性履行合理审查义务或者违反海关规定申报的，应当承担相应的法律责任。

六、进出口货物报关单

按进出口状态来分，报关单可分为中华人民共和国海关进口货物报关单和中华人民共和国海关出口货物报关单。按表现形式来分，报关单可分为纸质报关单和电子数据报关单。在实际操作中，一般通过计算机系统先申报电子数据报关单，再根据需要打印纸质报关单提交海关。

电子报关单计有 105 个录入项目，包括基本申报项目、表头折叠项目和表体折叠项目（图 2-1）。其中基本申请项目包括表头项目（基本信息）、表体项目（商品信息）、集装箱项目、随附单证项目共计 76 项；表头折叠项目和表体折叠项目为检务申报项目（涉检基本信息和涉检商品信息），共计 29 项。

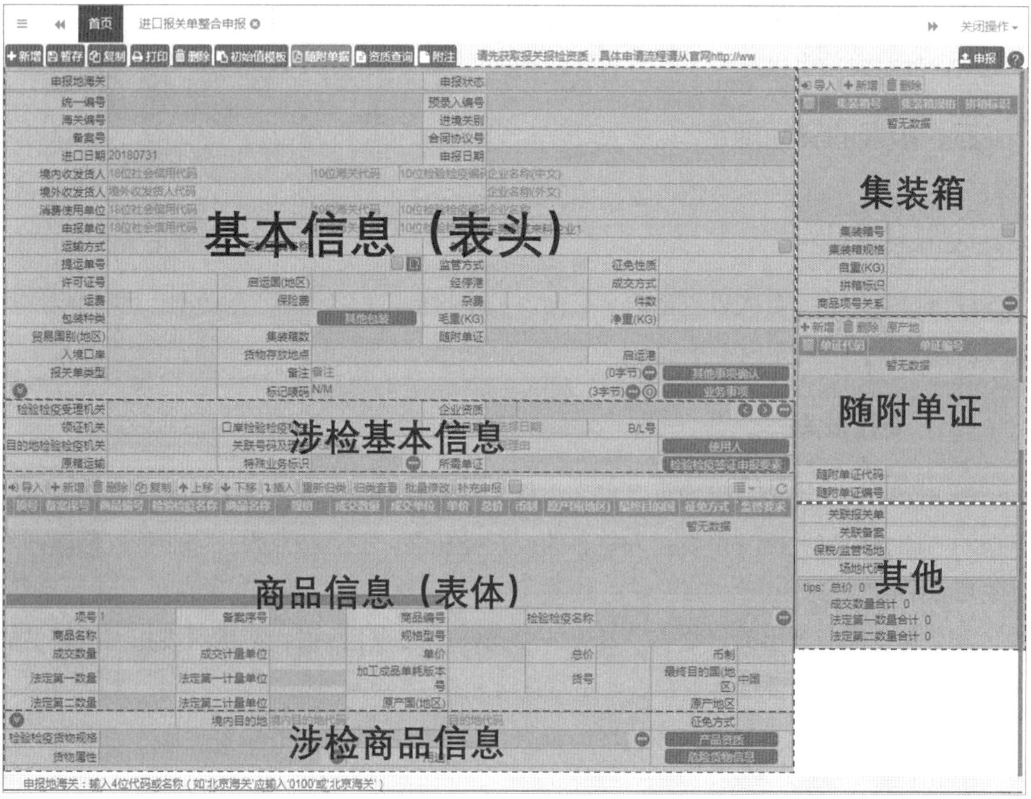

图 2-1 国际贸易单一窗口货物申报进口报关单申报页面结构

纸质报关单并不是电子数据报关单所有数据的打印版，纸质报关单示例见图 2-2 和图 2-3。

进口货物报关单

预录入编号：　080000015　　　海关编号：　　　　　　页码/页数：

境内收货人 巴西布莱恩贸易公司 913320010001249500	进境关别 里约热内卢海关	进口日期 2018-08-21	申报日期 2018-08-21	备案号
境外发货人 AUSTRALIA AIMEIJIA IMPORT AND EXPORT TRADE COMPANY	运输方式 江海运输	运输工具名称及航次号 TBA 002T	提运单号 COBL0000016	货物存放地点
消费使用单位 巴西布莱恩贸易公司 913320010001249500	监管方式 一般贸易(0110)	征免性质 一般征税(101)	许可证号	启运港 墨尔本(3242)
合同协议号 0001	贸易国(地区) 澳大利亚(601)	启运国(地区) 澳大利亚(601)	经停港 墨尔本(3242)	入境口岸 里约热内卢(2762)

包装种类	件数	毛重(千克)	净重(千克)	成交方式	运费	保费	杂费
纸箱	1000	22440	20400	CIF	[ ]/[ ]/[ ]	[ ]/[ ]/[ ]	[ ]/[ ]/[ ]

随附单据及编码

标记唛码及备注　BRIANCO
0001
Rio De Janeiro
1/1000

项号	商品编号	商品名称及规格型号	数量及单位	单价	总价	币制	原产国(地区)	最终目的国(地区)	境内目的地	征免
1	2008991000	荔枝罐头 每箱24听，每听850克	1000 箱	15	15000	美元 (502)	澳大利亚(601)	巴西(410)	里约热内卢 (2762)	照章征税

报关人员　　报关人员证号　　电话	兹申明对以上内容承担如实申报、依法纳税之法律责任	海关批注及签章
申报单位　巴西布莱恩贸易公司 913320010001249500	申报单位（签章）报关专用章	

图 2-2　进口货物报关单示例（一）

出口货物报关单

预录入编号：　020000032　　　海关编号：　　　　　　页码/页数：

境内发货人 澳大利亚爱美嘉进出口贸易有限公司 913320010001249490	出境关别 墨尔本海关	出口日期 2018-08-20	申报日期 2018-08-20	备案号
境外收货人 Brian Trading Company	运输方式 江海运输	运输工具名称及航次号 TBA 002T	提运单号	
生产销售单位 澳大利亚爱美嘉进出口贸易有限公司 913320010001249490	监管方式 一般贸易(0110)	征免性质 一般征税(101)	许可证号	
合同协议号 0001	贸易国(地区) 巴西(410)	运抵国(地区) 巴西(410)	指运港 里约热内卢(2762)	离境口岸 墨尔本(3242)

包装种类	件数	毛重(千克)	净重(千克)	成交方式	运费	保费	杂费
纸箱	1000	22440	20400	CIF	[502]/[1577]/[3]	[601]/[140.3(]/[3]	[ ]/[ ]/[ ]

随附单据及编码

标记唛码及备注　BRIANCO
0001
Rio De Janeiro
1/1000

项号	商品编号	商品名称及规格型号	数量及单位	单价	总价	币制	原产国(地区)	最终目的国(地区)	境内货源地	征免
1	2008991000	荔枝罐头 每箱24听，每听850克	1000 箱	15	15000	美元 (502)	澳大利亚(601)	巴西(410)	墨尔本(3242)	照章征税

报关人员　　报关人员证号　　电话	兹申明对以上内容承担如实申报、依法纳税之法律责任	海关批注及签章
申报单位　澳大利亚爱美嘉进出口贸易有限公司 913320010001249490	申报单位（签章）报关专用章	

图 2-3　出口货物报关单示例（二）

申请人在填制报关单时，应当依法如实向海关申报，对申报内容的真实性、准确性、完整性和规范性承担相应的法律责任。报关单填报必须真实，做到“两个相符”：

单、证相符，即所填报关单各栏目的内容必须与合同、发票、装箱单、提单以及批文等随附单据相符；

单、货相符，即所填报关单各栏目的内容必须与实际进出口货物情况相符。申报人必须按照《中华人民共和国海关法》、《中华人民共和国货物申报管理规定》和海关总署公布的报关单填制规范的有关规定和要求，向海关如实申报。

《中华人民共和国海关进出口货物报关单填制规范》

案例 2-3 报关单填写错误案例分析

一、申报要素错误案例

当事人作为报关单位，受收货人台州A公司委托，向C海关申报进口2票纸杯纸，报关单号分别为310×××××、310×××××，申报规格含“单面涂布”等字样，申报税则号列均为4811511000（进口关税税率为1%），申报总数量为303 102 kg，申报CIF总价为28.79万美元。经查，上述2票纸杯纸实际规格为未涂布，均应归入税则号列48045200（进口关税税率为5%）项下。当事人公司员工因工作疏忽，未按照台州A公司已准确提供的单证资料进行申报，导致申报规格及税则号列与实际不符。经核定，上述纸杯纸完税价格人民币182.53万元，漏缴税款人民币8.29万元。以上事实有进口货物报关单及随附单证、商品归类认定书、查/询问笔录、税款计核证明书及其他有关材料为证。当事人因工作疏忽致使发生进口货物税则号列申报不实、影响国家税款征收的情形，该行为违反了《中华人民共和国海关法》第十条第一款、第二十四条第一款之规定，并构成本法第八十六条第（三）项所列之违法行为。

根据《中华人民共和国海关行政处罚实施条例》第十七条，决定对当事人作出如下行政处罚：科处罚款人民币25 000元。

二、商品编码申报不实

A企业是一家从事气垫床以及相应零配件出口的外资企业。该企业于2020年2月出口一批原料玻纤布，以商品编码7019909000（退税率为13%）向海关进行申报。后经海关查实，该批玻纤布商品编码实际应归入为7019509999，适用退税率10%。

处置情况：海关经查验后，按规定对A企业进行相应处罚，并责令该企业按正确商品编码重新进行申报。该行为影响出口退税，海关将情况通报给退税税务机关，税务机关根据海关通报信息开展后续核查。根据核查结果对涉及出口退税款进行追回。

三、商品数量申报不实

B 企业为从事鞋类出口的外贸出口企业。其于 2020 年年初向海关申报出口休闲鞋 20 000 双。经查验，实际出口数量为 10 280 双，多报少出 9 720 双。

处置情况：海关根据有关条例对当事企业处以罚款，并将相关情况通报其主管退税的税务机关，税务机关对 B 企业已申报退税的其他业务开展核查，根据核查结果对涉及出口退税款进行追回。

四、法定检验商品申报检验问题

某企业于 2022 年 8 月 5 日以一般贸易方式向海关申报出口一票“接骨木提取物”，申报税则号列 2938909090（出口退税率为 13%、无监管条件），经查验，海关认定该货物应当归入税则号列 1302199099（出口退税率为 13%、监管证件代码 AB、检验检疫类别 MPR/NQS）。该企业对法定检验的出口商品不予报检，逃避出口商品检验，根据《中华人民共和国进出口商品检验法实施条例》第四十五条第一款，海关对该企业科处罚款人民币 30 000 元。

资料来源：安徽报关协会

时间：2023-04-24

网址：https: //mp.weixin.qq.com/s/q6cuZ-bHRwfB-Z_qkya8XQ

请结合以上案例以及本任务模块内容分析以下问题：

1. 有些企业在明知报关单中 HS 编码错误的情况下，为什么还要选择错误的 HS 编码？此行为的后果有哪些？

2. 请分析正确填制报关单的重要性。

任务三　进出口货物查验

《中华人民共和国海关法》规定，进出口货物，除经收、发货人申请，海关总署特准可以免验的以外，其余都应当接受海关的查验。海关查验货物时，进口货物的收货人、出口货物的发货人应当到场，并负责搬移货物，开拆和重封货物的包装。海关认为必要时，可以进行开验、复验或者提取样品。

一、海关查验的概念

海关查验是指海关为确定进出口货物收发货人或者其代理人向海关申报的内容是否与进出口货物的真实情况相符，或者为确定商品的归类、价格、原产地、知识产权情况等，依法对进出口货物进行实际核查的执法行为。海关查验是通关过程中必不可少的重要环节。

海关查验重点验核品名、数量与申报是否相符，外观是否霉变、有无污染/污化、是否超出保质期、是否破损及侵权，以及是否存在夹藏夹带、掺杂掺假、以假充真、以次充好、以不合格商品冒充合格商品等情况。

品名：很多企业在申报时容易将产品学名和俗名写错，或者英文品名与中文品名不一致；有些企业出口产品过多，有时会将众多产品品名合并成几个品名，这样很容易造成产品价格、净重、数量都高于实际。

申报金额：有些进出口企业，为了降低进口关税，增加出口退税额度，违法将进出口产品的金额报高或者报低，这就会触发海关系统的预警功能，一旦超出海关系统数据库价格范畴，就会触发系统布控指令。

海关编码：部分企业提供的编码与申报要素不相符。比如，企业提供的编码显示为无缝钢管，但是企业实际进出口的产品是有缝钢管；提供的编码显示出口产品材质为合金钢，但是申报要素写的是不锈钢，这种情况很容易引起查验。

总数量和件数：部分进出口企业没有把赠送的物品和样品加入总数量当中，导致毛重、净重与实际重量可能存在一定的差距。

品牌：海关会核实品牌是否侵权，如部分企业出口某品牌的服装，并未获得品牌授权或其他合法单证。

上面这些申报信息是很容易出错的，从而引起不必要的查验，在一定程度上将影响通关效率。

二、海关查验的目的与地点

海关查验的目的是检查企业申报货物与实际进出口货物是否相符，即确定是否“单货相符”。

（1）通过核对实际进出口货物与报关单证是否一致，来验证申报环节所申报的内容与查验的单、货是否一致。

（2）通过查验发现申报审单环节所不能发现的有无瞒报、伪报和申报不实等走私违规行为或其他进出口问题。

（3）通过查验可以验证申报审单环节提出的疑点，为征税、统计和后续管理提供可靠的监管依据。

海关查验的地点一般为海关监管区内的进出口口岸码头、车站、机场、邮局或海关的其他监管场所。对进出口大宗散货、危险品、鲜活商品、落驳运输的货物，经进出口收发货人的申请，海关也可在作业现场予以查验放行。在特殊情况下，经进出口收发货人或其代理人申请，海关审核同意，也可派员到规定的时间和场所以外的工厂、仓库或施工工地查验货物。

三、海关查验的流程与方式

（一）海关查验的流程

海关查验流程如图 2-4 所示。

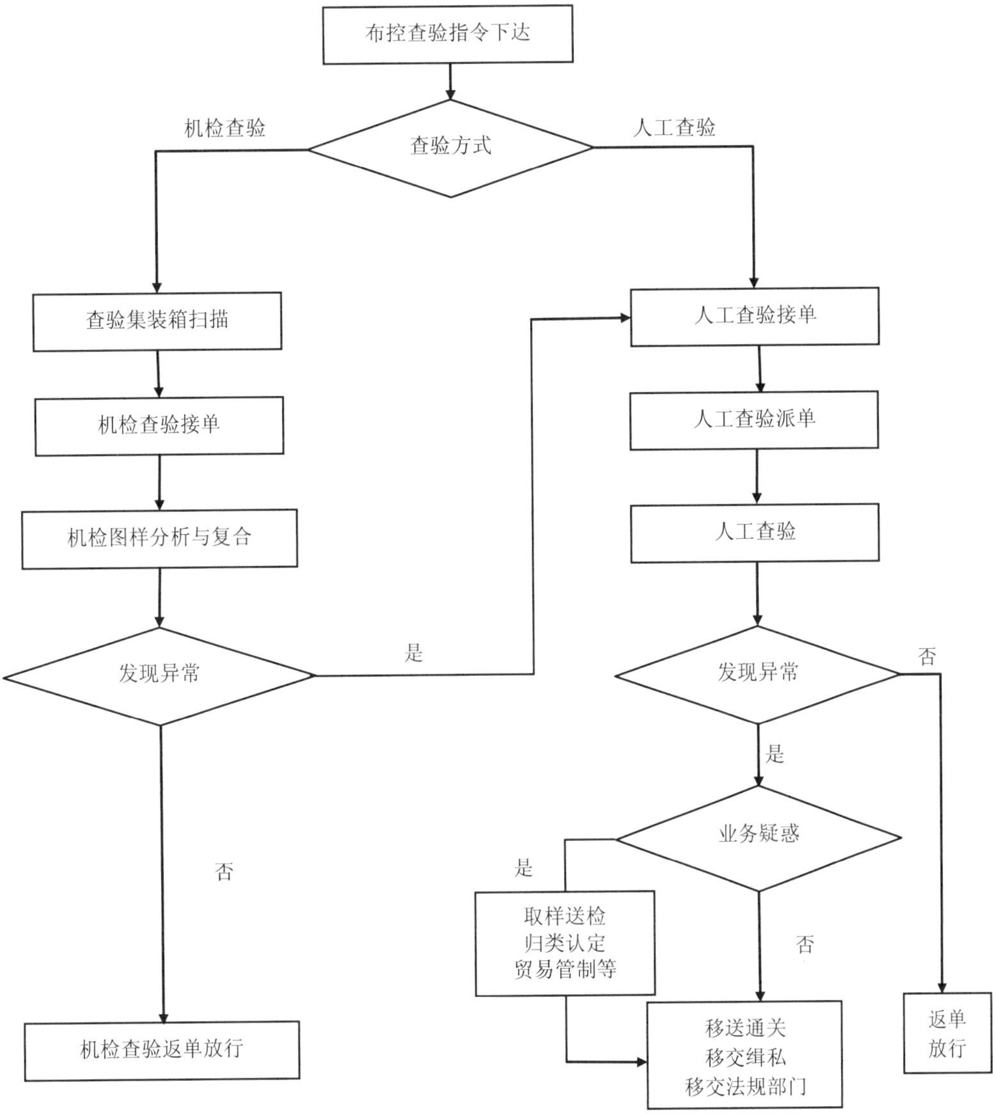

图 2-4　海关查验流程

（1）海关确定查验后，由现场接单关员打印《查验通知单》，必要时制作查验关封交报关员。

（2）安排查验计划。由现场海关查验受理岗位安排查验的具体时间，一般当天安排第二天的查验计划。

（3）海关查验货物时，进口货物的收货人、出口货物的发货人或其授权报关员应当到场，并负责协助搬移货物，开拆和重封货物的包装。

（4）海关认为必要时，可以径行开验、复验或者提取货样。查验结束后，由陪同人员在《查验记录单》上签名、确认。

（二）海关查验布控方式

1．计算机布控

计算机布控是海关将进出口货物进行分类，设置风险参数。进出口货物风险参数越高，被计算机布控的概率就越高。有些关区由于进出口货物多数风险参数较低，即对进出口货物按一定概率设置随机布控查验，称为随机布控。还可根据企业的 AE0 认证级别设置风险参数，高级认证风险参数低。

2．人工布控

（1）人工布控是海关的审单、征税、查验、放行等业务环节的关员，在审核申报单据对进出口货物存有疑虑即可由人工操作在海关业务操作系统下达布控指令。

（2）海关（包括缉私局）由于查获过某进出口货物出现违法违规现象，导致其他企业进出口的同样或相关货物风险参数提高，而被人工布控查验。

（3）海关（包括缉私局）接到（即举报）某进出口货物有问题的消息后，在该货物进出口时海关关员人工布控或缉私局向海关现场作业人员发出布控查验通知，查验该货物。

人工布控可分为 5 种布控指令：

①舱单布控是指海关通过对舱单电子数据的各项指标进行综合风险分析，对风险较高的货物进行布控。

②预定布控是通过风险分析将高风险货物和企业明确为查验目标，通过相关部门按照在海关业务系统中设定参数，计算机自动提取含有该参数的单据，自动锁定目标并下达查验指令。其特点是风险布控的要素明确、具体，查获率较高。

③预警布控是海关根据新政策发布、商品以及贸易形势等风险要素的变化，在海关业务系统中设定条件参数，将高风险货物、企业在报关单上进行提示，提醒现场接审人员重点审阅，根据进出口货物实际情况再确定是否需要查验。

④即决布控是指现场查验人员在审核实时申报的进出口货物单据时，对某些有疑问的单据下达需要进行查验的布控指令。

⑤随机布控是指海关对低风险的进出口货物设置一定的查验比例，由计算机系统对报关单进行的随机抽查。

（三）海关查验方式

1．机检查验

机检查验是堆场收到海关查验信息后顺势进行机检扫描，扫描后由集中审像中心进行图像分析。机检查验流程如图 2-5 所示。

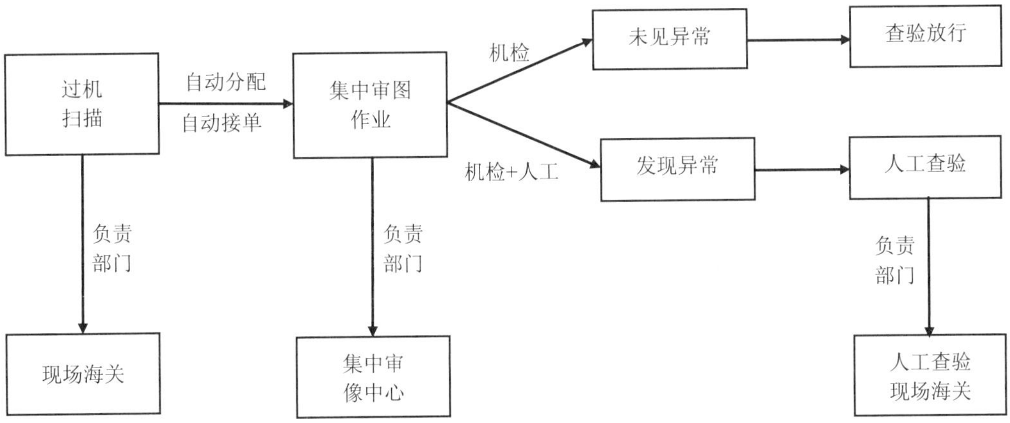

图 2-5　机检查验流程

现场海关应配备专职人员负责 H986 的运行和管理，负责 H986 的巡查、运行、应急响应及操作人员的管理；负责查验现场与集中审像中心之间的联系配合和处置反馈；负责机检检入环节，需核对集装箱箱号、封号是否准确，采集集装箱重量，保证信息准确录入，审核扫描缩略图，确保图像质量。

2．人工查验

人工查验包括外形查验、开箱查验、彻底查验。

外形查验是指对外部特征直观、易于判断基本属性的货物的包装、运输标志和外观等状况进行验核。这种方式是相对便捷的一种查验，一般运用于危险品或是大型设备的查验，主要核对货物包装标签上的品名、型号等信息，有时也会组合机检一起执行查验。

开箱查验是指将货物从集装箱、货柜车箱等箱体中取出并拆除外包装后对货物实际状况进行验核。

彻底查验是指逐件开拆包装、验核货物实际状况的查验方式。代码是 A 查。这种查验方式费时、费力，用得比较少，一般是针对具有线索指向的货物，或是失信企业申报的高风险货物。此方式还会经常组合过磅一起执行查验。

除按照操作方式分类以外，在查验现场，现场关员也会根据实际情况，实施其他查验方式。

（1）到海关监管区外实施查验。查验应当在海关监管区内实施。但因货物易受温度、静电、粉尘等自然因素影响，不宜在海关监管区内实施查验，或者因其他特殊原因，需要在海关监管区外查验的，经进出口货物收发货人或者其代理人书面申请，海关可以派员到海关监管区外实施查验。

（2）径行开验。有下列情形之一的，海关可以在进出口货物收发货人或者其代理人不在场的情况下，对进出口货物进行径行开验：①进出口货物有违法嫌疑的。②经海关通知查验，进出口货物收发货人或者其代理人届时未到场的。海关径行开验时，存放货物的海关监管场所经营人、运输工具负责人应当到场协助，并在查验记录上签名确认。③优先查验。对于危险品或者鲜活、易腐、易烂、易失效、易变质等不宜长期保存的货物，以及因其他特殊情况需要紧急验放的货物，经进出口货物收发货人或者其代理人申请，海关可以优先安排查验。④复验。有下列情形之一的，海关可以对已查验货物进行复验：第一，经初次查验未能查明货物的真实属性，需要对已查验货物的某些性状做进一步确认的；第二，货物涉嫌走私违规，需要重新查验的；第三，进出口货物收发货人对海关查验结论有异议，提出复验要求并经海关同意的；第四，其他海关认为必要的情形。复验按照《中华人民共和国海关进出口货物查验管理办法》第六条至第十条的规定办理，查验人员在查验记录上应当注明“复验”字样。已经参加过查验的查验人员不得参加对同一票货物的复验。

四、海关查验货物时进出口货物收发货人或其代理人职责

（1）持“查验通知书”、报关单备用联、提单、发票、装箱单（复印件）等单证，至现场海关签收查验指令，并根据海关要求做好货物调拨与开拆准备。

（2）到查验现场协助查验，负责搬移货物，开拆和重封货物，面答海关的询问，提供查验时所需要的单证或相关资料。

（3）协助海关提取需要作进一步检验、化验或鉴定的货样，收取海关出具的“取样”清单。

（4）查验结束后，认真阅读查验员填写的《海关进出口货物查验记录单》，注意查验开箱具体情况、货物残损情况及造成的原因、提取货样情况、查验结论等内容的记录是否符合实际，并当场签字。

案例 2-4　长沙国际铁路港海关“H986”设备提高查验效率

2024 年 10 月 10 日，在长沙国际铁路港海关监管现场，一个个满载货物的大型集装箱在牵引车上通过 H986 设备扫描。扫描图像即时传输到远在 3 km 外的长沙海关集中审像中心。通过智能审图分析，不到 5 分钟就能出具查验结论完成查验作业，查验无异常的集装

箱即可搭乘中欧班列等待出境。

H986 也称大型集装箱检查设备，属于非侵入式查验设备。原理是借助 X 射线的强大穿透力，海关人员在不开箱卸货的情况下，远程对集装箱内货物、空箱、货柜车或集装箱夹层等进行查验。据介绍，H986 设备搭载有智能审图系统，如同“火眼金睛”加上“智慧大脑”，海关查验人员借助智能审图开展综合研判，能快速、准确锁定集装箱内的异常情况，不仅节省了海关查验 50%以上的人力成本，还将查验时间压缩至 5 分钟以内，大幅提高了货物通关效率。

湖南中南国际陆港有限公司货场以前人工查验货物，主要请搬运工人卸货、开拆，最快也得耗费 2 ~ 3 小时，其间难免会磕碰造成一定货损。智能监管省去了开箱、掏箱、开拆、装箱等环节，成本低、效率高，既给企业降本增效，也显著提高了货场运转和口岸通关效能。

长沙海关集中审像中心自 2022 年 5 月建成使用以来，已在湖南进出口货运量较大的岳阳城陵矶港、长沙国际铁路港和长沙霞凝港各配备 1 台 H986 查验设备。每台 H986 设备对货物的扫描图像都会实时同步传输至集中审像中心审图判图，给出查验结论。2024 年 1—9 月，集中审像中心共机检集装箱 17 598 箱次，根据智能审图提示查获各类问题 78 起。

H986 大型集装箱查验设备投用后，非侵入式查验货物的作业时间从过去的几小时缩短为几分钟，工作效率得到极大提高。同时，依托先进的科技设备，查验的准确性、针对性也大幅提高，实现了“海关管得住、企业通得快”。

资料来源：长沙海关

时间：2024-10-10

网址：https: //mp.weixin.qq.com/s/ZltfI9z3gBwRhw5Obn0fuQ

请结合以上案例以及本任务模块内容分析以下问题：

1. 案例中 H986 大型集装箱查验设备的投用对进出口企业和海关查验工作有什么意义？

2. 在科技赋能海关查验的背景下，人工查验是否还有必要？为什么。

3. 请分析计算机布控与人工布控是如何兼顾通关效率与安全的。

《中华人民共和国海关进出口货物查验管理办法》

任务四　进出口货物放行

根据《中华人民共和国海关法》的规定，除海关特准外，进出口货物在收、发货人办完向海关申报、接受查验、缴清税款或提供担保后，由海关在货运单据上签印放行。

一、海关放行的定义与前提条件

（一）海关放行的定义

海关放行是指海关对进出口货物完成审核、查验、征税等监管程序后，允许货物进入或离开关境的行为。根据《中华人民共和国海关法》第二十九条的规定，进出口货物在办结海关手续后，海关应当予以放行。此外，《海关进出口货物申报管理规定》和《海关进出口货物查验管理办法》等法规进一步明确了放行的具体条件和程序。

海关放行意味着一般贸易进出口货物可解除海关现场监管，特殊贸易进入后续管理，因此，海关在放行环节的工作重点是对通关程序中的申报、查验、征税几个环节的工作进行复核。主要是对进出口货物的申报单证是否齐全有效、有无遗漏，进出口货物的通关程序是否合法，各项签章是否完整、有效，海关查验进出口货物的记录和批注是否准确及符合规范，进出口货物缴纳税费情况，监管货物的登记、备案记录是否完整和正确等事项进行复核。申报人应随时答复海关的复核询问或进一步提供海关需要的单证，以保证放行手续的迅速办理。

海关放行的形式包括电子放行和纸质放行单据。电子放行是通过中国国际贸易单一窗口或海关系统发送电子放行指令，企业可凭此提货。纸质放行单据是在特定情况下，海关签发纸质放行单，作为提货凭证。

（二）海关放行的前提条件

（1）完成申报：企业需通过中国国际贸易单一窗口或海关认可的申报系统提交完整的报关单及相关单证。

（2）缴纳税费：根据海关核定的税款，企业需按时缴纳关税、增值税、消费税等税费。

（3）通过查验：如货物被列为查验对象，需通过机检查验或人工查验，确认无问题后方可放行。

（4）提供必要的许可证件：对于涉及许可证管理的货物，企业需提供相应的许可证件，如进口许可证、出口许可证、检验检疫证书等。

二、海关放行的手续

（一）签印放行

一般贸易进出口货物的收发货人或其代理人如实向海关申报，并如数缴纳应缴税款和有关规费后，海关在货物的进出口货运单据，如进口提单或运单、出口装货单或特制的放行条上签盖“海关放行章”，进口货物的收货人凭此到海关监管仓库提取货物，出口货物的发货人凭此装船启运出境。

在办完放行手续后，海关签发《进口货物证明书》或《出口货物证明书》。证明书是证明货物经海关监管合法实际进口或出口的文件，海关签发证明书主要是为了方便进出口货物的所有人办理有关业务。申报人只要同时符合如下两个条件，海关就会签发证明书。条件一，报关员或货物所有人提出要求的；条件二，某项进口或出口的货物是经海关监管验放的、合法的进出口货物，且需要证明的。

（二）签发出口退税报关单

出口企业向税务机关申请退税，须提供两单两票，即出口货物报关单、银行的出口结汇单和出口销售发票、出口产品购进发票。

申请出口产品退税的企业，在向海关办理出口报关手续时，除应按规定填制报关单随附单证，还应填制一份与普通出口报关单格式一致的浅黄色《出口退税报关单》。此单是税务机关办理出口退税的主要凭证。出口企业应在海关放行货物之日起 15 日内，向海关申领《出口退税报关单》，凭此办理退税手续。

海关在放行货物后，在报关单上加盖“验讫章”和已向税务机关备案的海关审核出口退税负责人的签章，并加贴防伪标签后，退还报关单位，送交退税地税务机关。

（三）签发进口付汇、出口收汇进出口货物报关单

对进口付汇、出口收汇进出口货物报关单，海关在办结放行手续后，出具一份盖有海关验讫章的电脑打印报关单，并在报关单的右上角加贴防伪标签，交进口或出口单位专门用于办理进口付汇或出口收汇核销手续。

（四）出口货物退关

已申报出口的货物，在海关办理放行后，因故未能装运出口的，申报人应向海关申请办理退关手续。申请退关的出口货物发货人应当在退关之日起 3 日内向海关申报退关，

经海关核准后方能将货物运出海关监管区。已征出口税的退关货物，可以在缴纳税款之日起的 1 年内，提出书面申请，向海关申请退税。对出口货物海关接受申报并放行后，由于运输工具配载问题，全部或部分货物未能装载上原申报的运输工具，出口货物发货人应向海关递交《出口货物报关单更改申请》。其中，对全部未出口的，海关审批后，按退关处理，重新办理出口海关手续。对部分未出口的，海关对原申报出口的货物作全部退关处理，然后对实际出口的货物办理重新报关手续。

三、进出口集装箱货物通关及口岸作业流程

海运集装箱货物和空运货物进出口通关及口岸作业整个流程划分为 3 个阶段，即货物运抵港口（货站）前、货物运抵港口（货站）后、海关放行后。

（一）海运集装箱货物进口通关及口岸作业流程

海运集装箱货物进口通关及口岸作业流程见表 2-2。

表 2-2 海运集装箱货物进口通关及口岸作业流程

主要环节	涉及主体	具体说明
货物运抵港口前		
舱单传输	船公司、船代、海关	船公司/船代通过数据传输系统或中国国际贸易单一窗口向海关传输舱单数据
进口换单	船代、货代	货代通过船代的业务平台、中国国际贸易单一窗口或船代办单窗口支付换单相关费用，依据正本提单向船代换取提货单
进口报关	货代、报关行、海关	货代/报关行查询舱单信息，整理报关所需单证材料，通过自有关务系统或中国国际贸易单一窗口向海关进行报关单申报
海关审单	海关	海关进行电脑审单，如有必要转人工审单
企业缴税（如有）	收货人、货代、报关行	收货人或其代理（货代、报关行）通过企业自有关务系统或中国国际贸易单一窗口缴纳进口关税及其他代征税款（增值税、消费税），或办理税款担保手续
货物运抵港口后		
码头装卸、理货、堆存货物	港口	港口通过作业系统安排机力卸载集装箱，并进行理货，将集装箱自船边搬移至港区堆场，并向海关发送理货报告
通知查验（如有）	海关、货代、报关行	海关向报关企业（货代、报关行）发送查验通知书，企业通过中国国际贸易单一窗口接收
查验预约（如有）	查验场站、货代、报关行	货代/报关行在港口集中受理平台预约查验作业，查验场站安排作业计划
查验作业（如有）	查验场站、货代、报关行、海关	查验场站按照作业计划和海关的指令对集装箱进行拖运，经过海关 H986 查验设备、掏箱、摆箱，海关查验关员进行查验，如有异常进行下一步处置，无问题后查验场站安排重新装箱并将集装箱运回堆存场地

主要环节	涉及主体	具体说明
海关放行	海关、货代、报关行	海关向报关企业（货代、报关行）发送放行指令，企业通过中国国际贸易单一窗口接收
海关放行后		
进口放箱	船代、货代、放箱公司	货代（或委托放箱公司）通过 EIR 平台办理放箱手续，货代向船代支付设备交接单费用，船代签发设备交接单，货代（或放箱公司）将电子设备交接单授权给车队
码头提箱预约	港口、货代、放箱公司、车队	货代（或委托放箱公司、车队）通过港口集中受理平台向港口支付货物港务费，堆存、查验作业等相关费用，预约提箱时间，生成提箱码（最终授权给负责提箱的车队）
码头提箱作业	港口、车队	车队安排集卡到码头提箱，司机到码头闸口道口提供预约码，到指定位置提箱并出闸口

注：需要注意的是，报关企业在必要的申报资料齐全的情况下可以在货船抵达港口前就进行申报，即“提前申报”，并不一定在货船抵达港口之后再开始进行报关操作。

（二）海运集装箱货物出口通关及口岸作业流程

海运集装箱货物出口通关及口岸作业流程见表 2-3。

表 2-3 海运集装箱货物出口通关及口岸作业流程

主要环节	涉及主体	具体说明
货物运抵港口前		
出口订舱	发货人、货代、船公司、船代	发货人或其代理（货代）通过船公司或船代订舱平台、电子邮件或现场窗口进行订舱，船公司或船代签发装货单
出口放箱	货代、放箱公司、船代	货代（或委托放箱公司）通过 EIR 平台办理放箱手续，货代向船代支付设备交接单费用，船代签发设备交接单，货代（或放箱公司）将电子设备交接单授权给车队
堆场提箱	车队、堆场	车队凭设备交接单和装货单到船公司/船代指定的集装箱管理堆场提取空箱
装货	车队、发货人、货代	车队按照发货人或其代理（货代）指示到指定地点装货
传输预配舱单	船公司、船代、海关	船公司/船代通过数据传输系统或中国国际贸易单一窗口向海关传输预配舱单数据
出口报关	货代、报关行、海关	货代/报关行查询舱单信息、整理报关所需单证材料，通过自有关务系统或中国国际贸易单一窗口向海关进行报关单申报
海关审单	海关	海关进行电脑审单，如有必要转人工审单
企业缴税（如有）	收货人、货代、报关行	发货人或其代理（货代、报关行）通过企业自有关务系统或国际贸易单一窗口缴纳出口关税及其他代征税款，或办理税款担保手续

主要环节	涉及主体	具体说明
码头集港预约	港口、货代、放箱公司、车队	货代（或委托放箱公司、车队）通过港口集中受理平台向港口支付货物港务费等相关费用，预约集港时间（最终授权给负责提箱的车队）
码头集港作业	港口、车队	车队安排集卡到码头送箱，司机到码头后按指定位置送箱并出闸口
货物运抵港口后		
通知查验（如有）	海关、货代、报关行	海关向报关企业（货代、报关行）发送查验通知书，企业通过中国国际贸易单一窗口接收
查验预约（如有）	查验场站、货代、报关行	货代/报关行在港口集中受理平台预约查验作业，查验场站安排作业计划
查验作业（如有）	查验场站、货代、报关行、海关	查验场站按照作业计划和海关的指令对集装箱进行拖运，经过海关 H986 查验设备、掏箱、摆箱，海关查验关员进行查验，如有异常进行下一步处置，无问题后查验场站安排重新装箱并将集装箱运回堆存场地
海关放行（单证放行）	海关、货代、报关行	海关向报关企业（货代、报关行）发送放行指令，企业通过中国国际贸易单一窗口接收
海关放行后		
发送装载舱单	船代、海关	船公司/船代通过数据传输系统或中国国际贸易单一窗口向海关传输装载舱单数据
海关放行（货物放行）	海关、港口	海关对碰装载舱单和报关单，无问题发送货物放行指令，允许港口装船
集装箱装船、货船离港	港口、海关	港口安排作业计划，并按照作业计划进行装船，港口向海关发送理货报告
发送清洁舱单	船代、海关	船公司/船代通过数据传输系统或中国国际贸易单一窗口向海关传输清洁舱单数据
签发提单	船公司、船代、货代、发货人	发货人或其代理（货代）与船公司/船代结费，船公司/船代向发货人签发提单

注：需要注意的是，发货人或其代理在必要的申报资料齐全的情况下可以在货物集港前就进行申报，即“提前申报”，并不一定在货物集港之后再开始进行报关操作。

（三）空运货物进口通关及口岸作业流程

空运货物进口通关及口岸作业流程见表 2-4。

表 2-4 空运货物进口通关及口岸作业流程

主要环节	涉及主体	具体说明
货物运抵机场前		
舱单传输	航空公司、货站、海关	航空公司通过数据传输系统或中国国际贸易单一窗口向海关传输舱单数据，如果航空运单有分单情形，在主单数据传输完成后，货站向海关传输分单数据
进口报关	货代、报关行、海关	货代/报关行查询舱单信息、整理报关所需单证材料，通过自有关务系统或中国国际贸易单一窗口向海关进行报关单申报
海关审单	海关	海关进行电脑审单，如有必要转人工审单
企业缴税（如有）	收货人、货代、报关行	收货人或其代理（货代、报关行）通过企业自有关务系统或中国国际贸易单一窗口缴纳进口关税及其他代征税款（增值税、消费税），或办理税款担保手续
货物运抵机场后		
飞机落地与卸货	机场	机场地服部门按照作业计划进行卸货，并交至拖车
货物入一级货站	机场、一级货站、海关	机场地服拖车将货物交至一级货站，一级货站进行理货，并向海关发送理货报告
货物分拨至二级货站（如有）	一级货站、二级货站、海关	按照主单和分单对应关系，货物由一级货站分拨至二级货站，二级货站向海关发送理货报告
货站告知提货	一级/二级货站、收货人	货站通过系统或电子邮件通知收货人提货，向收货人发送到货通知
通知查验（如有）	海关、货代、报关行	海关向报关企业（货代、报关行）发送查验通知书，企业通过中国国际贸易单一窗口接收
查验预约（如有）	一级/二级货站、货代、报关行	货代/报关行通过货站业务受理平台或电话等其他渠道预约查验作业，货站安排作业计划
查验作业（如有）	一级/二级货站、货代、报关行、海关	货站按照作业计划和海关的指令对货物进行搬移、摆放，海关查验关员进行查验，如有异常进行下一步处置，无问题后货站重新整理货物并搬移回原存储位置
海关放行	海关、货代、报关行	海关向报关企业（货代、报关行）发送放行指令，企业通过中国国际贸易单一窗口接收
海关放行后		
货站提货	一级/二级货站、货代、车队	货代（或安排车队）在货站业务受理平台或货站柜台结算费用，车队安排车辆到货站仓库进行提货

注：需要注意的是，收货人或其代理在必要的申报资料齐全的情况下可以在航班抵达前就可以进行申报，即“提前申报”，并不一定在“航班抵达机场”之后再开始进行报关操作。

（四）空运货物出口通关及口岸作业流程

空运货物出口通关及口岸作业流程见表 2-5。

表 2-5 空运货物出口通关及口岸作业流程

主要环节	涉及主体	具体说明
货物运抵货站前		
出口订舱	发货人、货代、航空公司	发货人（或委托货代）向航空公司订舱
传输预配舱单	航空公司、海关	航空公司通过数据传输系统或中国国际贸易单一窗口向海关传输舱单数据
出口报关	货代、报关行、海关	货代/报关行查询舱单信息、整理报关所需单证材料，通过自有关务系统或中国国际贸易单一窗口向海关进行报关单申报
海关审单	海关	海关进行电脑审单，如有必要转人工审单
企业缴税（如有）	收货人、货代、报关行	收货人或其代理（货代、报关行）通过企业自有关务系统或中国国际贸易单一窗口缴纳出口关税及其他代征税款，或办理税款担保手续
货物运抵二级货站（如有）	二级货站、货代、发货人、车队	如涉及二级货站收货，发货人或其代理（货代）安排车队将货物送入二级货站
货物运抵货站后		
货物入一级货站	一级货站、车队、海关	车队将货物送入一级货站（或由二级货站进入一级货站），一级货站向海关发送运抵报告
通知查验（如有）	海关、货代、报关行	海关向报关企业（货代、报关行）发送查验通知书，企业通过中国国际贸易单一窗口接收
查验预约（如有）	一级货站、货代、报关行	货代/报关行通过货站业务受理平台或电话等其他渠道预约查验作业，货站安排作业计划
查验作业（如有）	一级货站、货代、报关行、海关	货站按照作业计划和海关的指令对货物进行搬移、摆放，海关查验关员进行查验，如有异常进行下一步处置，无问题后货站重新整理货物并搬移回原存储位置
海关放行（单证放行）	海关、货代、报关行	海关向报关企业（货代、报关行）发送放行指令，企业通过中国国际贸易单一窗口接收
海关放行后		
发送装载舱单	航空公司、海关	航空公司通过数据传输系统或中国国际贸易单一窗口向海关传输装载舱单数据
海关放行（货物放行）	海关、一级货站、机场	海关对碰装载舱单和报关单，无问题发送货物放行指令，允许货物装机
货物装机、飞机离港	海关、一级货站、机场	货站、机场地服安排作业计划，货物由一级货站运至地坪由机场地服进行装载
发送清洁舱单	航空公司、海关	航空公司通过数据传输系统或中国国际贸易单一窗口向海关传输清洁舱单数据
签发航空运单	航空公司、货代、发货人	发货人或其代理（货代）与航空公司结费，公司向发货人签发航空运单

注：需要注意的是，发货人或其代理在必要的申报资料齐全的情况下可以在入货站前就进行申报，即“提前申报”，并不一定在货物“入一级货站”之后再开始进行报关操作。

四、“两段准入”模式

（一）“两段准入”模式的概念

“两段准入”以进口货物准予提离口岸海关监管作业场所（场地）为界，第一段准入为“准予入境”，进口货物提离口岸海关监管区前，海关对有检疫、查验等要求的货物，实施口岸检查，确定“是否允许货物入境”；第二段准入为“合格入市”，进口货物提离口岸海关监管区后，海关对有检验要求的货物实施目的地检查，确定“是否允许货物进入国内市场销售或使用”。

（二）“两段准入”模式的优点

1．对于进出口企业而言

此前，进口货物需要在口岸完成取样送检工作，通关流程办结后才可放行提离。在“两段准入”模式下，通过附条件提离、转场检查、目的地检查、合并检查等方式，进口货物可快速提离口岸，提前做好入市相关准备，降低企业因滞港产生的时间、仓储、物流等成本。

2．对于海关而言

“两段准入”监管作业改革是海关全面深化业务改革的重要任务之一。此项改革可深化关检融合，进一步优化配置口岸与属地监管资源，可按“一线”聚焦重大安全准入风险，也可加快大多数中低风险货物通关流转，有助于进一步优化口岸营商环境，促进贸易便利化。

（三）“两段准入”模式的实施

1．第一段监管：准予入境

以下 4 种情况，凭海关通知准予提离进境地口岸海关监管区。

①无海关检查要求的。

②仅有海关口岸检查要求且已完成口岸检查的，或企业申请 “转场检查”的。

③仅有海关目的地检查要求的。

④既有海关口岸检查又有目的地检查要求且已完成口岸检查的，或企业申请“合并检查”的。

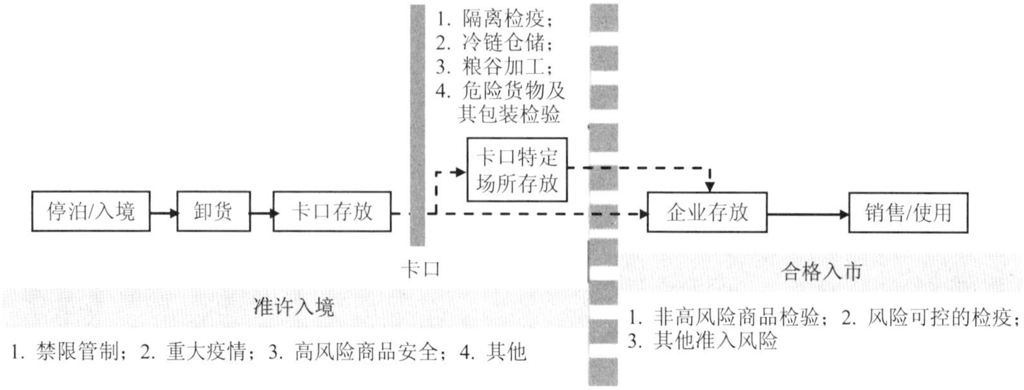

图 2-6　第一段监管“准予入境”流程示意图

2．第二段监管：合格入市

以下 3 种情况，可凭海关放行通知准予销售或使用：

①有海关目的地检查要求且已完成检查的。

②属于监管证件管理且海关已核销相关监管证件的。

③需进行合格评定且海关已完成合格评定的。

案例 2-5　“目的地查验”系列违法案件

为便利企业、提高通关效率、实现进口货物的快速通关和流转、减少货物在口岸积压、海关实施“两段准入”的监管，第一段在口岸海关判别“是否允许货物入境”，第二段判别“是否允许货物进入国内市场销售或使用”。在该模式下，进口货物提离口岸监管区后，海关对有检验要求的货物，实施目的地检验，以确定“是否允许货物进入国内市场销售或使用”。对有目的地检验要求的货物，在经口岸通关后，应当于入境口岸海关放行后 20 日内，向目的地海关申请检验。如在口岸海关通关后，发现申报的目的地检验检疫机关为口岸海关，且有目的地检验要求未完成，应主动联系口岸海关明确处置措施。如条件允许可将货物运回口岸海关监管场所实施目的地检验，也可按照口岸海关指引向货物实际存放地的属地海关申请目的地检验。无论采取何种方式，都应在完成目的地检验后方能销售或使用货物，否则就要承担相应的法律责任。但是以下案例中的企业均未能认真履行目的地查验程序，被海关予以处罚。

一、2022 年 12 月 21 日，西双版纳精谷边贸有限责任公司在磨憨口岸申报进口长粒米籼米精米 490 t，货值 1 764 000 元人民币，报关单号为 864920221000002473，税则号为 1006302001，监管条件为 4xAByt，检验检疫类别为 MPR/QS。该票货物在申报进口时，海关向当事人下达目的地检验指令，要求当事人到滇中海关按照指令接受目的地检验。至2023年3月当事人仍未主动按指令要求申请目的地检验。2023年3月30日，滇中海关对当事人申报进口的该批长粒米籼米精米进行目的地检验。经查，该批货物的经检验数量与应检验数量不符，当事人未在海关规定期间内向海关申请检验，接受海关对进口商品的检验，即已销售报关单864920221000002473项下申报进口的490 t长粒米籼米精米。处罚种类和依据：根据《中华人民共和国进出口商品检验法实施条例》第四十二条的规定，按一般情节对其处以16万元罚款。

资料来源：中华人民共和国昆明海关官方网站

时间：2024-01-10

网址：http: //kunming.customs.gov.cn/kunming_customs/611308/fdzdgknr67/611347/611349/1679305/5620780/index.html

二、2022年5月10日，宁波兴利汽车模具有限公司向海关申报进口一批货物需要接受目的地海关查验，报关单号为224420221000460371，申报品名为热流道、热流道配件——水套，申报商品编码分别为8419899090、8419899090，上述申报货物须经法定检验。2022年6月1日，宁海海关查检科至宁波兴利汽车模具有限公司进行查验，发现当事人未将上述货物向海关申报检验即擅自打开并使用。经核，上述须经法定检验的货物价值人民币14 578.27元。当事人的上述行为已经违反了《中华人民共和国进出口商品检验法》第五条第二款的规定。根据本法第三十二条的规定，决定对当事人作出如下行政处罚：科处罚款人民币1 400元整。

资料来源：中华人民共和国宁波海关官方网站

时间：2022-09-15

网址：http: //www.customs.gov.cn//ningbo_customs/470752/2881004/470781/3385862/4585056/index.html

三、2024年1月24日，西双版纳凯浪国际货运代理有限公司受中艺编织品进出口有限公司委托代理报关，在磨憨口岸向勐腊海关申报进口木薯淀粉 260 000 kg，商品编号1108140000，海关检验检疫类别 PQ，申报总价 977 340 元人民币，增值税款 127 054.2 元人民币，报关单号为864920241000000383。该票货物在申报进口时，海关向西双版纳凯浪国际货运代理有限公司下达目的地检验指令，要求该公司按照指令到滇中海关接受进口木薯淀粉目的地检验。西双版纳凯浪国际货运代理有限公司因工作疏忽在该批货物抵达申报目的地王家营西时，未办理相关海关手续即对货物进行了分流售运处理。2024年2月5日，西双版纳凯浪国际货运代理有限公司自查发现该票进口木薯淀粉有目的地检验要求，立即向滇中海关进行了报告。经查，西双版纳凯浪国际货运代理有限公司无违法所得。

鉴于西双版纳凯浪国际货运代理有限公司的违法行为系自查发现且向海关及时报告，根据《中华人民共和国进出口商品检验法》第三十二条、《中华人民共和国进出口商品检验法实施条例》第四十二条、《中华人民共和国海关行政处罚裁量基准（二）》第八条第四项及附件 2 第 38 项规定，决定对西双版纳凯浪国际货运代理有限公司作出如下行政处罚：科处罚款人民币 55 300 元整。

资料来源：中华人民共和国昆明海关官方网站

时间：2024-09-25

网址：http: //www.customs.gov.cn//kunming_customs/611308/fdzdgknr67/611347/611349/1679305/6119062/index.html

请结合以上案例以及本任务模块内容分析以下问题：

1. 请分析海关实施“两段准入”的监管措施的原因有哪些？
2. 在实践中，造成命中目的地查验指令的货物逃漏检的原因有哪些？
3. 以上案例为进口企业和货代企业提出了哪些警示？

任务五 进出口货物检验检疫

一、出入境检验检疫的内涵与目的

（一）出入境检验检疫的内涵

出入境检验检疫是指国家检验检疫机构依法对进出境的货物、物品、运输工具、包装材料等实施检验、检疫、监督管理的行政行为。其内涵包括以下几个方面：

（1）检验。检验是指对进出口货物的质量、规格、数量、包装、标识等是否符合国家标准或合同要求进行技术性检查。检验的范围包括工业产品、食品、化妆品、医疗器械等。

（2）检疫。检疫是指对进出境的动植物及其产品、食品、化妆品等实施卫生和动植物检疫，防止疫情疫病、有害生物和有毒有害物质的传入、传出。检疫的范围包括动植物产品、食品、饲料、种子、苗木等。

（3）监督管理。监督管理是指对进出口货物的生产、加工、储存、运输等环节进行全程监控，确保其符合国家法律法规和国际标准。

（4）技术性贸易措施。出入境检验检疫还承担着实施技术性贸易措施（TBT）和卫生与植物卫生措施（SPS）的职能，通过制定和实施技术法规、标准和合格评定程序，保护国家利益和消费者权益。

（二）出入境检验检疫的目的与意义

出入境检验检疫的目的是多方面的，既包括保障国家安全和人民健康，也包括促进贸易便利化和经济发展。具体目的如下。

1．保障国家安全

防止疫情疫病传入、传出：通过对进出境动植物及其产品实施检疫，防止动植物疫情疫病和有害生物的传播，保护国家农业生产和生态安全。防止有毒有害物质传入：对进出口货物实施检验，防止有毒有害物质、放射性物质等进入国境，维护国家环境安全和公共安全。

2．保护人民健康

确保食品安全：对进出口食品实施严格的卫生检验，确保其符合国家食品安全标准，保护消费者健康。保障药品和医疗器械安全：对进出口药品、医疗器械等实施质量检验，确保其安全有效。

3．维护消费者权益

防止假冒伪劣商品流入市场，通过检验检疫，防止不合格商品和假冒伪劣商品进入国内市场，保护消费者合法权益。

4．履行国际义务，保障公共卫生安全，维护生态环境稳定

遵守国际规则，通过实施 WTO《技术性贸易壁垒协定》（TBT 协定）和《实施卫生与植物卫生措施协定》（SPS 协定），履行国际义务，维护国家声誉。参与国际合作，与世界卫生组织、世界动物卫生组织（OIE）等国际组织合作，共同应对全球性检验检疫挑战。

二、出入境检验检疫的范围与类别

（一）出入境检验检疫的范围

（1）国家法律法规规定须经检验检疫的。

（2）输入国家或地区规定必须凭检验检疫证书方准入境的。

（3）有关国际条约规定须经检验检疫的。

（4）申请签发原产地证明书及普惠制原产地证明书的。

（二）出入境检验检疫的类别

（1）进口商品检验（代码：M）。

（2）出口商品检验（代码：N）。

（3）进境动植物，动植物产品检疫（代码：P）。

（4）出境动植物，动植物产品检疫（代码：Q）。

（5）进口食品卫生监督检验（代码：R）。

（6）出口食品卫生监督检验（代码：S）。

（7）进境卫生检疫（代码：V）。

（8）出境卫生检疫（代码：W）。

（9）民用商品入境验证（代码：L）。

三、出入境检验检疫的程序

出入境检验检疫的程序是检验检疫工作的核心环节，旨在确保进出口货物符合国家法律法规和国际标准。检验检疫程序通常包括以下几个主要步骤：

（一）报检

报检是指进出口货物的收发货人或其代理人向检验检疫机构提交检验检疫申请的过程。报检是检验检疫程序的第一步，报检主体可以是进出口货物的收发货人（如外贸企业、生产企业），也可以是出口货物的收发货人的报检代理人（如报关行、货代公司）。

（二）检验检疫实施

检验检疫实施是指检验检疫机构根据报检信息对货物进行技术性检查和检疫的过程。具体包括以下环节。

1．现场检验检疫

①核对单证：检验检疫人员核对报检单证是否齐全、有效。

②查验货物：对货物的外观、包装、标识等进行检查。

③抽样检测：对需要实验室检测的货物进行抽样。

2．实验室检测

①对抽取的样品进行理化、微生物、有害生物等检测。

②检测结果作为是否放行的重要依据。

3．特殊检验检疫

对危险品、冷链食品、放射性物质等特殊货物实施专项检验检疫。

（三）海关验放

海关验放是指海关根据检验检疫结果对货物进行综合审核，并决定是否准予通关的过程。具体包括以下内容。

1. 合格放行

对检验检疫合格的货物，海关在系统中标注“检验检疫通过”，并准予货物通关。企业可通过中国国际贸易单一窗口查询货物放行状态。

2. 不合格处理

对检验检疫不合格的货物，海关在系统中标注“检验检疫不合格”，并通知企业进行整改、退运或销毁。

（四）后续监管

后续监管是指对已放行货物的后续环节进行监督和管理，确保其符合相关要求。具体包括：

（1）风险监控：对高风险货物实施后续跟踪检查。

（2）数据归档：将检验检疫数据归档，用于统计分析和风险预警。

（3）异常处理：对在后续环节发现问题的货物，及时采取补救措施。

四、出入境检验检疫相关要求

（一）出境检验检疫

1. 出境货物报检的地点和时限

出境货物报检一般应在货物到达报检地点 7 天内，向货物所在地的商检机构报检（表 2-6、表 2-7）。

表 2-6 出境报检时限

货物	报检时限
一般出境货物	出口报关或装运前 7 天
个别检验检疫周期较长的货物	应留有相应的检验检疫时间
需隔离检疫的出境动物	出境前 60 天报检，隔离前 7 天报检
出境观赏动物	出境前 30 天到出境口岸检验检疫机构报检

表 2-7　出境报检地点

货物	报检地点
法定检验检疫货物	产地
活动物	口岸
法律规定允许在市场采购的货物	采购地
异地报关的货物（实施出口直通放行制度的货物除外）	报关地检验检疫机构办理换证报检

2．出境货物报检应提供的证单

（1）填制完整的《出境货物报检单》。

（2）对外贸易合同（收货确认书或函电或加盖企业公章的双方约定贸易事项的电子邮件打印件或其他凭证）、发票、装箱单等有关单证的复印件，厂检合格单；报检快件时，应包括总运单、每一快件的分运单、发票等有关单证的复印件。

（3）属于代理报检的，应包括《代理报检委托书》正本。

（4）实施审单放行的批次，应提供出境货物发货人出具的合格保证，内容包括守法承诺、合格保证、质量安全责任，以及发现问题后主动召回措施等。

（5）其他单证：

①办理预报检的，应包括外贸合同或注明检验检疫的项目和要求的内贸合同的复印件。

②实施许可、注册/登记/备案管理或需经审批的货物，应提供有关证明。

③微生物、生物制品、人体组织、血液及其制品等特殊物品，应提供特殊物品卫生检疫审批单。

④危险货物，应提供《出境货物运输包装性能检验结果单》和《出境危险货物运输包装使用鉴定结果单》。

⑤市场采购货物，应提供符合性声明、出口商品质量合格验收报告、商品采购票据等市场采购凭证（包括采购票据、采购商品清单或供货商供货清单），采购备案单位商品的，需提供备案证明复印件。

⑥对外承包工程项目下的出口物资，应提供《中华人民共和国对外经济合作经营资格证书》及企业与境外业主签订的项目合同正本复印件（加盖公司印章），及按照施工材料、施工器械和自用办公生活等分类别列出的物资清单。按规定需提供出厂合格证明、加工原料供货证明文件等必要的凭证和相关批准文件的，应一并提供（相关单据可进行合并和精简，合并精简的单据应包含上述质量安全追溯信息）。

⑦按规定需要提供符合性声明的，应一并提供。

⑧按照检验检疫的要求，需提供的其他特殊证单。

3．出境货物检验检疫一般工作程序

出境货物的检验检疫一般工作程序是企业报检后，检验检疫机构先施检，施检合格后再放行通关。出境货物实行产地检验检疫，抽中口岸核查货证的，须在口岸实施核查货证，一体化情况下，不再出具换证凭单或凭条。

（二）入境检验检疫

1．入境货物检验检疫一般工作程序

对于入境一般货物来说，检验检疫的一般工作程序是报检—预防性检疫处理—现场检验检疫—发现检疫处理指征实施检疫处理—抽中的送实验室检验检疫—合格后放行。对于报检后实施审单放行的货物，经审单合格，即可放行；对于抽中实施现场或实验室检验检疫的，按要求实施现场或实验室检验检疫。货物通过预防性检疫处理后，并不表示检验检疫机关已对这批货物完成检验和检疫工作，此时货物仍不允许被销售或使用。完成所有检验检疫工作，合格的货物签发《入境货物检验检疫证明》，准予销售、使用。不合格的货物签发《检验检疫处理通知书》，退运或销毁处理。

2．入境报检的地点和时限要求

入境报检时限和地点见表 2-8、表 2-9。

表 2-8　入境报检时限

入境货物	报检时限
微生物，人体组织，生物制品，血液及其制品，禽及其精液、胚胎、受精卵	入境前 30 天报检
其他动物的	入境前 15 天报检
输入植物，种子，种苗及其他繁殖材料	入境前 7 天报检
需对外索赔出证的	在索赔有效期前不少于 20 天内自到货口岸或货物到达地的检验检疫机构报检

注：入境一般应在货物到达报检地点 3 天内，向货物所在地的商检机构报检。

表 2-9　入境报检地点

<table>
<tr><th>入境货物</th><th>报检地点</th></tr>
<tr><td>审批、许可证等有关政府批文中已规定检验检疫地点的</td><td>规定的地点</td></tr>
<tr><td>大宗散装商品、易腐烂变质商品、废旧物品</td><td rowspan="2">卸货口岸检验检疫机构</td></tr>
<tr><td>卸货时发现包装破损、数量短缺的商品</td></tr>
<tr><td>结合安装调试进行检验的成套设备、机电仪产品</td><td rowspan="2">在收货人所在地检验检疫机构</td></tr>
<tr><td>在口岸开件后难以恢复包装的商品</td></tr>
<tr><td>输入动植物、动植物产品和其他检疫物的</td><td>口岸检验检疫机构</td></tr>
<tr><td>入境后需办理转关手续的检疫物，除活动物、来自动植物疫情流行国家或地区的检疫物</td><td>入境口岸报检和指运地检验检疫机构报检，并实施检疫</td></tr>
<tr><td>其他</td><td>入境前或入境时向报关地检验检疫机构报检</td></tr>
</table>

3．入境报检需要提供的单据

（1）入境货物报检时，应填写《入境货物报检单》，并提供对外贸易合同（收货确认书或函电或加盖企业公章的双方约定贸易事项的电子邮件打印件或其他凭证）、发票、装箱单、提/运单等贸易和运输单证复印件；快件报检时，应提供总运单、每一快件的分运单、发票等有关单证的复印件。

（2）实施审单放行的批次，应提供进境货物收货人出具的合格保证，内容包括守法承诺、合格保证、质量安全责任，以及发现问题后主动召回措施等。

（3）属于代理报检的，应包括《代理报检委托书》正本。委托书应当列明货物信息、具体委托事项、委托期限等内容，并加盖委托人、代理报检企业的公章。出入境快件运营企业代理委托人办理出入境快件报检业务的，免予提交《代理报检委托书》。

（4）其他单证：

①入境验证管理、注册/登记/备案或其他审批管理的货物，应提供有关证明。

②动植物、动植物产品及其他检疫物，应提供输出国家或地区政府动植物检疫机关出具的检疫证书正本（总局已实施证书无纸化核查的，如荷兰输华乳制品兽医卫生证书等可不提供）、产地证书正本；须办理入境检疫审批手续的，还需进境动植物检疫许可证正本。

③入境旅客、交通员工携带进境的伴侣动物，应提供输出国家或地区政府动植物检疫机关出具的检疫证书正本和预防接种证书正本。

④过境或转运的动植物、动植物产品及其他检疫物，应提供货运单和输出国家或地区政府动植物检疫机关出具的证书正本；过境的动物，还应包括国家检验检疫机关签发的《动物过境许可证》正本。

⑤因科学研究等特殊需要引进的禁止进境物，应提供国家检验检疫机关签发的特许审批证明（正本）。

⑥微生物、人体组织、生物制品、血液及其制品等特殊物品，应提供特殊物品卫生检疫审批单正本或电子版打印稿。

⑦报检企业申请残损鉴定的还应提供理货残损单、铁路商务记录、空运事故记录或海事报告等证明货损情况的有关单证。

⑧报检企业申请重（数）量鉴定的还应提供重量明细单、理货清单等。申报为转基因产品的，还应当提供法律法规规定的主管部门签发的《农业转基因生物安全证书》（或者相关批准文件）。

⑨入境展品应提供展会方出具的相关证明、展品清单和检验检疫机关要求的其他相关材料。已经深加工可消除动植物疫情传播风险的动植物产品及动植物源性食品可免于审批，报检时可免于提供输出国家或地区的检疫证书，但属于动植物源性食品的，报检

时仍需提供输出国家或地区的卫生证书。

⑩对申报仅用于工业用途，不用于人类食品或动物饲料添加剂及原料的产品，应提交非用于人类食品和动物饲料添加剂及原料产品用途的证明。进口食品报检时，应提交上一次食品的进口和销售记录。

⑪其他法律法规要求需要提供的随附单证。

案例 2-6　2023 年民生领域案件查办“铁拳”行动典型案例

一、江苏省常州市市场监督管理局查处高某等人经营未经检验检疫的走私牛毛肚等食品案

2023 年 4 月 27 日，常州市市场监督管理局和常州市经开区公安局在横山桥高速公路出口处开展联合检查，截获一辆大货车，该车货物包装上标明品名是牛毛肚，原产地为巴西帕拉州，货主高某等无法提供报关及检验检疫资料。经查，高某等于 4 月 26 日从福建宁德码头购进 6 卡车走私的巴西帕拉州牛毛肚等畜副产品，货值 660 万元，准备运往河南郑州等地进行销售。执法人员扣押未经检验检疫的走私牛毛肚 39.94 t（1 775 箱）、猪肚 10.5 t（875 箱）。当事人的行为违反了《中华人民共和国食品安全法》第三十四条的规定，已涉嫌构成犯罪，常州市市场监督管理局依法将该案移送公安机关。

二、浙江省临海市市场监督管理局查处林某等 11 人经营无合法来源的走私冷冻牛肚等食品系列案

2023 年 2 月 7 日、4 月 10 日、7 月 14 日，浙江省临海市市场监督管理局根据举报线索，先后联合海警、公安等部门在临海海域查获“通祥 666”“长安 69（套牌）”“浙定 55367”三条经营无合法来源冷冻畜禽肉及其副产品的船只，抓获涉案人员 11 人。涉案牛肚、牛肉、猪肚、猪耳朵、猪鼻子、火鸡翅膀等冷冻畜禽肉及其副产品总计 800 余 t，涉案货值超 4 000 万元。经查，上述冷冻畜禽肉及其副产品来自巴西等地，均无相关进口和检疫证明。当事人林某等从台湾高雄等地装船，计划在浙江、江苏沿海分装后流入国内市场。当事人的行为违反了《浙江省反走私综合治理规定》第九条的规定，已涉嫌构成犯罪，临海市市场监督管理局依法将该案移送公安机关。

三、浙江省苍南县市场监督管理局查处苍南东耀科技开发有限公司经营未经检验检疫的走私牛副产品案

2023 年 3 月 28 日，苍南县市场监督管理局根据线索，对苍南东耀科技开发有限公司进行现场检查，发现当事人地下一层的冷库内存放有外包装标有“国产精品牛副”的 9 个品种牛副产品共 1.03 万箱，总计 206 t，以及印有“国产精品牛副”“国产精品猪副”空白包装箱计 2 930 个。当事人无法提供上述货物的入库清单、产品合法来源证明、合格证明等相关材料。经查，当事人利用自身经营冷库的便利，将海上走私的冻品运至其位置隐蔽的地下一层冷库，在冷库外通道上将原进口包装箱拆除，换上国产包装箱，存放于该冷库，再对外销售以牟取高额利润。当事人的行为违反了《中华人民共和国食品安全法》第三十四条的规定，已涉嫌构成犯罪，苍南县市场监督管理局依法将该案移送公安机关。

四、江西省万载县市场监督管理局查处邱某某经营未经检验检疫及国家明令禁止经营的走私冷冻牛肉案

2023 年 5 月 13 日，万载县市场监督管理局接到举报线索，反映有一辆箱式半挂冷链货车将途经沪昆高速万载县辖区，疑似运输未经检验检疫的冷冻牛肉。执法人员当日在高速公安机关协助下，在一辆挂车上查获了 1 406 件（20 kg/件）产自印度的冷冻牛肉，共计 28.12 t。经查，当事人共运输售卖冷冻牛肉 73.7 t，涉案货值金额 360 余万元；当事人无法提供真实的检验报告和营业执照。当事人的行为违反了《中华人民共和国食品安全法》第三十四条的规定，已涉嫌构成犯罪，万载县市场监督管理局依法将该案移送公安机关。

资料来源：国家市场监督管理总局

时间：2023-09-04

网址: https: //www.samr.gov.cn/xw/zj/art/2023/art_6cef4b43bb1642a1a20c625 a435d386c. html

请结合以上案例以及本任务模块内容分析以下问题：

1. 肉类作为不可或缺的食品原料之一，在老百姓“菜篮子”中占据着重要地位。来源不明、未经检验检疫的进口肉制品威胁广大人民群众生命健康。我国对进口肉与肉制品实施准入管理，请调研海关对进口肉类的监管要求。

2. 进口肉制品检验检疫申报单证有哪些？

3. 请证明检验检疫工作的重要性。

【行业前沿】

智慧海关建设

按照党中央、国务院重大决策部署，海关总署将建设智慧海关作为当前和今后一段时间最重要的工作任务。将重点围绕守国门、促发展职责使命，以数字化转型、智能化升级为核心，运用数字技术这一创新驱动发展的先导力量，推进海关监管理念、制度机制、业务模式的全方位、系统性转型升级，构建网络化互联、数字化感知、智能化分析、自动化作业的海关监管服务新形态，营造安全、便利、高效的海关智治新生态。主要包括四个方面：

一是构建全链条严密顺势监管。将海关监管最大限度顺势嵌入企业生产经营、国际贸易物流链条之中，结合企业生产经营活动，实施智能式循链监管，尽量减少对企业生产经营和贸易物流的干扰，在更好维护国门安全的同时，进一步提高通关便利化水平。

二是实施全过程多维一体防控。以大数据为支撑，做到智能感知、智能研判、智能处置，发挥风险管理、信用管理的基础作用，"人、企、物"并联，智能综合研判，实施穿透式风险防控，既做到"守法便利"，又做到对违法行为的准确捕捉、依法惩处。

三是提供全方位便捷高效服务。立足服务大国外交和提高人民群众满意度，提升服务能力和水平，满足多层次多样化需求。不断改革不适应生产力发展和生产经营实际的海关监管制度，深化国际贸易"单一窗口"建设，实现政策服务个性化投放、直达直享。

四是保障全领域协同顺畅运行。聚焦"响应、呼应、反应"灵敏高效要求，强化海关各项业务的深度融合协作，畅通海关工作"主动脉"和"毛细血管"，优化智慧海关"循环系统"，确保海关工作运行顺畅、协同高效，提升业务运行整体效能，为海关监管服务有效输出打下良好基础。

打造智慧海关的最终目标就是，使海关变"四处撒网"为"精准出击"，变"大海捞针"为"瓮中捉鳖"，让不法分子无处遁形，让守法企业畅通无阻。2024 年，智慧海关建设进入全面实施阶段，将重点建设九大标志性工程，具体包括智慧海关业务流程体系、大数据池、参数库、知识库、模型库、生态系统、装备设施体系、一站式服务平台、业务运行监控体系。以数字化转型、智能化升级，推动海关监管服务越来越"智能"、越来越"自动"。力争一年取得重点突破，三年形成基本框架，五年形成完整体系，远期成为世界一流。为我国从贸易大国向贸易强国转型提供有力保障，以海关自身的现代化，服务助推中国式现代化，为完成"智关强国"使命任务筑牢基础，为强国建设、民族复兴做出海关贡献。

一、提升海关监管效能方面的科技创新

随着对外贸易的飞速发展，监管服务的强度、防范风险的难度持续增加，海关不但要为企业提供最大限度的通关便利、降低贸易成本，同时还要守住、守牢国门安全，不断应对各类安全威胁和挑战。近年来，中国海关积极探索大数据、大模型、人工智能等前沿技术的应用，已取得初步成效。例如，通过研发应用大数据模型，有力支撑严厉打击洋垃圾走私、濒危物种走私、新冠疫情防控、非洲猪瘟疫情防控等工作。智能审图技术广泛应用到海关业务一线，目前已能够有效识别多种商品，这是中国海关在监管服务中的一张亮丽的名片，在世界海关监管应用中有较大的影响。再如，为进一步提高现场关员知识产权查验效率，开发了知识产权商标智能识别技术，实现了移动查验单兵在线查询知识产权备案系统商标信息，智能辅助甄别侵权商标，不仅提高了合法货物知识产权验核效率，也加大了对侵犯商标权货物的查发力度。另外，海关将 AI 技术应用于濒危物种识别，开发濒危多肉植物、濒危木材识别软件并投入使用，实现了现场快速初筛识别。随着智慧海关的深入推进，我们将继续朝着“无感通关、自动监管”的目标前进，不断推动新技术与海关业务的深度融合，围绕数据找准新技术应用突破口，以科技创新支撑引领海关数字化转型、智能化升级，全面提升海关监管服务能力。

二、海关在智能化装备的应用上取得的突破性成果

一是在全世界率先使用了利用人工智能技术开发出来的智能审图技术，取得重大突破并在全国推广，前面也已经提到，目前通过智能审图可以识别多种商品，能够有效应对 24 小时不间断工作模式，减轻一线监管压力，提升口岸精准监管能力。

二是推广应用场景化监管装备设备，实现数据的智能识别与录入、监管运输工具的自动跟踪监控和预警等，推动“机器代人”，如研发使用数字查验台、电子关锁等。另外，推广使用移动单兵设备，集成业务应用，实现移动监管查验，提升监管便利化水平。

三是统一执法智能装备技术准入、安全接入、数据交换等标准规范体系，建立装备设施配置、运维、管理、评估、退出机制，加强需求、采购和配给的统筹，不断规范拓展智能装备的使用场景，提升智能化和机器代人能力；智能化装备的应用将为我们开展智慧海关建设奠定坚实的技术基础，为实现“头脑发达”“四肢协同”“耳聪目明”的智慧海关监管体系提供支撑。

资料来源：海关总署智慧海关建设通报会

时间：2024-03-14

网址：https: //mp.weixin.qq.com/s/ZltfI9z3gBwRhw5Obn0fuQ

【课后习题】

一、单项选择题

1. 货物通关进出境阶段程序表述正确的是（ ）。

A. 缴纳税费—申报—配合查验—通关

B. 申报—缴纳税费—配合查验—通关

C. 申报—配合查验—缴纳税费—通关

D. 缴纳税费—配合查验—申报—通关

2. 滞报金的日征收金额为进口货物完税价格的（ ），以人民币“元”为计征单位，不足人民币 1 元的部分免予计征。

A. 0.5‰　　B. 5‰　　C. 0.1‰　　D. 1‰

3. 海运集装箱货物进口通关及口岸作业的货物运抵港口前这一阶段程序表述正确的是（ ）。

A. 舱单传输—进口换单—进口报关—海关审单—企业缴税（如有）

B. 舱单传输—进口报关—进口换单—海关审单—企业缴税（如有）

C. 进口报关—舱单传输—进口换单—海关审单—企业缴税（如有）

D. 进口报关—进口换单—海关审单—舱单传输—企业缴税（如有）

4. 进口货物自运输工具申报进境之日起（ ）日内向海关申报。

A. 7　　B. 14　　C. 21　　D. 24

二、多项选择题

1. 海关的主要职责包括（ ）。

A. 进出境货物监管　　B. 征收关税

C. 查缉走私　　D. 编制海关统计

2. 报关单填报必须真实，做到“两个相符”，这“两个相符”指的是（ ）。

A. 单、单相符　　B. 单、证相符

C. 单、货相符　　D. 证、货相符

3. 出入境检验检疫的目的包括（ ）。

A. 保障国家安全

B. 保护人民健康

C. 维护消费者权益

D. 履行国际义务，保障公共卫生安全，维护生态环境稳定

三、简答题

1. 简述国际贸易单一窗口与电子口岸的区别。

2. 简述海关查验的目的。

3. 简述海关查验货物时进出口货物收发货人或其代理人职责。

【实战训练】

【实训目的】

在全球范围内，清洁能源和可持续发展已成为关注的焦点。我国新能源汽车产业凭借技术创新和市场拓展，取得了显著成就，“新三样”（新能源汽车、光伏产品、锂电池）出口规模持续扩大，成为对外贸易的新增长点。特别是“一带一路”倡议的深入推进，为中国新能源汽车企业开拓国际市场提供了重要机遇。比亚迪、奇瑞等中国汽车品牌凭借卓越的技术实力和产品质量，赢得了全球消费者的青睐，尤其在东南亚地区，新能源

汽车以其高效、节能、环保的优势，深受当地市场欢迎。

本次实训以模拟业务场景为基础，模拟天津亿得达国际物流有限公司作为货运代理企业，为河北铁达进出口贸易有限公司提供新能源汽车出口物流服务，涵盖从揽货报价、订舱、单证制作到报关报检的通关业务全流程操作，帮助学生深入理解并掌握国际物流进出口通关实操流程。

1. 厘清国际物流出口流程：通过模拟新能源汽车出口业务，厘清国际物流出口的全流程操作，包括订舱、报关、报检等。

2. 提升实际操作能力：通过角色扮演和实战操作，提升学生在国际物流中的实际操作能力，包括单证缮制、流程协调、问题解决等。

3. 培养团队协作能力：通过分组合作，培养学生的团队协作能力，增强沟通与协调能力。

4. 深入了解并调研新能源汽车出口通关相关问题：通过实战训练，加深学生对新能源汽车出口通关流程与通关政策的掌握。

【实训内容】

1. 角色分配与任务分工

以学习小组为单位，不同学习小组担任不同的角色，分配不同的任务，组内分工，组间配合。

（1）出口企业：河北铁达进出口贸易有限公司

负责外贸订单接收、货物准备、新能源汽车出口通关政策调研、检验检疫相关单证准备、与货代公司沟通等。

（2）货运代理公司：天津开发区亿得达国际货运代理有限公司

负责海运报价、订舱、报关、报检、协助检验检疫和海关查验相关工作。

（3）海关

负责审核通关单证、分线布控与海关查验、办理通关手续。

（4）检验检疫部门

负责对新能源汽车进行检验检疫，提供相关单证，确保符合出口标准。

2. 实训流程

（1）准备阶段

各小组根据角色分配，制订详细的出口计划，明确任务分工和时间节点。

出口企业（河北铁达）准备货物及相关单证，货运代理公司（天津亿得达）提供物流方案和报价。

（2）操作阶段

按照国际物流出口流程，完成订单处理、货代报价、订舱、报关报检、海关查验与放行等操作。重点模拟以下环节：

①订舱：天津亿得达根据河北铁达的需求，向船公司或铁路公司订舱。

②单证制作：准备商业发票、装箱单、合同、报关单等文件。

③报关报检：天津亿得达协助河北铁达完成报关和检验检疫手续。

④海关查验与放行：海关审核单证并查验货物，确认无误后放行。

（3）总结阶段

各小组总结实训过程中遇到的问题及解决方法，形成实训报告，并进行汇报分享。

【实训要求】

1. 团队协作：各学习小组组内需明确分工，组间密切配合，确保实训任务顺利完成。

2. 流程规范：严格按照国际物流出口通关流程操作，确保每个环节的规范性和准确性。

3. 文件准备：各小组需准备完整的出口文件，包括商业发票、装箱单、合同、报关单等。

4. 问题记录与解决：在实训过程中，及时记录遇到的问题，并提出切实可行的解决方案。

5. 总结汇报：实训结束后，各小组需提交实训报告，内容包括任务完成情况、遇到的问题及解决方法、经验教训等，并进行汇报分享。

项目三　国际海运物流与货运代理

知识与能力目标

- 能清晰地描述国际海运特点，厘清国际海运作业流程；
- 能概括班轮运输的概念、特征、优势与主要关系方；
- 能区分租船运输的业务种类，分析租船运输的特点；
- 能准确理解租船运输的滞期费和速遣费的概念；
- 能准确辨析提单的分类，阐述提单的当事人和关系人、提单的签发与流转程序；
- 对海运事故的种类和原因有基础性认知；
- 能够正确翻译和填写海运提单。

思政目标

- 通过分析倒签提单和预借提单相关案例，分析这些行为的法律后果，增强法治观念，树立正确的职业道德观；
- 通过国际海运物流发展现状与趋势相关知识点以及相关案例，分析国际航运业绿色发展的措施和必要性，了解“双碳”目标下国际航运业发展新思路。

【导入案例】

“中国船”助力“中国车”顺畅出海|世界最大冰级多用途纸浆船装载2 797台新能源车首航

2023年7月18日，装载着2 797台新能源汽车的世界最大冰级多用途纸浆船GREEN KEMI轮，从太仓港开启首航，前往南美洲。中远海运集团全力护航民族汽车品牌，特别是新能源汽车顺畅“出海”，构建“国车出海”物流全程供应链服务体系，为广大车企客户量身打造整车出口供应链解决方案。未来，中远海运集团将进一步构建产业链共荣“新生态”、搭建价值链共赢“新平台”、打造供应链共享“新通道”，助力“中国车”加速出海。

为助力中国民族汽车品牌“出海”畅通，中远海运集团成立了整车出口供应链专班，统筹集团旗下船队、物流、港口、海外服务终端、核心节点枢纽资源，推出了专业汽车船、集装箱船、“纸浆船+汽车框架”等多种运输模式，并启动汽车行业数字化供应链建设项目，努力为客户提供多种个性化、定制化、多样化的整车出口全程供应链解决方案，全力构建覆盖全球的“航运+物流+港口”一体化、汽车全程供应链服务新生态。集团积极携手中国车企完善海外服务体系，加快国内外节点通道建设，开辟多条海运航线。据统计，2023 年上半年中远海运共出运商品车 21.1 万辆，其中新能源车达到 8.3 万辆。

一、船舶持续升级，保驾护航

随着国产新能源汽车出口量的增长，为确保新能源车更好、更安全地远渡重洋，中远海运集团不断提升技术、硬件和管理，通过对船舶升级改造，提高船舶安全等级和运营效率，全程精心呵护为新能源车保驾护航。

此次执行专班首航任务的是中远海运特运最新接入运营的 68 000 t 系列纸浆船首制船 GREEN KEMI 轮，总长 226.8 m、宽 32.26 m、型深 19.3 m，设计航速 14.8 节，是目前世界最大的冰级多用途纸浆船。该船满足 CCS B1 冰区符号和 C 类极地证书要求，具备极地航行功能。该轮货舱均为箱型，开口均为敞口型，结合背载式舱盖良好的密封性及配置的转轮除湿机。该轮舱内配备红外线温度成像装置和新能源车“一对一”实时温度监控系统，全程对舱内温度及车况进行实时监测。

后续，中远海运特运多用途船和纸浆船新增运力将全部满足新能源车安全运输要求，为新能源车“大批量出海”搭建新的通道。

二、码头延伸服务，助力“车行天下”

为全力保障中国汽车品牌顺畅“出海”，中远海运港口旗下码头积极打造服务平台，不断提高效率、全面升级服务。中远海运港口太仓码头（以下简称 CSP 太仓码头）与中远海运特运开展战略合作，开辟多条海运航线，携手中国车企重点打造太仓枢纽港，建设 PDI 中心，做强延伸服务。CSP 太仓码头（含二期码头）成立汽车业务专项服务小组，17 名优秀管理人员负责各班组全天候生产管理；聘请中远海运特运驻港区代表与港口船长等专业人士分别担任专项小组常务副组长与技术总顾问，为客户提供合理化建议；调配太仓港优良机械设备和司机团队操作汽车业务；提档改造近 10 万 m^2 堆场作为项目专用作业场地，保障汽车集港堆存与装卸服务；研发“汽车业务系统”，为客户和码头操作人员打造从汽车集港到整船离港全流程数据服务平台，操作查询一目了然。CSP 太仓码头堆场腹地建有全国首个 PDI 出口汽车交付检验中心，用于快速处置汽车项目作业中出现的检验、美容等需求，最大限度降低汽车整车物流成本和时间成本。

截至 2023 年 7 月，已有 20 多家国内知名汽车厂商的 8 万余辆国产汽车通过“太仓路径”出口，覆盖欧洲、美洲、非洲的 15 个国家 27 个主要港口，其中新能源汽车出口占比 47%，单日平均装箱绑扎汽车达 700 余辆。

三、多款整车出口方案，专属定制

（一）滚装式——汽车船运输

滚装式，商品车专业海运模式，以班轮模式和定制模式运营，具有适货面广、装卸速度快等多种优势，中远海运汽车船队服务覆盖中国商品车主要出口区域，新增运力均为 LNG 双燃料船型，有效降低碳排放。

（二）框架箱式——纸浆船运输

框架箱式，商品车运输新方式，通过自主研发多种获船级社认证的专利框架，可在以纸浆船为代表的各类多用途船上大规模载运商品车，挂靠集装箱港口装卸，运营模式类似汽车船，同时提供包括 PDI、仓储、装箱、拆箱等各类相关物流服务。

（三）集装箱式——集装箱船运输

集装箱式，发挥集装箱航线运能大、批量灵活、频次高、覆盖广等交付运输特点，可在业务链路中多点调节运输及仓储峰值压力，为客户有效规避链路不畅带来的异常物流成本风险和交付时间成本风险。

（四）吊装式——重吊船运输

吊装式，主打工程车辆运输，航线覆盖中国大型商用车、工程机械出口主要区域，依托全球最大的多用途重吊船队，可为出口厂商及工程项目业主提供包括海运及两端物流在内的定制化服务。

资料来源：中国远洋海运报

时间：2023-07-19

网址：https：//mp.weixin.qq.com/s/-oG3rVNGeRx-2xzIDq46dw

请结合以上案例以及本项目内容分析以下问题：

1. 国际海运物流在全球贸易中的作用是什么？结合案例，分析中国新能源车出口如何依赖海运物流实现全球化布局。

2. 案例中提到的“冰级多用途纸浆船”和“专属定制运输方案”体现了国际海运物流的哪些发展趋势？这些趋势如何满足新能源车出口的特殊需求？

3. 结合案例，分析国际海运物流中港口服务的重要性。码头延伸服务如何提升整车出口的效率与竞争力？

海运作为国际贸易的主动脉，承担着全球 80%以上的货物运输量，是畅通世界经济循环的核心纽带。大宗能源、原材料、工业品及粮食贸易高度依赖海运网络，其低成本、大运量的优势支撑着全球产业链分工协作。从东亚制造业中心到欧美消费市场，从南美矿产到非洲港口，海运构建起跨越洲际的“海上丝绸之路”，实现生产要素的高效配置，加速技术、资本与人才的全球化流动。在“双循环”新发展格局中，海运发挥着战略支撑作用：对内保障能源资源进口与制造品出口的物流畅通，夯实国内大循环的物质基础；对外通过国际航运网络深度融入全球产业链，促进国际循环提质升级。

任务一　国际海运物流概述

一、国际海运的概念

国际海运，即国际海上运输（International Ocean Shipping），是水上运输的构成部分，也是运输的一部分。从狭义的角度来看，它是指以船舶为运输工具，以海洋为运输通道，从事有关跨越海洋运送货物和旅客的运输经营活动；或者说，它是以船舶为工具，从事本国港口与外国港口之间，或者完全从事外国港口之间的货物和旅客的运输，即国与国之间的海运。换句话说，国际海运是船舶经营人以船舶为运输工具，以海洋为通道，从事国与国之间货物和旅客的运输并收取运费的经营行为。由于国与国之间的海运有时并不一定需要跨越海洋长距离的海上航行来实现，而只需沿海航行即可。所以，国际海运还包括部分沿海运输。不过，需要跨越海洋、长距离海上航行是国际海运的主要部分。

从广义的角度来看，国际海运所包括的范围要广泛得多，它还包括那些为完成国际海运所从事的各种辅助业务或服务工作，如对所承运的货物进行装卸、理货、代理等业务都属于国际海运的范围。

二、国际海运的基本特点

与其他国际货物运输方式相比，海上运输主要有以下 6 个基本特点。

1．运输量大

国际货运是在全世界范围内进行的商品交换，地理位置和地理条件决定了海上货物运输是国际货运的主要手段。国际贸易总运量的 75%以上是利用海上运输来完成的，有的国家的对外贸易运输海运占运量的90%以上，主要原因是船舶向大型化发展，如50万～70 万 t 的巨型油船，16 万～17 万 t 的散装船，以及集装箱船的大型化。

2．通过能力大

海上运输利用天然航道四通八达，不像火车、汽车要受轨道和道路的限制。如果因政治、经济、军事等条件的变化，还可随时改变航线驶往有利于装卸的目的港。

3．运费低廉

船舶的航道天然构成，船舶运量大，港口设备一般均为政府修建，船舶经久耐用且节省燃料，所以货物的单位运输成本相对低廉。据统计，海运运费一般约为铁路运费的

1/5、公路汽车运费的 1/10、航空运费的 1/30，这就为低值大宗货物的运输提供了有利的竞争条件。

4．对货物的适应性强

如石油井台、火车、机车车辆等超重超大货物，用其他运输方式是无法实现装运的，船舶一般都可以装运。

5．运输速度慢

船舶的体积大，受水流的阻力大，行驶的速度慢，加之运输中换装、交接等中间环节多，所以运输的速度较慢，另外海上运输的距离较长，因此运输的时间也较长。

6．风险较大

由于船舶海上航行受自然气候和季节性影响较大，海洋环境复杂，气象多变，随时都有遇上狂风、巨浪、雷电、海啸等人力难以抗衡的海洋自然灾害袭击的可能，遇险的可能性比陆地、沿海要大。同时，海上运输还存在社会风险，如战争、罢工、贸易禁运等因素的影响。

三、国际海运的发展现状与趋势

国际海运是全球贸易的支柱，承担了 75%以上的国际货物运输。近年来，随着全球化进程的加快和技术的进步，国际海运在规模、效率和服务模式等方面发生了显著变化。

（一）国际海运发展现状

1．国际海运规模持续扩大

①全球海运量稳步增长，尤其是集装箱运输和散货运输需求旺盛。

②新兴经济体（如中国、印度）的贸易增长推动了海运市场的扩张。

2．船舶大型化与专业化

①超大型集装箱船（如 20 000 TEU 以上）和特种船舶（如 LNG 船、冰级船）投入使用，提高了运输效率。

②船舶设计更加环保和节能，符合国际海事组织（IMO）的减排要求。

3．港口现代化

①全球主要港口加速自动化、智能化升级，采用无人码头、智能调度系统等技术。

②港口功能从传统装卸向综合物流服务延伸，提供仓储、报关、配送等一站式服务。

4．绿色航运兴起

①国际社会对环保的要求日益严格，推动航运业向低碳化转型。

②使用低硫燃料、LNG 动力船、风能辅助动力等技术，减少碳排放和污染。

（二）国际海运发展趋势

1．数字化转型

①区块链技术将大量应用于提单、货物追踪等领域，提高透明度和安全性。

②物联网（IoT）实现船舶、港口、货物的实时监控与数据共享。

③人工智能（AI）技术的应用优化航线规划、船舶调度和风险管理。

2．绿色与可持续发展

清洁能源船舶的广泛应用，如氢能、氨能等新能源船舶的研发与应用。

3．供应链的整合与多式联运的发展

①海运与铁路、公路、航空运输的深度融合，提供门到门的物流解决方案。

②多式联运枢纽的建设，提高运输效率和服务水平。

4．定制化服务

①针对高附加值货物（如新能源汽车、精密仪器）提供定制化运输方案。

②冷链物流、危险品运输等专业化服务需求增长。

国际海运正处于转型升级的关键阶段，数字化、绿色化、区域化和定制化是未来发展的主要方向。面对挑战与机遇，航运企业需要不断创新，提高服务质量和运营效率，以适应全球贸易的新格局和可持续发展的要求。

案例 3-1　江苏好三由信息科技有限公司："运吨吨"智慧航运平台

江苏好三由信息科技有限公司（以下简称好三由科技）始终致力于提高航运供应链效率，降低物流成本，从航运业船货匹配效率低、运输成本高、货主运费垫资难、船东空驶率高、水路物流行业信息不透明、增值税链条到个体船东侧断裂、船货生态链信用缺失等行业痛点出发，从供应链的视角，采用"N+1+N"模式，即为集货主与船东于平台一体，铸造"互联网+物联网"生态下的航运供应链信息管理新技术，提供全场景、一站式、数字化航运产业链解决方案，创新打造"运吨吨"智慧航运平台。

"运吨吨"智慧航运平台，围绕船舶、货主、港口、航线，搭建智慧航运生态骨架，串联物流全链路的资产、数据、信用合规、线下服务等业务线。该平台主要包括智能感知、智能决策、智能执行三大模块。平台通过传感器获取各种末端信息，然后将信息通过互联网传输到数据中心，进行相应的存储和处理，进而指挥各个物流环节执行相应操作，高效整合、调度和管理各类物流资源，为各参与方提供应用服务。

"运吨吨"智慧航运平台不仅推动航运物流各环节的流程再造，促进业态技术创新，进一步提高物流服务质量与效率，还能增加航运市场的供需匹配度，增强航运企业的需求感知与捕捉能力，提高物流集约化发展水平，强化各类设施信息互联和业务对接，推动构建协同联动、高效运作的物流基础设施网络。

这一平台整体具有联通性强、融合度广、经济成本低、运行效率高、生态效益好等显著优势，代表着现代物流业的发展方向，对加快推进现代物流和实体经济高质量发展，具有重要意义。

资料来源：中国航务周刊（“2024 港航物流业 TOP30 创新案例”）

时间：2024-03-17

网址: https: //mp.weixin.qq.com/s? __biz=MjM5NzM3MTc3Mw==&mid=265245 9867&idx=5&sn=ba5961e7240decd53d9b3fb5406e2ed1&chksm=bd36f9498a41705f8b9892a7a7920fd8049bb7a7a3be815ac351dc02f2bc8ff71f48093e1ffb&scene=21#wechat_redirect

请结合以上案例以及本任务模块内容分析以下问题：

1. 结合“运吨吨”智慧航运平台的案例，分析数字化转型如何提升国际物流行业的效率和服务质量，具体体现在哪些方面。

2. 结合“运吨吨”智慧航运平台的案例，分析数字化转型如何增强国际海运物流企业的竞争力，并探讨传统国际海运物流企业应如何应对这一趋势。

任务二 班轮运输

为了适应不同货物和不同贸易合同对运输的不同需要，也为了合理地利用远洋运输船舶的运输能力，并获得最佳的营运经济效益，当前国际上普遍采用的远洋船舶的营运方式可分为两大类，即班轮运输和租船运输。

一、班轮运输的概念

班轮运输（Liner Shipping），又称定期船运输（Regular Shipping Liner），是指船公司将船舶按事先制定的船期表（Sailing Schedule），在特定航线的若干个固定挂靠的港口之间，定期为非特定的众多货主提供货物运输服务，并按事先公布的运费率或协议运费率收取运费的一种船舶经营方式。班轮运输比较适合于一般杂货和小批量货物的运输。

班轮运输市场的船舶类型主要有传统杂货船（Conventional General Cargo Ship）、集装箱船（Container Ship）、滚装船（Ro-Ro ship）、载驳船（Barge Carrier）、冷藏船（Refrigerated Ship）等。

班轮运输市场的主要货种为件杂货，如工业制品、工业半成品、农产品、生鲜食品、贵重货、邮件、包裹、工艺品等。由于班轮运输所承运的货物批量小、种类多、包装差异大，且分属不同货主，因此，在积载、装卸和保管中都有不同的要求，对运输服务质量的要求较高。

二、组织班轮运输必须具备的条件

船运公司在组织班轮运输时，除了航线上要备有足够且稳定的货源，开展班轮运输时还必须具备其他一些条件，这些条件主要有以下三点。

（一）要有技术性能较高、设备齐全的船舶

为了保证船期，经营班轮运输时，就需要有一些质量较好、航速较高的船舶；为了便于不同港口各种货物的装载与分隔，保证货物的运输质量，船舶的货舱应有多层甲板，以适应各种货物对运输的要求。

（二）需要为船舶配备技术和业务水平较高的船员

为了安全的积载、保管和照料货物，船运公司也需要为船舶配备受过专门训练、货运技术和业务水平较高的船员，特别是需要配有经验丰富的船长和大副。

（三）要有一套适宜小批量接受货物运送的货运程序

由于班轮所承运的货物种类多、批量小，而且分属众多不同的货主，因此班轮要建立一套相应的货运程序，以保证这些货物的有效运输。

三、班轮运输的特点

班轮运输是在不定期船运输的基础上发展起来的，是船舶运输的主要经营方式之一，这种运输经营方式主要有以下四大特点。

（一）具有“四固定”的特点

“四固定”是指固定航线、固定挂靠港、固定船期和相对固定的运费率，这是班轮运输最基本的特征。班轮运输是按照事先公布的船期表来运营的，并且航速较快，能够按时将货物从装货港运至卸货港。从事班轮运输的船舶是在固定的航线上运行的，有既定的挂靠港及挂靠顺序。班轮运价是用运价本（或运价表）的形式公布出来的，在一定期限内不会变动，相对稳定。

（二）班轮运价内包括装卸费用

在班轮运输中，承运人负责配载、装卸货物和理舱，并承担这些作业所产生的费用。但所有装卸费用和理舱费用都已经计入班轮运费率中，不再另行计收。承托双方也不需要规定装卸时间，不存在滞期费和速遣费，但托运人或收货人必须按照船舶的装卸计划交付或提取货物。

（三）承运人的责任期间从货物装上船开始到货物卸下船为止

承运人的责任期间是指承运人对货物的运输承担责任的开始到终止的时间段。对于非集装箱货物，大多数国际公约或国家法律规定承运人对货物的责任从装货港货物吊起开始至卸货港货物脱离吊具时结束，即“舷至舷”（Rail to Rail）或“钩至钩”（Tackle to Tackle）原则。

（四）承运双方的权利义务和责任豁免以签发的提单为依据

在班轮运输中，承运人和托运人通常不签订书面的运输合同，而是在货物装船以后，由承运人或其授权的代理人签发提单给托运人。提单是承托双方权利义务和责任豁免的依据，受统一的国际公约的制约。

四、班轮运输的优势

班轮营运方式出现得比较晚，但它发展迅速，很快便成为一种主要的营运方式。这是因为班轮运输对于货主来说有如下优点。

（一）定期性与可靠性

（1）固定船期与航线：班轮运输严格遵循预先公布的船期表和固定航线运营，确保货物能按计划准时送达，适合对时效性要求高的国际贸易。

（2）高频次服务：主要港口间班轮密集，提供周班、双周班等高频服务，降低货物滞留风险。

（二）覆盖网络广泛

（1）全球化港口覆盖：班轮公司通常构建庞大的全球航线网络，连接主要枢纽港与中小型港口，满足多样化运输需求。

（2）支线衔接：通过“干线+支线”模式辐射偏远港口，提升货物可达性。

（三）灵活适配中小批量货物

（1）零担运输：支持拼箱服务，中小货主无须包租整船，按集装箱或运费吨（CBM/WM）支付费用，降低门槛。

（2）标准化集装箱运输：货物以集装箱为单位，便于机械化装卸和多式联运（如海铁、海陆联运），减少货损。

（四）成本透明与可预测性

公开运价表，运费率（Tariff）提前公布，附加费（如燃油附加费、港口拥堵费）规则清晰，便于企业预算管理。

（五）风险责任明确

（1）国际公约保障：承运人责任依据《海牙规则》《汉堡规则》等国际公约划分，货主权益受法律保护。

（2）标准化提单（B/L）条款约束：提单作为物权凭证，明确运输条款，减少纠纷。

（六）适合高附加值货物

（1）高安全性：集装箱密封运输降低盗窃、潮湿等风险，适合电子产品、服装、食品等对运输条件敏感的货物。

（2）实时追踪：现代班轮提供货物追踪系统，增强供应链可视性。

（七）规模经济效应明显

（1）大型集装箱船运营：超大型船（如 24 000 TEU 级）摊薄单位成本，使单箱运费更具竞争力。

（2）联盟化运营：班轮公司通过联盟（如 2M、Ocean Alliance）共享舱位与资源，优化运力配置。

五、班轮运输的主要关系方

班轮运输中通常会涉及班轮承运人、船舶代理人、无船承运人、货运代理人、托运人、收货人等有关货物运输的关系方。

（一）班轮承运人

班轮承运人即班轮公司，是使用自己拥有的或者自己经营的船舶，提供国际港口之间班轮运输服务，依据法律规定设立的船舶运输企业。班轮公司拥有自己的船期表、运价表、提单或其他运输单据。根据各国的规定，班轮公司通常应有船舶直接挂靠该国的港口。班轮公司有时也被称为远洋公共承运人（Ocean Common Carrier）。

（二）船舶代理人

船舶代理人是接受船舶经营人的委托，为船舶经营人的船舶及其所载货物或集装箱提供办理船舶进出港口手续、安排港口作业、接受订舱、代签提单、代收运费等业务，依据法律规定设立的船舶运输辅助性企业。中国最大的国际船舶代理公司是成立于 1953 年的中国外轮代理公司，随着船舶代理行业准入门槛的不断降低，船舶代理市场竞争加剧，目前在我国对外开放的港口都有许多家船舶代理公司。

（三）无船承运人

无船承运人（NVOCC），也称无船公共承运人，是指经营无船承运业务，以承运人身份接受托运人的货载，签发自己的提单或其他运输单证，向托运人收取运费，通过班轮公司完成国际海洋货物运输，承担承运人责任，并依据法律规定设立的提供国际海洋货物运输服务的企业。

无船承运人购买公共承运人的运输服务，再以转卖的形式将这些服务提供给其他运输服务需求方。其按照海运公共承运人的运价本或其与海运公共承运人签订的服务合同支付运费，并根据自身的运价本中公布的运费率向托运人收取运费，从中赚取运费差价。

（四）货运代理人

货运代理人是接受货主的委托，代表货主的利益，为货主办理有关国际海上货物运输相关事宜，并依据法律规定设立的提供国际海上货物运输代理服务的企业。

货运代理人除了可以从货主处获得代理服务报酬，因其为班轮公司提供货载，所以还可以从班轮公司那里获得佣金。但是根据各国的管理规定，货运代理人通常无法与班轮公司签订协议运价。表 3-1 展示了货运代理人与无船承运人的区别。

表 3-1 货运代理人与无船承运人的区别

	货运代理人	无船承运人
与托运人关系	委托代理关系	承托关系
是否签 B/L	否	是
是否收运费	否	是
是否收佣金	是	否
法律地位	代理人	承运人

（五）托运人

根据《中华人民共和国海商法》第四十二条第（三）项的规定，托运人（Shipper）是指本人或者委托他人以本人名义或者委托他人为本人与承运人订立海上货物运输合同的人；也是本人或者委托他人以本人名义或者委托他人为本人将货物交给与海上货物运输合同有关的承运人的人。

（六）收货人

收货人（Consignee）是指根据提单或其他相关运输单证，有权向承运人主张提取货物的人。尽管收货人没有参与运输契约的签订，但同样是运输的当事人，可以依据提单或其他相关单证向承运人主张权利。

六、班轮货运的主要单证

（一）托运单证

托运单（Booking Note，B/N）：是托运人向承运人或其代理人申请订舱的单证，内容包括托运人、收货人、通知人、货物描述、数量、质量、体积、装卸港等信息，是承运人制订运输计划、安排舱位和签发提单的依据。

装货单（Shipping Order，S/O）：又称下货纸，是承运人或其代理人签发给托运人，命令船长接收货物并装船的凭证，也是海关对出口货物进行监管的单证之一，托运人凭此单向海关办理货物出口报关手续。

收货单（Mate's Receipt，M/R）：又称大副收据，是船舶大副在收到货物并装船后，签发给托运人的货物收据，它表明货物已装船的实际情况（如货物的数量、包装状况等），是托运人换取正本提单的重要凭证。

（二）运输单证

提单（Bill of Lading，B/L）：是班轮运输中最重要的单证，具有货物收据、运输合同证明和物权凭证的作用。它由承运人或其代理人签发给托运人，在货物到达目的港后，收货人凭提单向承运人或其代理人提取货物。

海运单（Sea Waybill，SWB）：是一种不可转让的运输单证，它的作用与提单类似，但不具有物权凭证的性质，主要用于一些不需要通过转让提单来转移货物所有权的运输场合，如跨国公司的内部运输、往来密切的贸易伙伴之间的运输等。

舱单（Manifest，M/F）：是船舶所载货物的清单，由船公司或其代理人根据提单副本编制，内容包括船舶名称、航次、装卸港、货物明细等，主要用于船舶报关、货物统计以及目的港代理安排卸货等工作。

（三）到货单证

提货单（Delivery Order，D/O）：又称小提单，是收货人或其代理人在收到到货通知后，凭正本提单或其他有效单证向承运人或其代理人换取的提货凭证，收货人凭此单向码头仓库或船边提取货物。

到货通知（Arrival Notice）：是承运人或其代理人在货物到达目的港后，向收货人或通知人发出的通知，告知货物已到港，要求收货人办理提货手续，通常包含船舶到港时间、货物情况、提货地点等信息。

此外，在班轮运输过程中，可能还会涉及装箱单、重量单、尺码单等其他单证，这些单证主要用于补充说明货物的详细情况，为运输、报关、检验等环节提供必要的信息。

七、海运提单（Bill of Lading，B/L）

海运提单是指一种用以证明海上货物运输合同和货物已由承运人接管或装船，以及承运人作为保证，据以运至目的港交付货物的单证。海运提单在国际班轮运输中，既是一份重要的业务单证，又是一份重要的法律文件。所以，提单是国际海上货物运输中，最具有特色的运输单据。

根据海运提单的性质，按照法律的规定，海运提单具有如下 3 项主要作用：第一，是证明货物已经由承运人接管或已经装船的货物收据；第二，是海上货物运输合同的证明；第三，是承运人凭以交付货物的物权凭证。

（一）提单的分类

1．按照货物是否已经装船，可以将提单分为已装船提单和备运提单

（1）已装船提单（On Board B/L 或 Shipped B/L）：指整票货物全部装船以后，由承运人或其代理人向托运人签发的提单。在该提单上，除载明其他通常的事项之外，还需要注明装运船舶的名称和货物实际装船完毕的日期。

（2）收货待运提单（Received for Shipment B/L）：又称备运提单，是承运人在收到托运货物等待装船期间，向托运人签发的提单。这种提单没有明确的装船日期，也未注明船名，在货物装船后，托运人可凭此提单到船公司换取已装船提单。因此，在跟单信用证的支付方式之下，银行一般不接受这种提单。

2．按照运输方式的不同，可以将提单分为直达提单、转船提单、联运提单和多式联运提单

（1）直达提单（Direct B/L）：指货物从装运港装船后，中途不经过换船直接运至目的港卸货而签发的提单。提单上仅列有装运港和目的港的港口名称，适用于货物直接运达目的港的情况。

（2）转船提单（Transshipment B/L）：指货物在装运港装船后，需要在中途港口换船转运至目的港，由承运人签发的包括全程运输的提单。提单上会注明“转船”或“在某港转船”等字样。

（3）联运提单（Through B/L）：指货物需要经过两种或两种以上不同运输方式（如海运与陆运、海运与空运等）联运时，由第一程承运人签发的包括全程运输的提单。联运提单的签发人只对第一程运输负责，后续运输由其他承运人负责。

（4）多式联运提单（Multimodal Transport B/L）：指货物采用多种运输方式（如海运、陆运、空运等）联合运输时，由多式联运经营人签发的覆盖全程运输的提单。多式联运经营人对全程运输负责，无论货物在哪一运输阶段发生损失，都可向多式联运经营人索赔。

3．根据提单抬头的不同，可以将提单分为记名提单、不记名提单和指示提单

（1）记名提单（Straight B/L）：指提单上的收货人栏内填写特定的收货人名称，只能由该特定收货人提货，不能通过背书转让给他人，这种提单失去了可转让性，在国际贸易中较少使用，一般用于运输贵重货物、特殊货物或展览品等。

（2）不记名提单（Bearer B/L）：又称空白提单，提单上的收货人栏内不填写任何收货人名称，只注明 “持有人”（Bearer）字样。谁持有提单谁就可以提货，不需要任何背书手续，风险较大，在实际业务中很少使用。

（3）指示提单（Order B/L）：指提单上的收货人栏填写“凭指示”（To order）或“凭某人指示”（To order of …）字样的提单。这种提单可以通过背书进行转让，灵活性和流通性较强，在国际贸易中被广泛使用。

4．根据货物外表的状况有无不良批注，可以将提单分为清洁提单和不清洁提单

（1）清洁提单（Clean B/L）：指货物装船之时表面状况良好，承运人未加任何有关货物残损、包装不良或其他有碍于结汇批注的提单。在正常情况之下，向银行办理结汇时，都应当提交清洁提单。

（2）不清洁提单（Unclean B/L 或 Foul B/L）：是承运人加注有关货物及包装状况不良或存在缺陷，如水湿、受潮、油渍、锈蚀等批注的提单。在正常情况下，银行理应拒绝以不清洁提单办理结汇的形式。

5．按照提单格式的不同，可以将提单分为全式提单和简式提单

（1）全式提单（Long Form B/L）：又称繁式提单，是指正式印就格式的提单，全式提单上既有正面记载的事项，又有在背面详细列明的承运人和托运人的权利、义务的条款。在国际贸易中，通常使用的是全式提单。

（2）简式提单（Short Form B/L）：只有正面记载的事项，而没有背面条款的提单。简式提单多是用于租船合同项下所签发的提单，在提单上会注明“所有条款及条件按照×年×月×日签订的租船合同”的字样。如果在班轮运输中签发简式提单，大多会在提单上注明“各项条款及例外条款以本公司正规的全式提单内所列的条款为准”。在法律上，简式提单与全式提单的效力相同，按照惯例银行可以接受，但是有时信用证会明确规定不接受简式提单。

6．其他种类的提单

除上述提单外，在国际贸易中还会出现下列提单：

（1）甲板货提单：又称舱面货提单，是承运人对积载于船舶露天甲板上的货物所签发的提单。在提单上记载有“On Deck”的字样。在运输中，承运人不得随意将货物积载于舱面运输。但是，对于按照商业习惯允许装于舱面的货物，法律规定应当装载于舱面上的货物，以及承运人与托运人协商同意后，装于舱面上的货物，是可以装于舱面运输的。此外，在集装箱运输中，货物装于甲板也是为运输中有关各方所同意接受的。由于甲板上的货物更容易受到自然环境和海上风险的影响（如风浪、日晒雨淋等），货损风险相对较大。托运人在接受甲板货提单时，要充分考虑货物的性质和风险，同时要确保货物已按规定进行了适当的包装和加固，以减少货损的可能性。此外，在保险方面，一般需要特别注明货物装于甲板，以便保险公司确定保险责任和费率。

（2）过期提单：又称滞期提单，包括两种情况：一种是航线比较短，银行单据流转速度慢，以至于货物到后，因为没有提单而无法提货，是晚于货物到达目的港的提单；另一种是由于出口商在取得提单后，未及时到银行议付而形成过期提单，在信用证支付方式之下，如果信用证没有规定交单的特定期限，则是要求出口商在货物装船日起 21 天以内，到银行交单议付，并且不得晚于信用证的有效期限，超过这一期限的，银行将不予接受。

（3）倒签提单：指承运人应托运人的要求，在货物装船后，以早于货物实际装船日期为签发日期的提单。因为是倒填日期所签发的提单，所以又称倒签提单。倒签提单一般是承运人或其代理人在托运人请求下违规签发。托运人要求倒签提单主要是为了使提单上的装船日期符合信用证规定的装运期，以便能顺利结汇。

倒签提单是一种欺诈行为，存在很大的法律风险。一旦被追究，承运人可能会面临收货人拒付货款、索赔损失等情况，托运人也可能要承担法律责任。对于收货人来说，

要仔细核对提单日期与货物实际情况等信息，若发现倒签提单，应及时采取法律措施维护自己的权益。

（4）预借提单：指货物尚未全部装船，或货物已在承运人的接管下，但尚未开始装船的情况下，托运人为了能及时结汇，要求承运人提前签发的已装船提单。承运人或其代理人在托运人请求下违规签发。与倒签提单类似，主要是为了满足托运人在信用证下的结汇需要，使提单显示的装船日期符合信用证要求。预借提单也是一种严重的欺诈行为，风险极大。由于货物实际上未装船或未装完船，可能会出现货物无法按时装船、货物损坏等问题，导致收货人无法按时收到货物或收到有问题的货物。一旦被追究，托运人和承运人都将承担严重的法律后果，包括赔偿收货人的损失、面临法律诉讼等。收货人在收到提单后，若发现货物与提单记载不符或有其他异常情况，要及时调查是否存在预借提单的问题，并通过法律途径解决。

（二）提单的当事人与关系人

1．当事人

（1）承运人（Carrier），指本人或者委托他人以本人名义与托运人订立海上货物运输合同的人，通常是船公司或其代理人。

承运人可以按提单约定享受以下权利：

①有权收取运费及其他相关费用；

②在货物运输过程中，按照约定和相关法律规定，对货物进行管理和处置；

③在托运人或收货人未履行相关义务时，有权行使留置权等。

承运人应按提单约定履行以下义务：

①提供适航的船舶，确保船舶在开航前和开航时处于适航状态，配备适当的船员、装备和供应品；

②妥善、谨慎地装载、搬移、积载、运输、保管、照料和卸载所运货物；

③按照约定的时间、路线将货物运抵目的港。

（2）托运人（Shipper），指本人或者委托他人以本人名义或者委托他人为本人与承运人订立海上货物运输合同的人；本人或者委托他人以本人名义或者委托他人为本人将货物交给与海上货物运输合同有关的承运人的人。

托运人可以按提单约定享受以下权利：

①有权要求承运人按照合同约定的时间、路线和方式运输货物；

②在货物交付给承运人之前，有权处置货物；

③在货物发生损失或灭失时，有权向承运人索赔；

④有权取得清洁提单，若提单上有不良批注，托运人可要求承运人更正或更换提单。

托运人可以按提单约定履行以下义务：

①如实向承运人申报货物的名称、性质、数量、质量等信息；

②按照约定支付运费及其他相关费用；

③妥善包装货物，确保货物适合海上运输；

④提供必要的单证，协助承运人办理货物运输的相关手续。

2．关系人

（1）收货人（Consignee），是指有权提取货物的人，在提单上通常被指定为货物的接收方。

收货人可以按提单约定享受以下权利：

①在货物到达目的港后，有权凭正本提单提取货物；

②若货物在运输过程中发生损失或灭失，有权向承运人提出索赔；

③有权要求承运人按照提单的记载交付货物，包括货物的数量、质量等符合要求。

收货人可以按提单约定履行以下义务：

①在收到到货通知后，及时办理提货手续；

②支付可能产生的到付运费及其他费用；

③在提货时，对货物进行检验，如发现货物有问题，应及时通知承运人和相关方。

（2）被通知人（Notify Party），是指在提单上注明的，在货物到达目的港时，承运人或其代理人通知其提货的人。被通知人本身并不具有提货的权利，但承担着及时接收通知并转告收货人的责任。

被通知人可以按提单约定享受有权接收承运人或其代理人发出的到货通知。

被通知人可以按提单约定履行以下义务：

①在收到到货通知后，及时将货物到达的信息转告收货人；

②协助收货人办理提货手续，提供必要的协助和信息。

（3）提单持有人（Holder of Bill of Lading），是指合法持有提单的人，可能是托运人、收货人或通过合法转让获得提单的其他人。

提单持有人可以按提单约定享受以下权利：

①若提单为指示提单或不记名提单，提单持有人有权通过背书或交付提单来转让货物所有权；

②在货物运输过程中，提单持有人有权依据提单上的条款，要求承运人履行运输义务；

③在货物发生损失或灭失时，提单持有人有权向承运人索赔。

被通知人可以按提单约定履行以下义务：

①在行使提单权利时，应遵守相关法律法规和提单的约定；

②在转让提单时，应确保转让行为的合法性和有效性。

（三）提单的流转

提单是国际货物运输中的重要单据，具有货物收据、运输合同证明和货物所有权凭证三重功能。提单的流转程序涉及多个环节和多方参与，以下是提单流转的主要程序及其关键步骤。

1．提单的签发（Issuance of B/L）

签发主体：提单由承运人（船公司）或其代理签发，通常在货物装船后签发。

签发内容：提单上载明货物信息（如品名、数量、质量等）、装货港、卸货港、船名、航次、托运人和收货人等信息。

签发类型：根据贸易需求，提单可以是正本提单（Original B/L）或电放提单（Telex Release B/L）。

2．提单的交付（Delivery of B/L）

交付对象：提单由承运人交付给托运人（Shipper）或其代理（如货运代理）。

交付方式：正本提单和电放提单。正本提单通常签发一式三份，托运人收到全部正本提单。电放提单通过电子方式通知目的港代理放货，无须正本提单。

3．提单的转让（Transfer of B/L）

（1）转让条件：提单是指示提单（Order B/L）时，可以通过背书自由转让。

（2）背书方式：①空白背书：托运人在提单背面签字，不指定受让人，提单持有人即为权利人。②记名背书：托运人在提单背面签字并指定受让人，只有指定受让人有权提货。

（3）转让对象：提单通常由托运人转让给贸易合同的买方（Consignee）或银行（如信用证交易中）。

4．提单的提交（Presentation of B/L）

（1）贸易结算：在信用证交易中，提单由卖方提交给银行，作为议付单据之一。

（2）提货：在目的港，提单由收货人提交给承运人或其代理，以换取提货单（Delivery Order，D/O）。

5. 提单的核销（Cancellation of B/L）

（1）核销条件：收货人凭正本提单提货后，承运人在提单上注明“已放货”或“已核销”。

（2）核销意义：提单核销后，其作为货物所有权凭证的功能终止。

（四）提单的缮制

提单的基本结构包括正面内容和背面条款。背面条款主要列明承运人和托运人的权利义务，通常为标准格式。提单背面条款通常为标准格式，主要包括以下内容：

承运人责任：规定承运人对货物的责任范围和免责事项。

托运人责任：规定托运人对货物描述和包装的责任。

运费与费用：明确运费支付方式和附加费用。

索赔与诉讼：规定索赔时效和诉讼管辖地。

提单的正面内容主要填写货物、运输和当事人的具体信息。

天津开发区亿得达国际货运代理有限公司提单

八、货运代理企业班轮运输操作流程

由于班轮运输所承运货物的批量小、货主多、挂靠港口多、装卸作业频繁、出现货损和货差的情况比较复杂，为使货物能安全、顺利地装卸和交接，防止或减少差错，在实践中逐渐形成了一套与这种运输相适应的运输程序。

（一）货运安排

班轮运输的运输程序从货运安排开始，货运安排包括揽货和订舱。

1. 揽货

揽货又称揽载（Canvassion），是指从事班轮运输经营的船公司或其代理人为使自己经营的班轮运输船舶能在载重量和舱容上得到充分利用，力争做到“满舱满载”以获得最佳的经营效益而从货主处争取货源的行为。

通常的做法包括在所经营的班轮航线的各挂靠港口及货源腹地通过自己的营业机构或代理机构与货主建立长期的业务关系；通过媒体发布船期表，以吸引货主前来托运货物，办理订舱手续；通过与货主、货运代理人或无船承运人等签订货物运输服务合同，或者揽货协议来争取货源。

对于货运代理企业，通过多种渠道，如业务推广、客户关系维护等，获取货主的运输需求。在与货主沟通后，确认货物的种类、数量、质量、体积、装卸港、运输时间要求等详细信息，然后与货主签订运输代理合同。

2. 订舱

订舱（Booking）是指托运人或其代理人向承运人，即班轮公司及其营业所或代理机构等申请货物运输，承运人对这种申请给予承诺的行为。

在班轮运输中，承运人和托运人之间不需要签订运输合同，而托运人提出订舱申请可以视为“要约”，即托运人希望和承运人订立运输合同的意愿的表示。承运人一旦对托运人的订舱给予确认，在舱位登记簿上记录，则表明两者的运输合同关系成立，并开始着手货物承运装船的一系列准备工作。

船公司在揽货和确认订舱时，应充分注意各种货物的性质、包装、数量等情况，考虑其对运输、积载和保管的不同要求，进行合理的配载积载，使舱位得到充分合理的利用，还应了解航线上各国家的法律规定或港口的规章制度。

（二）货物交接

1. 货物集中

货主将货物按照规定的时间和地点，运送到指定的仓库或堆场，货运代理负责监督货物的集中过程，确保货物数量、包装等与订舱信息一致。

2. 报关报检

若货物需要报关报检，货运代理协助货主准备相关文件，如商业发票、装箱单、报关单、报检委托书等，向海关和检验检疫机构办理报关报检手续。

3. 装船

在货物报关报检通过后，货运代理按照班轮公司的安排，将货物装船。装船过程中，货运代理与船方密切配合，确保货物安全、准确地装船，并获取大副收据。一般来说，装船分为直接装船和集中装船两种方式。

（1）直接装船

直接装船又称现装，是指托运人将其托运的货物直接运至码头承运船舶的船边，并进行交接，然后将货物装到船上。如果船舶是在锚地或浮筒作业，托运人还应负责使用驳船将货物驳运至船边，办理交接后装船。

由于班轮运输中的货物种类繁多，包装形式各异，如果每一个托运人都在船边与承运人进行货物交接，就会使装船现场发生混乱，无法按照装船计划合理操作，影响装船效率，也容易引起货损货差事故。所以，对于特殊货物，如危险品货物、冷藏货物、动物等，通常采用直接装船的形式，而普通货物的交接装船一般采用“仓库收货，集中装船”的形式。

（2）集中装船

所谓集中装船，是指由船公司在各装货港指定装船代理人，在指定地点（通常是码头仓库）接受托运人送来的货物，办理交接手续后，将货物集中，并按货物的卸港次序进行适当分类后再装船。

为了提高装船效率，缩短船舶在港停泊时间，不致延误船期，大多数货物都采用集中装船的方式进行。在这种装船方式下，托运人将货物交付给船公司指定的装船代理人（通常是港口装卸公司）后，责任并没有转移到承运人，承运人的责任仍然从装船开始。

（三）换取提单

货运代理凭大副收据向班轮公司或其代理人换取正本提单，然后将提单交给货主。货主可以根据贸易合同的约定，通过银行进行结汇等操作。

（四）海上运输与货物运输跟踪

船舶按照预定航线航行，将货物从起运港运至目的港。在货物运输过程中，货运代理保持与班轮公司的沟通，及时了解货物的运输状态，如船舶位置、预计到达时间等，并将这些信息反馈给货主。

（五）目的港提货

（1）到货通知：货物到达目的港后，班轮公司或其代理人向货运代理或收货人发出到货通知，告知货物已到港，要求办理提货手续。

（2）换单：收货人或货运代理凭正本提单到班轮公司或其代理人处换取提货单。

（3）报关报检（如有）：若货物需要在目的港报关报检，货运代理协助收货人办理相关手续。

（4）提货：收货人或货运代理凭提货单到码头仓库或堆场提取货物。

九、班轮运价及运费的支付

（一）运价

班轮运输承运人为完成货物运输而从托运人那里取得的报酬，称为班轮运费，而计算班轮运费的费率，则称为班轮运价。班轮运价一般是以运价本的形式对外公布的，其分类为：

1. 按制定者划分

①班轮公会运价，加入公会的会员船公司使用的运价，任何一家会员船公司无权修改和调整。

②班轮公司运价，由班轮运输公司自行制定并负责调整或修改的运价。

③双边运价，由船、货双方共同商定、共同遵守的运价。

④货方运价，由货方制定，船方接受采用的运价。

2. 按运价制定的形式划分

①单项费率运价，分别对各种不同的货物在不同的航线上逐一制定的运价。它以商品名称为纵列，以航线（港口）为横排，查询起来非常方便。

②等级运价，它由“商品分级表”和“运价表”两部分组成。先将全部货物划分为若干个等级，然后为不同等级的货物在不同的航线和港口间运输制定某一运价。同一等级的货物运价相同。它以商品等级为纵列，以航线（港口）为横排。

③航线运价，不分运输距离的长短，只按航线、货物名称或等级制定的运价，也就是按区域划分航线，在同一区域内的基本港无论远近，同一运价。非基本港则另收附加费。集装箱班轮运价多采用这种形式，而且，除特殊货物外，不再对商品分级。

（二）计费标准及计费方法

计费标准是指计算运费时使用的计费单位。在班轮运输中，主要使用的计费标准是按容积和按重量计算运费；对于高价值货物，则按其货价的一定百分比计算运费；对于某些特定的商品也会按其实体的个数或件数计算运费。

各种不同的商品应按何种计费标准计算运费，在船公司制定的运价表中都有具体的规定。通常都有如下各种符号表示：

（1）以“W”表示：指该种商品应按商品的毛重计算运费。在实际业务中，一般规定凡 1 t 重量货物的体积小于 40 立方英尺[①]或 1 m^3 的货物按其重量计收运费（重货按重量计收运费）。

（2）以“M”表示：指该种商品应按尺码或体积计算运费。在实际业务中，一般规定凡 1 t 重量货物的体积大于 40 立方英尺或 1 m^3 的货物按其尺码计收运费（轻泡货按体积计收运费）。

（3）以“W/M”表示：指该种商品分别按商品的毛重和体积计算运费，并选择其中运费较高者收取运费。

（4）以“Ad.Val”表示：指该种商品按其 FOB 价格的一定百分比计算运费，这种运费也称从价运费。

（5）以“Ad.Val.or W/M”表示：指该种商品分别按其 FOB 价格的一定百分比计和按毛重、体积算运费，并选择其中运费较高者收取运费。

---

① 1 立方英尺=0.028 3 m^3。

（三）班轮运费的构成

班轮运费包括基本运费和附加运费两部分。基本运费是船方对任何一种托运货物都按照货物标准计收的运费，附加运费则是根据货物种类为补偿船方由于不同情况而额外付出的费用所加收的运费。附加运费可以按绝对金额加收，也可按基本运费率的一定比例计收。

1. 基本运费（Basic Freight）

基本运费是指在班轮运输航线上为基本港之间的运输而制定的运价，又称基本运价（Basic Freight Rate）或基本费率。基本运价按航线上基本港之间的运价给出，是计算班轮基本运费的基础。基本港是指班轮运输的船舶在某一航线上定期或经常挂靠的主要港口。

2. 附加运费（Surcharge or Additional）

运输中经常有一些特殊情况导致货物运输成本的差异，这些会使班轮公司在运营中支付额外的费用。为了使这些增加的开支得到一定的补偿，需要在基本运费的基础上，在计算全程运费时计收一定的追加额。这一追加额就是构成班轮运费的另一组成部分附加运费。附加费名目繁多，而且经常变动，常见的有以下 5 种费用：

（1）超重、超长、超高附加费。在运输中，如货物的质量和尺寸超过某一标准，则相应加收超重、超长、超高附加费。我国规定：单件货物的质量超过 5 t 的为超重货，长度超过 9 m 的为超长货。

（2）直航附加费。直航附加费是指托运人要求承运人将其所托运的货物从装船港装船后，不经过转船而直接运抵航线上某一非基本港时所增收的附加费。

（3）转船附加费。转船附加费是指货物必须在中途挂靠港口换装另一船舶才能运到目的港时，承运人而加收的附加费。

（4）港口附加费。港口附加费是指由于港口拥挤，或者港口作业效率较低，或者港口收费较高等情况加收的附加费，常见的有港口拥挤附加费。

（5）燃油附加费。燃油附加费是指因国际市场上燃油价格上涨，船舶的燃油费用支出超过原核定成本，承运人为补偿燃油费用的增加而收取的附加费。

此外，还有旺季附加费、战争风险附加费、特殊柜型附加费、特殊货物附加费、汇率变动附加费等。

（四）班轮运费的计算方法

运费计算的基本步骤：首先，确定装货港与目的港属于哪个航线，是不是基本港；其次，确定货物是普通货物还是特殊货物；再次，从货物分级运价中查出运价等级；复次，从航线费率表中查出该级货物的基本运价；最后，从附加费率表中查出该货物各项附加费计费办法及费率，杂货班轮运费的计算公式如下。

（1）基本公式

$$F = F_b + \sum S$$

式中，F 为总运费，F_b 为基本运费，S 为各附加费。

其中：

$$F_b = f \times Q$$

式中，f 为基本运价，Q 为计算吨。

（2）如果附加费是按基本运费的一定百分比来计算（从价计价）的，则附加费总额为

$$\sum S = (S_1 + S_2 + S_3 + \cdots + S_n)\ F_b = (S_1 + S_2 + S_3 + \cdots + S_n)\ f \times Q$$

式中，S_1，S_2，S_3，…，S_n 为各项附加费率。

所以，总运费为

$$F = F_b + \sum S = f \times Q + (S_1 + S_2 + S_3 + \cdots + S_n)\ f \times Q = (1 + S_1 + S_2 + S_3 + \cdots + S_n)\ f \times Q$$

【例 3-1】某批货物 10 000 t，基本港运价 USD 30/t；非基本港中转附加费为基本运费的 20%，港口拥挤附加费为基本运费的 10%，危险货物附加费为基本运费的 25%，计算总运费。

解：$F = (1 + 20\% + 10\% + 25\%) \times 30 \times 10\,000 = 1.55 \times 30 \times 10\,000 = \text{USD } 465\,000$

（五）班轮运价表及运费的支付方式

班轮运价表指的是按班轮运输条件所制定的不同航线、不同货种或货物等级的运费率计算各种费用的规定和划分费用的条款文本。这是承运人与托运人之间收取和支付运费的依据。班轮运价是按照班轮运价表的规定计算的垄断性价格，不同的班轮公司或不同的轮船公司有不同的运价表，但它都是按照各种商品的不同积载系数、不同的性质和不同的价值结合不同的航线加以确定的。

班轮运费的支付方式包括预付运费和到付运费两种。预付运费是指在签发提单前即须支付全部运费。对于预付运费，货主需要承担运费损失的风险，通常的做法是货主将已付运费追加到货物的货价中一并向保险公司投保货物运输险。到付运费是在运输以卸货量计算的散装货时经常使用的一种运费支付方法。以 FOB 价格条款出口的货物，通常都采用到付运费。

案例 3-2 “海运提单”欺诈案例

中国A公司（卖方）与美国B公司（买方）签订了一项出口货物的合同，合同约定出口货物为2个20英尺[①]集装箱共15 000件圣诞礼物，货物价格为8美元/件，总计货款120 000美元，CIF美国纽约，货物的装船日期为11月5日，不允许转船和分批装运，以信用证方式结算货款。

合同签订后，中国A公司向C船代公司订舱，但是由于没有很好地组织货源，直到11月27日才将货物全部备妥，并于当日装到D船公司的“木星”轮2389航次。中国A公司为了能够按信用证结汇，向C船代公司出具保函请求其按11月3日的装船日期签发提单。

C船代公司考虑按正常情况货物在圣诞节前能够到达纽约港，遂接受中国A公司的保函，在没有D船公司指示的情况下，签发了装船日期为11月3日的提单。中国A公司凭前述提单和信用证要求的其他单据向银行办理了议付手续，收到了全部货款。

由于“木星”轮在挂靠下一装港时出现事故，致使该轮班期拖后一周时间，货物直到次年年1月2日方运抵纽约港，美国B公司因已付出货款，尽管货物在圣诞节后到达已无商业利润，还是提取了货物，经降价处理后损失达5万美元。

美国B公司对提单上的装船日期产生了怀疑，遂申请有关部门查阅“木星”轮航海日志，美国B公司由此得知该批货物的真实装船日期是11月27日，比合同约定的装船日期迟延22天，于是美国B公司委托中国律师向海事法院起诉，控告中国A公司、D船公司和C船代公司串谋倒签提单欺诈，既违背双方的合同约定，又违反了法律的规定，申请法院扣押D船公司的船舶，并要求上述三被告连带赔偿56 000美元的损失并承担扣船费、证据保全费和诉讼费。

资料来源：中国海关杂志

时间：2017-03-15

网址: https: //mp.weixin.qq.com/s? __biz=MzA4MzIwMDczOA==&mid=264965 2087&idx=1&sn=f8aac3e13938a9bab5bedcf7289dfc7d&chksm=87e0c4fab0974dec56bbeaaf6fd2f68d6ceb233455d7c06ca96ab1b998003f085abc879c1239&scene=27

请结合以上案例以及本任务模块内容分析以下问题：

1. 本案例中，C船代公司签发的装船日期为11月3日的提单，属于哪类提单？该类提单是否构成欺诈？请说明理由。

2. 本案例中，中国A公司、C船代公司、D船公司是否都需要承担相应的法律责任？

① 1英尺=0.304 8 m。

并分析原因。

3. 在上述案例中，C 船代公司明知倒签提单是违反职业道德和行业规范的行为，但仍应中国 A 公司不合理要求为其签发了上述提单。请结合该案例，谈谈你对海运行业从业者职业道德的理解，以及如何避免类似违背职业道德的行为发生。

任务三 租船运输

一、租船运输的概念

租船运输（Shipping by Chartering）是区别于班轮运输的另一种海上运输方式，是通过出租人（Ship Owner）和承租人（Charterer）之间签订运输合同或者船舶租用合同进行货物运输的基本运营方式。出租人（船舶所有人）提供船舶的全部或者部分舱室给承租人（租船人）使用，具体的责任、义务、费用、风险等，均由双方在租船合同（Charter Party）中商定。由于租船运输没有固定的船期、航线和挂靠港，因此，租船运输又被称为不定期船运输（Tramp Shipping）。

相对班轮运输业务而言，各国政府对租船运输业务几乎不采取任何管制，在不影响各国公共利益的情况下，几乎完全按照“合同自由”的原则，交由承租双方进行自由协商。而所订立的租船合同的内容，在很大程度上可以体现双方当事人的业务水平和经济实力。

二、租船运输的基本特点

（一）航线、挂靠港、船期和运费率具有不固定性

租船运输主要按照出租人与承租人双方签订的租船合同安排船舶航线、组织运输，没有相对于定期班轮运输的船期表和航线，运费率也不固定。

（二）适合大宗散装货运输，运费率相对较低

租船运输适合大宗散装货运输，货物特点是批量大、附加值低、包装相对简单，如谷物、矿石、化肥、石油等。因此，租船运输的运价（或租金率）相对班轮运输而言较低。

（三）出租人根据租船合同组织运输

出租人与承租人之间要签订租船合同，对航线、船期、挂靠港、租金等进行约定，并明确双方的责任、义务和权利，租船合同是解决双方在履行合同过程中发生争议的依据。

（四）出租人中的提单不是一份独立的文件

租船运输中的提单的性质也不同于班轮运输下签发的提单。租船运输下签发的提单不是一份独立的文件，对于承租人和出租人而言，它仅相当于货物收据、权力凭证、运输合同的证明，要受租船合同约束。银行对根据租船合同签发的提单与班轮运输下签发的提单有不同的规定，银行一般不愿意接受这种提单，除非信用证另有规定。当承租人将提单转让给第三人时，提单起着物权凭证的作用。

（五）运营过程中的风险责任和有关费用主要依据租船合同

租船运输中，船舶港口使用费、装卸费及船期延误等费用，按租船合同规定由出租人和承租人分担、划分及计算，船舶运营过程中的风险分担责任也由租船合同约定。而班轮运输中船舶的一切正常运营支出均由船方负责。

三、租船运输的经营方式

目前主要的租船运输经营方式有航次租船（Voyage Charter）、定期租船（Time Charter）、光船租船（Bare Boat Charter）等基本形式，还有包运租船（Contract of Affreightment，COA）和航次期租（Time Charter on Trip Basis，TCT）。

（一）航次租船

航次租船又称“航程租船”或“程租”，指由出租人向承租人提供船舶或船舶的部分舱位，在指定的港口之间进行单向或往返的一个航次或几个航次，用以运输指定货物的租船运输方式。

出租人主要负责船舶的航行，承租人只负责货物的部分管理工作。航次租船是租船市场上最活跃、最普遍的一种方式，对运费水平的波动最为敏感，国际上主要有液体散装货和干散装货使用航次租船。

（二）定期租船

定期租船，又称“期租”，是指由出租人将特定的船舶按照租船合同的约定，在约定的期间内租给承租人使用的一种租船方式，这种租船方式以约定的使用期限为船舶租期，而不以完成航次数来计算。在租期内，承租人利用租赁的船舶既可以进行不定期的货物运输，也可以投入班轮运输，还可以在租期内将船舶转租，以取得运费收入或谋取租金差。

（三）光船租船

光船租船，又称船壳租船。在租期内，出租人提供一艘空船给承租人使用，船舶的船员配备、运营管理、供应，以及一切固定或变动的运营费用都由承租人负担，出租人在租期内除收取租金外，对船舶和经营不再承担任何责任和费用。

（四）包运租船

包运租船，又称运量合同（Quantity Contract），是指出租人提供给承租人一定吨位（运力），在确定的港口之间事先约定吨数、航次周期和每航次较均等的货运量，完成运输合同规定总运量的方式。

（五）航次期租

目前，国际航运实践中还经常使用一种介于航次租船和定期租船之间的租船方式，即航次期租，又称日租船（Daily Charter）。航次期租是指由出租人向承租人提供船舶，在指定的港口之间，以完成航次运输为目的，按实际租用天数和约定的日租金率计算租金的租船运输经营方式。航次期租的特点是没有明确的租期期限，而只确定了特定的航次。

四、租船市场

（一）租船市场的概念

租船市场是指出租人（船东）与承租人根据货物运输的需要和可能，相互洽商船舶租赁交易的场所，这是狭义的租船市场概念。广义的租船市场则是船租双方洽商船舶租赁交易形成的社会生产关系的总和。

（二）租船市场的特点

（1）租船市场不一定有固定的场所，其业务活动是通过电信业务来完成的。

（2）在租船市场，有船东、船东代理人、承租人代理人、承租人等当事人。船舶租赁一般通过租船代理来进行。

（3）根据国际惯例，代表船方的船舶租赁经纪人和代表货方的租船代理人的佣金，都由船公司支付，一般为运费的 2.5%，经纪人和代理人各得 1.25%。

五、租船的一般程序

出租人是租船市场上的船舶供给方，承租人是船舶的需求方。由于租船经纪人熟悉租船市场的行情，精通租船业务，并能及时掌握市场动态，因此租船合同一般都由经纪人来签订，合同确立后，由出租人和承租人或经由他们授权的代理人签字，同国际货物买卖合同的洽商相似，从发出询盘到签订租船合同的全过程称为租船程序（Chartering Procedure 或 Chartering Process），这一程序是租船业务的重要环节，主要包括询盘、发盘、还盘和受盘 4 个阶段。

（一）询盘（Order/Inquiry/Enquiry）

询盘又称询价，通常是由承租人以其希望的条件通过租船经纪人来进行的。承租人根据自己对货物运输的特殊需要或对船舶的特殊要求，通常将一些基本的货物信息和船舶要求信息通过经纪人传送到租船市场上，寻找合适的出租人，有时出租人也会发出询盘，其目的是承揽货物运输业务，询盘的内容应简明扼要地包括必须让对方知道的项目。

（1）承租人发出询盘的主要内容：

①承租人的名称及营业地点。

②货物名称、种类、数量、包装等信息。

③装卸港口或地点、装卸时间和装卸费用条件。

④受载期和解约日。

⑤租船方式和期限以及运费率或佣金率。

⑥船舶类型、载重吨、船龄、船级等。

⑦交船和还船地点、航行范围。

⑧希望采用的租船合同范本等。

（2）出租人发出询盘的主要内容：

①出租人的名称及营业地点。

②出租船舶的类型、船名、船籍、吨位等船舶规范信息。

③适载货物在各种包装状态下的积载容积。

④运费率及运费支付条件。

⑤装卸港口或地点。

⑥受载期和解约日、船舶供租方式和供租期限。

⑦装卸时间以及装卸费负担和滞期/速遣费费率。

⑧希望采用的租船合同范本等。

⑨报价的有效期等。

上述内容只是一般情况，询盘人可根据实际需要、不同的租船方式以及内容等做出相应的改变，询盘阶段主要目的是收集运输市场对询盘内容的反映，一般不进行具体的租船业务洽谈。询盘又分为一般询盘（General Inquiry）和特别询盘（Special Inquiry），一般询盘向多方发出询盘以获得更多的报盘，从而做出最佳选择，特别询盘则是有目标地看准一个合适对象具体进行洽商，一般不向市场公开。

（二）发盘（Offer）

发盘又称报价，这一行为在我国合同法中被称为要约，承租人或出租人围绕获得的询盘的内容，经过成本估算或比较其他询价条件，向询盘人发出明确、具体的成交条件，根据合同法，发盘一般只能向一个人发出，发盘人所报出的条件约束，原则上不得中途更改或者撤销，因此发盘规定有效期。

发盘意味着对询盘内容感兴趣，所以在发盘时应考虑对方接受发盘内容的可能性。在租船合同中，承租双方进行洽租、谈判条款时往往分成两步，首先洽谈主要条款（Main Terms），谈妥主要条款之后，再进一步谈细节（Details）。

由出租人发盘的主要条款内容如下：

①出租人名称及营业地点。

②船名和船舶技术规范。

③货物种类、数量、要求的包装形式。

④租船洽谈的方式及期限。

⑤装卸港口或地点。

⑥受载期和解约日。

⑦装卸时间及滞期/速遣条件。

⑧运费及支付条件和相应的佣金。

⑨交还船地点、航行范围。

⑩采用的租船合同范本以及报价的有效期限等。

由于租船合同项目很多，不可能在发盘中逐一列出，上述主要条件也可以视情况而变，有时一些主要条款中还包括战争风险条款、燃油条款、附加保险费条款等。

（三）还盘（Counteroffer）

还盘又称还价，承租人与出租人之间对报价条件中不能接受的条件提出修改或增删的内容，或提出自己的条件。

承租人接到出租人主要报价条款后，极少有全部接受报价的情况，通常是接受部分条款，对其他条款提出还价。承租人会在还价中列出还价内容，与出租人谈判，出租人对承租人的还价可能全部接受，也可能接受部分还价，对不同意的部分提出再还价或新报价。这种对还价条件做出答复或再次做出新的报价称为反还价（Re-Counter Offer）或称反还盘，若全部不接受还价，有可能终止谈判。

（四）受盘（Acceptance）

出租人和承租人经过反复多次还盘后，双方对合同主要条款意见一致，即最后一次还实盘的全部内容被双方接受，就算成交。受盘即为明确接受或确认对方所报的各项租船条件，这是租船程序的最后阶段，在合同法中这一阶段被称为承诺，一旦承诺生效，则意味着合同也同时生效了。有效的接受必须在发盘或还盘的时限之内，如时限已过，则欲接受一方必须要求另一方再次确认才算生效。

受盘后，双方共同承诺的合同对双方产生约束效力。接受订租是租船程序的最后阶段，一项租船业务即告成交。通常当事人之间还要签署一份“确认备忘书”（Fixture Note），或称“订租确认书”，“订租确认书”无统一格式，但其内容应详细列出出租人和承租人在洽租过程中双方承诺的主要条款。订租确认书经当事人双方签署后，各保存一份备查。

“订租确认书”一般包括以下内容：

①确认备忘书签订日期。

②船名或可替代船舶。

③签约双方的名称和地址。

④货物名称和数量。

⑤装卸港名称及受载期。

⑥装卸费用负担责任。

⑦运费或租金率、支付方法。

⑧有关费用的分担（港口使用费、税收等）。

⑨所采用的标准租船合同的名称。

⑩其他约定的特殊事项。

⑪双方当事人或其代表的签字。

六、租船合同

租船合同是出租人和承租人按照契约自由原则达成的协议，依照此协议出租人将船舶全部或部分，提供给承租人使用，承租人向出租人支付一定的报酬（运费或租金），租船合同是海上运输合同的一种。

(一) 定程租船合同的主要条款

1. 合同当事人

租船合同的当事人，是指对租船合同履行责任的人。定程租船合同的当事人，应该是出租人与承租人。因此，在定程租船合同中必须要列明出租人和承租人的名称、地址和主要营业所的地址。

2. 船舶概况

船舶概况说明是合同的条件条款，主要包括船名、船旗、船级、船舶的吨位等。

3. 受载期与解约日

受载期是船舶在租船合同中，规定船舶到达约定的装货港，并且做好装货准备的期限。解约日是船舶到达合同规定的装货港，并且做好装货准备的最后一天。如果受载期是以“某月某日至某月某日”的形式规定，解约日就是这段时间的最后一天；如果受载期是以具体规定某一天的形式表示的，解约日通常会定在这一天之后的 10～20 天内的某一天。

4. 装货港与卸货港

在定程租船合同中，对于装货港和卸货港的规定，一般有这两种：一种是列明装货港和卸货港名称；另一种是不具体列明港口名称，只规定一个大致的范围，由承租人进行选择。为了保证船舶进出港口与在港内装卸作业的安全，装卸港口必须是安全港口。

所谓安全港口，是指在特定的时间内，对于特定的船舶而言，可以安全到达、安全使用和安全驶离，而不会使船舶遭受损害风险的港口。关于安全港口的责任归属问题，一般的原则是谁对港口的选择有最大的决定权，谁就要对该港的安全负责。

5. 货物

对于运输货物的品名、种类与包装，在定程租船合同中，除具体列明一种货物以外，有时为了承租人在贸易方面的便利，可以规定几种货物或某一类货物，由承租人选择其中的一种或几种，甚至还可以规定为装运合法货物。但是在这种情况下，出租人一般会要求在合同中增加“危险品除外”的附加条款。此外，还要在合同中订明货物的包装类型。

关于货物数量的规定方法，一般有两种：第一，是采用“伸缩条款”，即满舱满载某种货物××吨，船方选择百分之几的伸缩；第二，是采用“最高最低条款”，即满舱满载某种货物不得超过多少吨，不得少于多少吨，由船方选择。

若在租船合同中采用上述方法规定货物数量，船舶具体的装载数量应由船长在装货之前以书面的形式通知承租人，即为“宣载”。船长宣布的载重量，必须在合同规定的范围之内，而且，宣载量一经确定，就不能修改。如果承租人提供货物的数量达不到宣载量，则应当向出租人支付亏舱运费。

6. 运费

运费是承租人使用出租人的船舶而付给出租人的报酬。收取运费对于出租人来说是整个租船合同中最重要的内容，运费条款也是合同的条件条款之一。在定程租船合同中，采用的运费计收方法通常有两种。

一种是规定一个运费费率，利用运费费率乘以货物数量，得出运费的数额。货物数量的计算标准有两个，一个是按照装入量计算，另一个是按照卸出量计算。多数货物的装入量会大于卸出量，但是也有些货物，比如磷灰石和木材等的卸出量，会大于装入量，因此当合同采用此种方法计算运费时，必须要明确按照哪种标准来确定货物的数量，以避免争议的产生。

另一种运费的计收方法，是整船包价运费，即合同中不规定运费的费率，而是规定整船的运费，无论实际装货数量多少，承租人都按照确定的包价运费支付。

运费的支付方式有预付和到付两种，在实际租船业务中，预付运费已经成为习惯做法。预付运费的预付时间有装货完毕时支付，签发提单时支付和装货完毕之后的若干天支付等规定，而且在租船合同中，一般都会写明“无论船货是否灭失，运费概不退还”。运费到付时，支付时间的规定有 3 种情况：船舶到达卸货港支付、卸货完毕时支付和交付货物之后支付。

7. 装卸费用的划分

在定程租船合同中，对于装卸费用负担划分的规定，一般有如下几种方法：

（1）班轮条款（Liner Terms 或 Gross Terms），是指由出租人负责雇用装卸工人，并且负担货物的装卸费用。

（2）出租人不负责装卸费用（Free In and Out，FIO）条款，简称 FIO 条款，是指由承租人负担货物的装卸费用，为了明确理舱、平舱费用，也是由承租人负担，需要采用 FIOST（Free In and Out，Stowed and Trimmed）条款。

（3）出租人不负担装货费用（Free In，FI）条款，简称 FI 条款，是指出租人不负担装货的费用。但是如果出租人仅不负责装货的费用，还要负担卸货的费用，则可用 FILO（Free In，Liner Out）条款，它是 FI 条款的变形。

（4）出租人不负担卸货费用（Free Out，FO）条款，简称 FO 条款。根据这一条款，装货费是由出租人负担，卸货费是由承租人负担。有时为了更明确地表达出租人负担装货费用，不负担卸货费用，可以用 LIFO（Liner In，Free Out）条款，它是 FO 的变形。

承租人在与出租人洽定装卸费用负担条款时，应当注意与贸易合同价格的条件相衔接。

8. 装卸时间

在定程租船运输中，船舶的时间损失是由出租人承担的，因此，出租人总是希望尽量缩短每个航次的时间，以提高船舶的运营效率。装卸时间也是整个航次时间的一个重要组成部分，会涉及当事人双方的利益，需要在合同中加以明确。

如果在租船合同中没有规定装卸时间，那么就按照港口习惯尽快地装卸，出租人不得向承租人收取任何滞期费，除非承租人在装卸的过程中有过失，并因该过失导致了船期的延误，同样，承租人也不得向出租人要求任何速遣费。

9. 滞期费与速遣费

滞期费是指并非出租人的原因，使承租人未能在合同规定的装卸时间内完成装卸作业，对于因此产生的船期延误，按照合同的规定向出租人支付的费用。

滞期费是按照船舶滞期时间，乘以合同规定的滞期费率来计算的。滞期时间的计算有两种方法：一种是“滞期时间连续计算”（一旦滞期始终滞期），即进入滞期期以后，该扣除的星期天、节假日及坏天气，这些不能进行作业的时间就不再扣除，而是按照自然日有一天算一天，所有时间都作为滞期时间；另一种是“滞期时间非连续计算”，也称为“按同样的日”计算，即滞期时间与装卸时间一样计算，该扣除的时间同样扣除。

速遣费是在合同规定的装卸时间届满之前，承租人提前完成的装卸作业，使船舶可以提前离港，并且使出租人节省在港费用和获得船期利益，出租人按照合同的规定，向承租人支付的奖金。

速遣费按照船舶速遣时间，乘以合同规定的速遣费率来计算。速遣时间的计算也有两种方法：一种是“按节省的全部工作时间计算”，即在计算速遣时间之时，将星期天、节假日全部扣除，不作为速遣时间；另一种是“按节省的全部时间计算”，即用合同规定的装卸时间，减去实际使用的装卸时间，星期天、节假日也作为速遣时间进行计算。

（二）定期租船合同的主要条款

1. 船舶说明条款

船舶说明条款主要包括两部分内容：一部分是船名、船期、建造年月、船舶吨位、吃水等方面的内容，其规定和作用与定程租船合同基本相同；另一部分是有关航速和耗油量等方面的规定，这是不同于定程租船合同的重要内容。

在定期租船方式下，船舶的时间损失由承租人承担，而且承租人要负担船舶的燃料费用，因此航速和燃油消耗量，会直接关系到承租人在船舶运营期间内的成本和经济效益，出租人有义务提供符合合同规定的航速和燃油消耗量的船舶。在 BALTIME 和 NYPE 2015 中，对这一内容的规定相差不大，基本含义为船舶在满载、良好天气、风力不超过蒲氏××级，能够达到航速大约××节，消耗大约××吨燃油。

2. 租期

租期是承租人租用船舶的期限，在定期租船合同中对于租期，一般有如下几种规定方法：

（1）默示伸缩性规定

比如“约 1 年”或“约 9 个月”等，即便合同双方没有在租期前加上大约的字样，法庭在解释时，仍然会“默示地”给予一个伸缩期限。

（2）明示伸缩性规定

在规定租期的同时，规定伸缩期及其选择权，比如“租期 1 年，25 天伸缩，由承租人选择”，即租期为 1 年，由承租人选择提前或顺延 25 天，但这 25 天是租船的极限，不得超出。

（3）订明租期的最长和最短期限

比如“最短 3 个月，最长 9 个月”。这里的最长、最短的期限，是严格的，一天都不得超出（最长期限），一天也不能减少（最短的期限），否则承租人便属于违约。

3. 交船

交船是出租人在合同规定的时间和地点，将合同中指定的船舶交给承租人使用，交船是定期租船合同履行的开始。在实际交船以前，出租人应当将预期交船的时间，或确切交船的时间通知给承租人，使其做好接船准备和货运的安排。如果出租人没有在合同约定的时间内交船，承租人则有权取消合同，并且提出赔偿的要求。

4. 还船

还船是在合同约定的租期届满之时，承租人将船舶交还给出租人的行为。

还船与交船一样，在合同中对于还船日期、地点、条件等，都要加以明确规定。原则上承租人应该在租船期限届满之时还船。但是，在实践中很少有船舶最后一个航次结束日恰好与租期届满之日相吻合的情况，因此常常会延迟还船或提前还船，这主要取决于承租人使用船舶进行最后一个航次的结束时间。在实际还船之前，承租人应当将具体还船的港口和大致时间通知出租人。

还船地点一般规定为某一特定港口或地点，或者规定某一范围以内的某一港口或地点，由承租人选择，也有规定引航员离船的时间为还船时间等方式。

在承租人还船时，出租人必须要接受船上的剩油，并且按照当地的市场油价结算后支付给承租人。此外，还要求所还船舶应当处于与交船时同样良好的状态，正常磨损除外。因此，如果船舶有损坏，承租人应当在还船之前进行修复。否则，承租人不但要负责船舶的修理费，还要赔偿出租人在修船期间所遭受的一切经济损失。

5. 租金支付

在定期租船方式下，承租人必须要准时、足额支付租金，否则有可能会导致出租人撤船。租金的准时支付，是以付到为准，即按照合同规定付到出租人手里或者付到出租人指定的收款银行和账户。

承租人只有在如下 3 种情况下，才可以停付租金：

（1）合同规定在该种原因下，可以停付租金的，如停租条款中规定的事项。

（2）由于出租人方面的原因，所造成的船舶时间损失。

（3）船舶灭失。

在少数几种情况下，承租人可以抵减和扣除租金，比如船长借支、上期租金多付、代垫款项、佣金和利息等，而除上述合法扣除项目外，承租人的任何非法扣除和少付，都可能导致出租人撤船。

在承租人违反支付租金义务的情况下，出租人如欲行使撤船的权利，则必须要在合理的时间内，而且必须要明确地通知承租人及船长，撤船应当是终局性的。

6. 停租

停租是指在租期内，出于约定的原因，致使承租人不能按照合同的规定使用船舶。在停止使用船舶期间，承租人可以停付租金，停租不以出租人或其雇员的过失或疏忽作为前提条件。

在不同的合同中，对于停租条件的规定，是不一样的。

7. 转租条款

在定期租船合同中，大多规定承租人有权转租船舶。在进行船舶转租时，原承租人和第二承租人，要签订转租合同，但是转租合同对于原合同中的出租人，不发生任何效力，原出租人与转租、承租人之间没有直接的租船合同关系。

案例 3-3　租船合同纠纷案

一、基本案情

2021 年 5 月 31 日，山东海洋公司作为出租方，与作为承租方的南通风电公司签订了一份《船舶租赁合同》，租金为 195 万元/月。双方约定交船日期为 2021 年 6 月 30 日。同日，南通风电公司支付定金 50 万元。因货物在上一个卸货点无法卸下，6 月 30 日山东海洋公司未能交付船舶。

2021 年 6 月 28 日、7 月 8 日、7 月 14 日、7 月 16 日、7 月 28 日山东海洋公司法定代表人蒋某某与南通风电公司职员顾某某一直通过微信协商能否尽快交船事宜。7 月 28 日 15：44，顾某某通过微信发给蒋某某一份《合同解除通知书》，载明合同约定“××轮应于 2021 年 6 月底在惠州海域交给我司，但时至今日该船舶仍未按合同履行交付，解除《船舶租赁合同》。要求退还定金 50 万元，并赔偿 50 万元”。2021 年 8 月 11 日，山东海洋公司与裕泰公司签订一份定期租船合同，约定租金每月 160 万元，租期 3 个月，2021 年 8 月 10 日在福州海域交船。

南通风电公司向青岛海事法院提起诉讼，要求山东海洋公司返还定金50万元，赔偿各项损失50万元。山东海洋公司提起反诉，要求南通风电公司赔偿信赖利益损失274万元及其他物品损失4.93万元。

二、裁判结果

青岛海事法院审理认为，案涉《船舶租赁合同》双方就迟延交船未达成一致意见，山东海洋公司未按合同约定的时间履行交船义务，南通风电公司有权解除合同并请求返还定金50万元及损失50万元。但是南通风电公司行使解除权的时限较长，在1个月的时间内存在既不行使又不放弃的状态，导致山东海洋公司基于对南通风电公司的信任，一直在为继续履行合同做准备。对此，虽不能说由此导致南通风电公司丧失合同解除权，但毕竟使山东海洋公司的权利义务处于不稳定的状态，产生了信赖南通风电公司不再行使解除权而愿意继续履行合同的认识。这种认识导致其船舶产生信赖利益损失。法院裁判的关键在于：一是认定当事人对合同的履行产生了合理的信赖，如果当事人的信赖是不合理的，则相关的损失就不应当属于信赖利益损失的救济对象。二是此种损失是指非违约方能从合同履行中客观获得的、能够合理预见的信赖利益损失。三是此种信赖利益的损失必须是因对方违约造成的，而且应当与违约行为之间具有因果关系。信赖利益的保护要求损害赔偿来弥补以恢复到未信赖前的状态。因此南通风电公司行使约定解除权的行为违反诚实信用原则，应赔偿山东海洋公司在此期间的信赖利益损失，即船舶闲置损失58.5万元。一审判决作出后，双方均提起上诉，山东省高级人民法院二审维持原判。

资料来源：青岛海事法院海课堂

时间：2023-06-15

网址：https: //mp.weixin.qq.com/s/VYttJROouHDIg8b_dVkoLg

请结合以上案例以及本任务模块内容分析以下问题：

1. 根据案例，分析山东海洋公司与南通风电公司签订的《船舶租赁合同》是否具有法律效力？山东海洋公司未能按时交船是否构成违约？如果是，应承担哪些违约责任？结合租船合同的相关知识点，说明租船合同中双方的权利义务。

2. 案例中山东海洋公司与南通风电公司签订的《船舶租赁合同》属于哪种租船运输经营方式？结合租船市场的特点，分析该经营方式的优缺点以及在实际操作中可能面临的风险。

3. 结合案例，分析租船程序中的关键环节（如合同签订、定金支付、交船条件等）在实际操作中的重要性。如果山东海洋公司在签订合同时明确约定了交船延迟的免责条款，是否会影响本案的判决结果？为什么？

【行业前沿】

“双碳”目标下国际航运业发展新思路

在全球绿色转型的关键时期，国际航运业的减排行动不仅关乎自身的可持续发展，还对全球气候治理具有重要意义。在“欧盟航运碳税燃料政策解析及应对”研讨会上，交通运输部水运科学研究院副院长兼总工程师朱建华在演讲中深入探讨了“双碳”目标下国际航运业的减排趋势、政策影响以及实现路径。朱建华不仅分析了国际海事组织（IMO）和各国政府的减排政策及其潜在影响，还提出了技术减排与灵活履约机制相结合的创新思路。以下为其演讲内容，有节选。

一、国际航运业减排的趋势及相关政策

气候变化是一个世界性问题。为应对气候变化，174 个缔约方签署了《巴黎协定》，努力将温度上升幅度限制在 1.5℃内，54 个国家宣布了碳达峰的目标，140 个国家宣布了净零排放的目标。有多个相关国际法案相继出台，其中比较有代表性的是欧盟发布的欧洲绿色协议。其通过提出“一揽子”计划，确保 2030 年欧盟温室气体排放量比 1990 年减少至少 55%。中国政府也提出了“双碳”目标，为我们行业绿色发展指明了方向。

气候变化问题给国际航运业带来了前所未有的挑战。国际海事组织已经制定了国际海运减排时间表，2023 年 7 月召开的国际海事组织的 MEPC 80 会议，通过了《2023 年船舶温室气体减排战略》，提出到 2030 年温室气体排放减少 20%、2040 年温室气体排放减少 70%、2050 年前后实现国际航运业温室气体净零排放的目标，并引入了现有船舶能效指数、碳排放指数，预计 2026 年全球半数以上现有的运营船舶在评级之后可能面临退役的风险。此外，欧盟碳排放交易体系及欧盟的海运燃料条例等与行业高度关联的脱碳法案的措施也相继出台。

为了实现这个减排目标，IMO 制定了“一揽子”的中期减排措施，也就是 IMO 的净零框架。这些措施于 2025 年 4 月被批准，目的在于推动国际航运业能源转型。这些框架主要是两个要素，一是技术要素，二是经济要素。技术要素主要包括两个方面，一是目标型的燃料标准，二是履约机制。各国对制定燃料标准的必要性和基本机制已达成共识，但是在标准的严格程度和灵活合规履约方式上存在较大分歧。经济要素方面，各国采取温室气体排放定价手段来支持能源转型，建立专门的基金进行管理和分配，以提供相应的激励，并帮助发展中国家进行能力建设。但是在激励措施的范围、资格等方面也同样存在较大分歧。

二、国际航运业减排政策的影响及利弊分析

制定和实施减排措施可以有效促使航运企业加快绿色低碳转型的进程，主要表现为，采取更加积极的措施提升船队运营管理水平和船舶的能效水平，有利于促进船舶制造业技术进步和绿色低碳转型升级，从而从源头上、根本上减少碳排放。从各国这些减排措施的分歧来看，世界各国对航运业脱碳的步伐应该迈多快、标准应该定多高，存在很多不确定性的观点。

现阶段下低碳零碳燃料的相关制造技术尚不成熟，相关标准规范体系尚不健全，绿色燃料的产能不足，在技术、管理、燃料供应等各方面都不成熟的情况下，现有的政策在落实过程中可能会产生一些负面影响。建议不要操之过急，方向正确，但步伐要控制适当，不要把标准定得太高，或者让航运业承担绿色能源全生命周期的排放责任和成本。

作为国际贸易最重要的参与者之一，美国在绿色能源转型方面的态度对国际航运业脱碳影响是非常深刻的。随着特朗普在 1 月 20 日的正式就任，预计美国会减缓绿色能源转型的步伐，因为特朗普对气候变化一直持怀疑的态度。我们判断特朗普上台后会减缓全球治理的步伐，或者改变当今世界绿色转型的趋势和能源供应的格局。

三、国际航运业减排的思路和分析

从 IMO 净零框架技术要素的角度来看，行业减排的大体思路有两个方面。一是技术减排，就是尽量满足 IMO 净零框架的物料燃料标准。二是合理使用替代履约机制，为船舶提供了灵活合规的方式，给 IMO 大部分的国家认可使用灵活合规的方式就是允许一定条件下实施联合履约，允许碳配额的盈利单位进行碳交易或者是进行储存。

技术减排是实现“双碳”目标的重要手段，需要航运业在技术层面进行创新与变革。中国航运业为此作出了很多努力，积极采取诸如改进发动机加装节碳装置，加快国际航线船舶设施改造等技术提升措施，以及统筹航线组织、应用气象导航、船舶能效监管平台等。从长远看，清洁能源的应用是技术减排的关键所在。随着船舶燃料的低碳化、零碳化，应当说通过低碳零碳化燃料使用，是解决碳排放的最终途径。

但是想跨越“碳门槛”是一件有难度的事情，技术减排面临成本问题：一方面船舶节能减排的关键配套设施，生产改造的成本较高；另一方面清洁能源的生产和应用短期内需要巨大的投资。目前清洁能源种类的选择还没有定论，无论是欧盟的可再生能源指令，还是 IMO 的净零框架，其目标燃料标准对全生命周期要求都比较高，全球清洁能源的产量也远不能满足需求。短期内，高昂的成本使技术减排在经济上性价比不高。技术路线的不确定性使国际航运企业在决策时犹豫不决。

因此，我们要寻找新的思路和方法，以更经济、更高效的方式实现减排目标。我们认为采用灵活合规方式和替代履约机制，利用碳交易市场创建一个更大范围的碳排放平衡体系，可以为短期内实现航运业碳减排提供思路。

国际碳排放市场是全球应对气候变化减排的重要工具之一，目前全球已有数十个碳排放交易的系统，覆盖了约 18%的温室气体排放总量和全球约 1/3 的人口。1997 年《京都议定书》首次确定了碳交易的3种机制：一是国际排放贸易机制；二是联合履约机制；三是清洁发展机制。随着各国对气候变化的关注增加，全球逐渐发展出了各区域层面的碳市场。例如，欧盟的碳排放交易体系、美国的区域温室气体减排行动，以及中国的碳排放交易市场等。

除了上述法律上强制性的碳市场，另外还有一些自愿性的碳市场，都是出于企业增加自己的品牌建设、履行社会责任的目的，而自愿主动采取的项目减排量交易行为，以实现碳减排碳中和。

受全球广泛认可的碳信用标准，主要是由国际碳排放交易协会倡议的碳减排的核证标准，还有三个世界性组织开发的黄金标准，一些地区也进行了自愿碳抵消机制的建立，比如中国的国家核证自愿减排机制等。

实现“双碳”目标是全球性的挑战，也是历史性的机遇。国际航运业作为全球经济的重要组成部分，有责任有能力为实现这些目标作出我们的贡献。

资料来源：中国远洋海运报（作者：朱建华）

时间：2025-01-24

网址：https: //newspaper.coscoshipping.com/wq/20250124/20250124d02b/art/2025/art_75e1c2245bb1435b8852e83dcd3905aa.html

【课后习题】

一、单项选择题

1. 以下表示散装货船的是（ ）。

A. General Cargo Ship　　B. Bulk Cargo Ship

C. Refrigerated Ship　　D. Container Ship

2. 以下船舶类型中最适宜运载车辆和大型机械的是（ ）。

A. Tanker　　B. Container Ship

C. Roll on/Roll off Ship　　D. Barge Carrier

3. 以下对无船承运人表述正确的是（ ）。

A. Common Carrier　　B. Non-Vessel Operating Common Carrier

C. Consignee　　D. Shipper

4. 以下关于提单的英文表述正确是（ ）。

A. Booking Note　　B. Shipping Order

C. Bill of Lading　　D. Delivery Order

5. 以下表示已装船提单的是（ ）。

A. On Board B/L　　B. Received for Shipment B/L

C. Straight B/L　　D. Order B/L

二、多项选择题

1. 以下属于班轮运输“四固定”特性的有（ ）。

A. 固定航线　　B. 固定挂靠港

C. 固定船期　　D. 相对固定的运费率

2. 以下属于班轮运输优势的有（ ）。

A. 定期性与可靠性　　B. 覆盖网络广泛

C. 灵活适配中小批量货物　　D. 供应链全程服务的专业性

3. 以下提单属于欺诈行为的是（ ）。

A. 收货待运提单　　B. 过期提单

C. 倒签提单　　D. 预借提单

4. 目前主要的租船运输经营方式包括（ ）。

A. 航次租船　　B. 定期租船

C. 光船租船　　D. 包运租船

三、简答题

1. 简述国际海运的基本特点。

2. 简述班轮运输的特点。

【实战训练】

【实训目的】

随着“一带一路”倡议的深入推进和“双循环”发展战略的实施，中国制造业正以智能制造为核心，加速走向全球市场。以智能家用机器人、锂电池储能系统、新能源汽车充电桩为代表的“新三样”产品，不仅展现了中国在高端制造领域的科技实力，也为全球绿色发展和能源转型提供了中国方案。河北铁达进出口贸易有限公司作为一家致力于高科技产品出口的企业，正通过国际贸易将中国制造的优质产品推向世界，助力构建人类命运共同体。

通过本次实训，学生将深入了解国际贸易单证的缮制流程，掌握装箱单、商业发票、提单等核心单证的填制方法，同时深刻体会中国制造业在国际贸易中的重要作用，增强民族自豪感和责任感，培养“精益求精、追求卓越”的职业素养，为未来投身外贸行业奠定坚实基础。

【实训内容】

天津开发区亿得达国际货运代理有限公司接到客户订单，出口智能家用机器人、锂电池储能系统、新能源汽车充电桩一票。请根据客户提供的外贸合同，填制装箱单和提单（提单中，未知信息可自行拟定）。

外贸销售合同

（SALES CONTRACT）

合同编号（Contract No.）：HT20241001

签订日期（Date）：October 10，2024

签订地点（Place）：Shijiazhuang，China

1. 买方（Buyer）

公司名称（Name）：TechNova Solutions Ltda.

地址（Address）：Rua das Inovações，123，São Paulo，Brazil

电话（Tel）：+55-11-9876-5432

传真（Fax）：+55-11-9876-5433

电子邮件（E-mail）：purchasing@technovabr.com

2. 卖方（Seller）

公司名称（Name）：Hebei Tieda Import and Export Trading Co.，Ltd.

地址（Address）：No. 88，Jianshe Road，Qiaoxi District，Shijiazhuang，Hebei Province，China

电话（Tel）：+86-311-8765-4321

传真（Fax）：+86-311-8765-4322

电子邮件（E-mail）：sales@tiedatrading.com

3. 商品描述（Description of Goods）

产品名称（Product Name）	数量（Quantity）	单价（Unit Price）	总价（Total Amount）
智能家用机器人（Smart Home Robot）	500 台（Units）	USD 800.00	USD 400 000.00
锂电池储能系统（Lithium Battery Energy Storage System）	200 套（Sets）	USD 5 000.00	USD 1 000 000.00
新能源汽车充电桩（EV Charging Station）	100 台（Units）	USD 3 000.00	USD 300 000.00

合同总金额（Total Contract Value）：USD 1 700 000.00

价格条款（Price Term）：CIF Santos Port，Brazil

4. 包装要求（Packing）

（1）智能家用机器人：每台用防震泡沫包装，10 台装一纸箱。

（2）锂电池储能系统：每套用木箱包装，内衬防潮材料。

（3）新能源汽车充电桩：每台用木箱包装，外加固防撞条。

5. 装运条款（Shipment）

（1）装运港（Port of Loading）：Tianjin Port，China

（2）目的港（Port of Destination）：Santos Port，Brazil

（3）装运日期（Shipment Date）：On or before November 15，2024

（4）运输方式（Mode of Transport）：By sea

（5）提单类型（Bill of Lading）：To Order（指示提单）

6. 付款方式（Payment）

（1）付款条件（Payment Term）：100% by Irrevocable Letter of Credit（L/C）at sight

（2）开证行（Issuing Bank）：Banco do Brasil S.A.

（3）受益人（Beneficiary）：Hebei Tieda Import and Export Trading Co.，Ltd.

（4）信用证有效期（L/C Expiry Date）：December 15，2024

7. 保险（Insurance）

保险条款（Insurance Clause）：由卖方按发票金额的 110%投保一切险（All Risks），依据中国人民保险公司条款（PICC Clause）。

8. 检验与索赔（Inspection and Claims）

（1）检验（Inspection）：货物在装运前由中国出入境检验检疫局（CIQ）进行检验，并出具检验证书。

（2）索赔（Claims）：如货物到达目的港后发现有质量问题，买方需在货物到达后 30 天内提出索赔，并提供相关证明文件。

9. 不可抗力（Force Majeure）

如因战争、地震、洪水等不可抗力事件导致合同无法履行，双方可协商解除合同或延期履行，任何一方不承担违约责任。

10. 争议解决（Dispute Resolution）

（1）因本合同引起的或与本合同有关的任何争议，双方应通过友好协商解决。

（2）如协商不成，提交中国国际经济贸易仲裁委员会（CIETAC）仲裁，仲裁地点为北京，仲裁裁决为终局裁决。

11. 合同生效（Effectiveness）

本合同一式两份，双方各执一份，自签字盖章之日起生效。

买方（Buyer）：	卖方（Seller）：
TechNova Solutions Ltda.	Hebei Tieda Import and Export Trading Co.，Ltd.
签字（Signature）：__________	签字（Signature）：____________________
日期（Date）：____________	日期（Date）：________________________

根据提供的外贸合同内容，完成以下任务：

1. 调研装箱单、商业发票、提单等国际海运单证的缮制方法。
2. 了解每种单证的作用、格式和填制要求。
3. 学习如何根据合同内容准确填制单证。
4. 根据提供的合同信息，缮制装箱单（Packing List）和提单（Bill of Lading）。

<table>
<tr><td colspan="6">装　箱　单</td></tr>
<tr><td colspan="6">PACKING LIST</td></tr>
<tr><td>卖方 Sellers：</td><td colspan="2"></td><td colspan="2">日期
Date：</td><td></td></tr>
<tr><td>地址 Address：</td><td></td><td>TEL：</td><td colspan="2"></td><td></td></tr>
<tr><td>客户
To Messrs：</td><td></td><td></td><td colspan="2">发票编号
Invoice No.：</td><td></td></tr>
<tr><td>地址
Address：</td><td></td><td>TEL：</td><td></td><td>合同号
Contract No.：</td><td></td></tr>
<tr><td>货物项号
Item No.</td><td>货物名称及规格
Description of Goods</td><td>总数（件）
Ge.Crate（CTNS）</td><td>单位
Unit</td><td>总毛重
G.W.：（kg）</td><td>总净重
N.W.：（kg）</td></tr>
<tr><td></td><td></td><td></td><td></td><td></td><td></td></tr>
<tr><td></td><td></td><td></td><td></td><td></td><td></td></tr>
<tr><td></td><td></td><td></td><td></td><td></td><td></td></tr>
<tr><td></td><td></td><td></td><td></td><td></td><td></td></tr>
<tr><td></td><td></td><td></td><td></td><td></td><td></td></tr>
<tr><td colspan="2">合计 TOTAL</td><td></td><td></td><td></td><td></td></tr>
<tr><td>唛头
Marks</td><td colspan="5">N/M</td></tr>
</table>

INSTRUCTION FOR CARGO BY SEA					
To:					□Customs Agent
SHIPPER:				TEL：86-21-88696868	□Transport Agent
ADDRESS:					□Insurance Agent
DATE:					
CONSIGNEE:				TEL:	
ADDRESS:					
ALSO NOTIFY:				TEL:	
ADDRESS:					
PLACE OF SHIPMENT:					
PLACE OF DELIVERY:					
PORT OF DISCHARGE:					
OCEAN VESSELNOYAGE:					
DESCRIPTION OF GOODS	MARKS & NUMBERS	NO.OF PACKAGE	GROSS WEIGHT/KG	NET WEIGHT/KG	MEAS/CBM
TOTAL:					
RATE AGREED		SPECIALINSTRUCTIONS			
□FCL					
□LCL					
Container Type and Quantity	□	20'GP X	□	40'GP X	
	□	20'RF X	□	40'RF X	
OTHER CHARGE					
DOCUMENT	INVOICE NO.:	IV0001209			
	PACKING LIST NO.:				
DECLARED VALUE		INSURANCEAMOUNT		For Customs:	
				For Carriage:	

【实训要求】

1. 独立完成以上单证的制作，单证格式应符合国际贸易惯例，内容清晰、完整。

2. 使用英文填制单证，确保术语准确、无拼写错误。

3. 在实训过程中，思考中国制造业如何通过"一带一路"倡议走向世界，如何通过智能制造推动全球绿色发展。结合实训内容，撰写一段 200 字左右的感想，谈谈对中国制造国际化的认识与感悟。

4. 提交装箱单、提单的电子版文件（Word 或 Excel 格式）。

项目四　国际空运物流与货运代理

知识与能力目标

- 有条理地总结国际空运物流的特点；
- 分析不同国际航空货运方式的特点及各种业务方式的区别；
- 厘清国际航空货运代理进出口业务操作流程；
- 正确计算国际航空运输费用；
- 准确翻译和填写国际航空货运单。

思政目标

- 了解我国国际航空物流发展历程，感受我国航空物流发展的“中国速度”。

【导入案例】

首创国内“通关前置+全货机包机+跨境电商”模式

河南跨境电商包机比较忙

在改革创新中突破发展，开放河南在“买全球卖全球”的道路上奋勇争先。新年伊始，中大门国际物流集团连开两条跨境电商全货机新航线。2025 年 1 月 3 日，“郑州—塔什干—伊斯坦布尔”跨境电商全货机航线开通；1 月 5 日，“郑州—塔什干—苏黎世”跨境电商全货机航线开通，河南“空中丝绸之路”再辟新通道。

“苏黎世位于欧洲的心脏地带，交通网络发达，可以迅速将货物分发至整个欧洲大陆。新航线的开通，为电商企业架起了通往欧洲市场的快速通道，进一步畅通了与共建‘一带一路’国家的经贸往来，助推河南跨境电商高质量发展”。

2024 年以来，郑州机场跨境电商货运“飞的”着实有点忙，单日最多可达十余架次，带动郑州市跨境电商进出口年交易额突破 1 400 亿元，占河南省的一半以上。跨境电商包机缘何在郑州频飞？中大门国际物流集团总裁李绍斌道出原委，“这得益于河南首创了国内‘通关前置+全货机包机+跨境电商’模式”。

“通关前置+全货机包机+跨境电商”模式为解决跨境电商国际包机货品在登机前通关

时间较长的问题，在海关部门的大力支持下，企业提前在“陆空多式联运枢纽平台分拨中心”申报通关、货物安检、信息联通等，形成了“通关前置+全货机包机+跨境电商”创新服务模式，极大提高了运营效率。

作为国家综合货运枢纽补链强链城市，近年来，郑州不断探索新模式、建设硬联通、强化软联通，提升综合货运枢纽平台功能，推进运输链向便利化、全球化、一体运营化方向发展，首创了国内“通关前置+全货机包机+跨境电商”模式、跨境电商“1210”模式等，初步形成以郑州为集结中心，辐射欧美、东北亚、中东、俄罗斯的陆空国际联运新通道，以高水平对外开放推动高质量发展，枢纽优势正加速向枢纽经济优势转变。

资料来源：河南省人民政府官方网站

时间：2025-01-17

网址：https：//www.henan.gov.cn/2025/01-17/3113102.html

请结合以上案例以及本项目内容分析以下问题：

1. 根据以上案例内容，分析航空运输在跨境电商中的重要性。讨论航空运输如何帮助跨境电商企业快速响应市场需求，提升客户满意度。

2. 案例中提到的“通关前置+全货机包机+跨境电商”模式是如何提高物流效率的？这种模式对国际空运物流有哪些启示？

3. 案例中提到郑州机场通过新航线推动了与“一带一路”共建国家的经贸往来。讨论航空物流在国际贸易中的作用，以及如何通过航空物流促进区域经济发展。

国际空运物流是基于国际航空货物运输方式的一种物流，是随着国际贸易和民用航空运输的发展而发展起来的。国际货物运送速度快，商品和原材料的供应就及时，生产周期就能大幅缩短，企业的竞争力就会大幅上升，这对货主无疑具有巨大的吸引力。从订货到把货物交付到收货人手里的时间（称为“前置时间”）的角度比较，航空物流无疑具有明显的优势。特别是某些对保鲜要求较高的货物（如海鲜、鲜花、水果），某些价值昂贵的货物（如电脑芯片、电子产品、家用电器），还有某些高档消费品，对运价的承受能力都很高，适用于国际航空物流。

任务一　国际空运物流基础知识

航空货物运输是航空运输业的重要组成部分，是指承运人根据旅客或者货主的要求，按照某种价格，利用相关设施设备，用航空器在规定时间内将货物运送到指定的目的地。

一、国际航空货物运输的产生与发展

（一）世界航空货物运输发展历程

飞机最初用来运送邮件和急需用品。1910 年 5 月，美国邮政局首先使用飞机运送邮件，后来逐步发展成为运送旅客和货物，但仅限于特定的短途航线，而且每次载重量仅为一两百千克。被世界公认的第一次航空运输飞行服务发生于 1911 年 7 月，一架由英国人驾驶的飞机将一箱钨丝灯从苏塞克郡运送到霍拉，并为此获得了 100 英镑酬劳，从此揭开了世界航空货物运输的篇章。

世界上第一条定期航班是荷兰皇家航空公司于 1920 年 5 月首开的伦敦至阿姆斯特丹定期航班。继 1924 年 10 月开辟通往印度尼西亚的第一条国际航线后，该公司又于 1929 年开通了到亚洲的定期航班，这也是第二次世界大战爆发前世界上最长的航线。

第二次世界大战中，军事上的需求加速了航空运输业的发展。战争中物资供给的需要促进了航空运输飞机的制造，也促进了无线电通信的发展和雷达技术的日趋完善。第二次世界大战结束后，西方国家开始大力发展航空业，逐步形成了全球性的航空运输网。由于全球性航空运输网的建立和国际贸易的发展，航空运输在世界范围内得到蓬勃发展。

作为国际贸易运输的方式之一，航空货物运输也迅速发展起来。自 20 世纪 60 年代以来，航空货物运输的发展速度非常惊人，1962—1971 年，国际航空货物运输平均每年增长 17%，几乎每 4 年增长 1 倍，这是世界航空货物运输史上增长最快的一段时期。随后石油危机引发的全球经济萧条并没有改变航空货物运输的发展趋势，只是减慢了航空货物运输的增长速度。在之后的一段时期，航空货物运输仍然实现了 10%左右的增长速度。这一数值超过了同期全球经济、贸易增长速度。随着航空货物运输的发展，纺织业、鲜活食品等适用于航空货物运输的日常生活用品使用航空货物运输的比例大幅增加，总量不断提高。航空货物运输已经成为国际货运，特别是洲际货运的重要方式。

（二）我国航空运输的发展

我国筹办民用航空运输始于 1918 年 3 月，当时北洋政府交通部成立筹办航空事宜并掌管全国航空事务。1920 年 4 月 24 日，组织了北京—上海航线的多用途运输机，北京—天津段试航，载运了邮件和报纸，同年 5 月 8 日正式开航，载运了旅客和邮件，这是我国最早的民航飞行。

我国的航空运输业在中华人民共和国成立前的 30 余年里发展缓慢。后来经历了1949—1957 年的初创时期、1958—1965 年的调整时期、1966—1976 年的曲折前进时期、1977—2001 年的新发展时期、2002 年之后的高速发展时期。

近年来，我国国际航空物流发展迅速，已成为全球航空货运市场的重要力量。根据中国民航局数据，2022 年我国民航货邮运输量达到 731 万 t，其中国际航线货邮运输量占比超过 50%。

2023 年上半年，国际航线货邮运输量同比增长 12.5%，显示出强劲的增长势头。跨境电商的快速发展为航空物流注入新动力。2022 年，我国跨境电商进出口规模达到2.11 万亿元，同比增长 9.8%，其中大量商品通过航空物流实现快速配送。截至 2023 年，我国已与 127 个国家和地区签署了双边航空运输协定，国际航线网络覆盖全球主要经济体。我国航空货运量占全球市场份额的 20%以上，位居全球第二。2022 年，我国国际航空货运量占全球总量的 15%，较 2019 年提升了 3 个百分点。上海浦东机场、广州白云机场、北京首都机场等枢纽机场的国际货运量位居全球前列。2022 年，上海浦东机场货邮吞吐量达到 310 万 t，连续多年位居全球第三。截至 2023 年，我国全货机数量已超过 200 架，较2019 年增加了 30%。顺丰航空、中国邮政航空等企业加速扩充机队，提升了我国航空物流的自主运力。国际航空运输基础设施建设方面，鄂州花湖国际机场于 2022 年正式投运，成为亚洲首个专业货运枢纽机场，设计年货邮吞吐量达 330 万 t。郑州新郑国际机场、深圳宝安国际机场等也在加快货运设施升级，提升国际货运能力。

国家出台《“十四五”航空物流发展专项规划》，明确提出到 2025 年，我国航空货邮运输量达到 950 万 t，国际航空货运能力显著增强。

（三）国际航空货物运输领域未来发展趋势

（1）电商驱动需求持续增长。全球跨境电商规模预计 2030 年达 6.5 万亿美元，航空货运将承担超 50%的跨境包裹运输。

（2）绿色低碳转型加速。国际民航组织要求 2050 年航空业实现净零排放，推动可持续航空燃料（SAF）应用，目标占比 10%（2030 年）。氢能飞机（如空客 ZEROe）及电动垂直起降飞行器（eVTOL）进入研发测试阶段。

（3）数字化与智能化升级。区块链技术应用于货物追踪与清关，可缩短 30%的运输时间，人工智能优化航线规划与货舱装载率，全球货运智能平台覆盖率将超 70%。

（4）政策与基础设施协同。各国加大货运机场建设（如中国鄂州花湖国际机场、美国辛辛那提枢纽），海关数字化与大通关建设，优化营商环境，缩短通关时间。

二、航空货物运输的特点

航空货物运输是一种现代化的运输方式。与其他货物运输方式相比，其突出的优点主要包括以下几个方面：

第一，运送速度快。这是航空货物运输最大的优势和主要特点。到目前为止，飞机仍然是最快捷的交通工具，快捷的运输方式大大缩短了货物的在途时间，对于那些易腐烂变质的鲜活商品，时效性、季节性强的商品，抢险、救急品的运输，这一特点显得尤为突出。运送速度快，在途时间短，也使货物在途风险降低，因此许多贵重物品、精密仪器也往往采用航空货物运输的方式。

第二，不受地面条件影响。航空货物运输一个明显的优势就是不受地理条件的限制，只要有机场和航空设施的保证，即可开辟航线。对于地面条件恶劣、交通不便的内陆地区非常合适，有利于当地资源的出口，促进当地经济的发展。对于铁路、公路、水路各种运输方式难以到达的地方均可采用航空运输，以满足特殊条件下特殊物流的要求。

第三，安全、准确。与其他运输方式相比，航空运输的安全性较高。航空公司的货运管理制度比较严格、完善，而且航空货物运输的手续简便，运输中间环节较少，这就使货物的破损情况大大减少，破损率低，安全性好。如果采用航空集装箱运送货物，则安全性更高。

第四，可节约包装、保险、利息等费用。采用航空运输方式，货物在途时间短，周转速度快，企业存货可以相应地减少，这一方面有利于资金的回收，减少利息支出；另一方面，企业存储费用也可以降低。又由于航空货物运输安全、准确，货损、货差少，保险费用较低。与其他运输方式相比，航空货物运输的包装简单，包装成本减少。这些都使企业隐形成本下降，收益增加。

但是，航空运输也有一定的局限性，主要表现在航空货运的运输费用高于其他运输方式，不适合低值货物的运输；航空运载工具（飞机）的舱容有限，对大件货物或大批量货物的运输有一定的限制；飞机的飞行安全容易受恶劣气候的影响等。因此，航空运输的货运对象，主要是一些小批量、高价值和对运输时间有特殊要求的商品。但是，随着新兴技术的应用与发展，产品更趋向于薄、轻、短、小、高价值，加之管理者更重视运输的及时性、可靠性，从而使航空运输具有更为广阔的发展前景。

三、国际航空货物运输的主要当事人

在国际空运物流运作的各环节，所涉及的主要当事人有发货人、收货人、航空公司（承运人）、航空货运代理以及地面运输公司。

（一）航空公司

航空公司是航空运输的承运人，它拥有飞机并借以从事航空运输活动（包括客运、货运）以及接受办理与其能力相适应的航空运输业务。其主要任务是把所接受委托的旅客和货物按指定要求从一机场运往另一机场。

（二）航空货运代理

航空货运代理又称航空货运公司，是随航空运输的发展及航空公司运输业务的集中化而发展起来的一种服务性组织。

航空货运代理主要从事航空货物在始发站交给航空公司之前的揽货、接货、报关、订舱以及在目的地从航空公司处接货、报关、交付或送货等一系列业务。根据国际航空运输协会的规定，航空货运代理可从航空公司收取订舱佣金以及运价回扣。按航空公司发布的运价费率代发货人交付运费，并向发货人收取所提供相关服务的手续费。

航空货运代理有两种职能：一是向货主提供服务，代替货主向航空公司办理托运或提取货物；二是为航空公司服务，部分航空货运代理人还代替航空公司接受货物，出具航空公司的总运单和自己的分运单。因此，航空货运代理不同于传统意义上的货运代理，它在运输过程中具有双重角色。对于各个发货人来说，其地位相当于承运人，要承担的是货物的运输责任，而不仅仅是在始发地将货物交给航空公司，在目的地提取货物并转交给不同的收货人；而对于航空公司来说，其又是托运人，集中托运一整批货物，而不承担从机场到机场的空中运输责任。

（三）各有关当事人之间的关系

航空公司与航空货运代理之间职责分明。航空公司通过航空货运代理接揽货物，增加运量，延伸服务功能；航空货运代理公司则作为货主和航空公司之间的纽带和桥梁，可以是货主的代理，代替货主向航空公司办理托运或提取货物的手续，也可以是航空公司的代理。在航空货物运输中，各主要当事人的责任划分如图 4-1 所示。

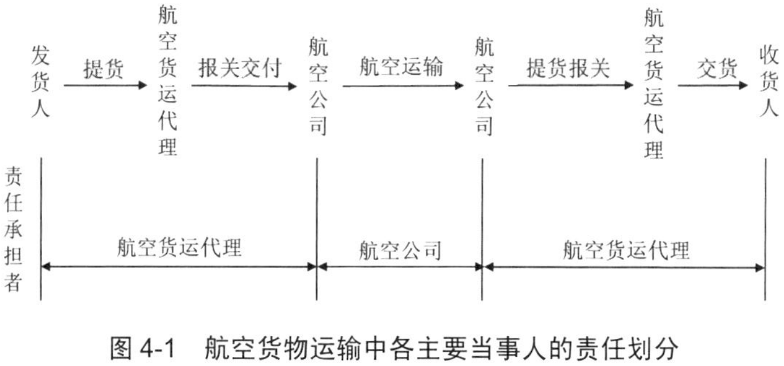

图 4-1 航空货物运输中各主要当事人的责任划分

案例 4-1 花湖国际机场年货邮吞吐量突破百万吨 增速全国第一

2024 年鄂州花湖国际机场出入境货机 6 975 架次、出入境机组 3 万人次、出入境货物 24 万 t，3 项数据为 2023 年全年的 6 ~ 7 倍。

2024 年，鄂州花湖国际机场新增 20 条国际/地区货运航线，国际/地区货运航线总量增至 30 条，形成覆盖亚洲、联通欧美和“一带一路”共建国家的航空货运网络，在全球物流体系中的地位愈加凸显。

为高效应对成倍增长的边检勤务，进一步方便企业、降低物流运输成本，湖北边检总站坚持 7×24 小时靠前服务，“即报即检、即检即离”高效服务，实施“远端近端双监管、查验操作双并行”服务举措，协同顺丰数据链接，做强“无感式监管、跨运单先放”；协调航司无缝衔接，实施“机未到预检”“人一到速检”“货舱开即检”；联合海关精准对接，实现“一批货到、两家同检、合力提速”，差异化满足航企需求，力促“全球航线来”“货到花湖快”。

2024 年，鄂州花湖国际机场完成货邮吞吐量 102.5 万 t，位居中部第一，从 2023 年的全国第 16 位跃升到第五，增速位居全国第一。去年 8 月以来，连续单月货运航班超 3 000 架次，排名全国前三；连续单月货量突破 10 万 t，单月枢纽货邮吞吐量“10 万+”成为常态。

资料来源：学习强国（湖北学习平台）

时间：2025-01-15

网址：https: //article.xuexi.cn/articles/index.html? art_id=11337119615430257818 &cdn=https%3A%2F%2Fregion-hubei-resource&item_id=11337119615430257818&study_style_id=feeds_opaque&t=1736931782281&showmenu=false&ref_read_id=e5568d90-f250-46a6-9dd9-a4ede791ffc1_1739152004715&pid=&ptype=-1&source=share&share_to=wx_single

请结合以上案例以及本任务模块内容分析以下问题：

1. 花湖国际机场在 2024 年新增了 20 条国际/地区货运航线，国际/地区货运航线总量增至 30 条。请分析这一扩展对花湖国际机场在全球物流体系中的地位产生了哪些影响，并讨论这种扩展对“一带一路”倡议的推动作用。

2. 花湖国际机场在 2024 年完成货邮吞吐量 102.5 万 t，增速位居全国第一。请分析这一快速增长背后的原因，并讨论花湖国际机场未来在货邮吞吐量方面可能面临的挑战与机遇。

3. 湖北边检总站为应对花湖国际机场货邮吞吐量的快速增长，实施了“即报即检、即检即离”等高效服务措施。请分析这些措施如何帮助花湖国际机场提高货运效率，并讨论这些措施对其他国际货运机场的借鉴意义。

任务二 国际航空货物的运输方式

一、按运输工具分类

（一）班机运输（Scheduled Airline Transport）

班机运输利用定期航班的固定航线、时间和舱位进行货物运输。这种运输方式航线相对固定，稳定性好，时效性相对稳定，适合小批量、高时效的货物运输。班机运输一般是客货混载，因此，舱位有限，不能使大批量的货物及时出运，往往需要分期分批运输，这是班机运输的不足之处。

班机运输分为客运航班和货运航班。货运航班只承揽货物运输，大多使用全货机。由于在国际贸易中经由航空运输所承运的货运量有限，所以货运航班只是由某些规模较大的专门的航空货运公司或一些业务范围较广的综合性航空公司在货运量较为集中的航线开辟。客运航班通常采用客货混合型飞机，在搭乘旅客的同时也承揽小批量货物的运输，这是班机运输的主要形式。

（二）包机运输（Chartered Airline Transport）

包机运输是指航空公司按照约定的条件和费率，将整架飞机租给一个或若干个包机人（包机人指发货人或航空货运代理公司），从一个或几个航空站装运货物至指定目的地。包机运输一般是航空运输承运人租用整架飞机或部分舱位进行货物运输。这种运输方式灵活性高，可根据需求调整航线和时间。适合大批量、特殊货物运输。包机运输主要是不定期运输，是相对班机运输而言的另一种运输形式。由于班机运输形式下货物舱位有限，因此，当运输的货物批量较大时，包机运输就成为重要的方式。包机运输通常可分为整架包机和部分包机。

1. 整架包机

整架包机是指航空公司或包机代理公司按照与租机人事先约定的条件和费率，将整架飞机租给包机人，从一个航空站或几个航空站将货物运往指定的目的地。整架包机的特点是运输量比较大，时间比较灵活，运费相对较低。

2. 部分包机

部分包机主要有两种形式：一种是由几家航空货运代理公司或多个发货人联合包租整架飞机；另一种是由包机公司把整架飞机的舱位分别卖给几家航空货运代理公司。部分包机适合货运量较大但不足整架包机的货物运输，运费比班机运输运费低，但由于需要等待其他货主备妥货物，因此运输的时间较长。

二、按组织形式分类

（一）集中托运

1. 集中托运的定义

集中托运（Consolidation Transport）指航空货运代理公司，将若干批单独发运的货物组成一整批，向航空公司办理托运，使用一份航空总运单，集中发运到同一目的站，由航空货运代理公司在目的地指定的代理收货，再根据航空货运代理公司签发的航空分运单，分拨给各实际收货人的航空货物运输方式。这样可以有效地降低运输成本，适合中小型货主，但是需在目的地进行分拨。一般适用于跨境电商和中小型贸易。

航空公司按不同重量批准公布多种运费率，并采用递减原则，这就使航空货运代理可以把从不同发货人处收集的小件货物集中起来后运出，享受汇总后重量的运价，从而赚取运价的差额。这种集中托运方式是航空货物运输中开展得最为普遍的一种运输方式，也是航空货运代理的主要业务之一。

集中托运业务流程如图 4-2 所示。

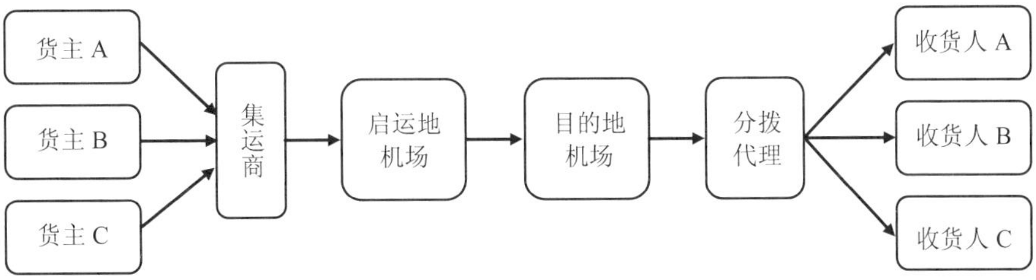

图 4-2 集中托运业务流程

2. 集中托运的具体做法

（1）为每票货物分别制定航空运输分运单，即出具货运代理的运单。

（2）将所有货物区分方向，按照其目的地相同的同一国家、同一城市来集中制定出航运公司的总运单，总运单的发货人和收货人均为航空货运代理公司。

（3）打出该总运单项下的货运清单，即此总运单有几个分运单，号码各是什么，其中件数、重量各多少等。

（4）把该总运单和货运清单作为一整票货物交给航空公司。

（5）货物到达目的地机场后，当地的货运代理公司作为总运单的收货人负责接货、分拨，按不同的分运单制定各自的报关单据并代为报关，为实际收货人办理有关接货、送货事宜。

（6）实际收货人在分运单上签收以后，目的站货运代理公司以此向发货的货运代理公司反馈到货信息。

3. 集中托运的局限性

（1）集中托运只适合办理普通货物，对于等级运价的货物，如贵重物品、危险品、活动物及文物等不能办理集中托运。

（2）目的地相同或临近的可以办理，如某一国家或地区，其他则不宜办理。例如，不能把去日本的货发到欧洲。

（二）航空快递

航空快递（Air Express）是一种以高效、快速、门到门服务为特点的国际航空货物运输方式，广泛应用于文件、样品、紧急物资等高时效性货物的运输。航空快递是指通过专业快递公司提供的门到门航空运输服务，通常结合航空运输和地面配送，实现货物的快速送达。这种国际航空运输方式有以下特点：

（1）高效快速：利用航空运输的高时效性，通常可在1～3天内完成国际运输。

（2）门到门服务：提供从发货人到收货人的全程物流服务，包括取件、清关、配送等环节。

（3）全程跟踪：通过信息化系统实现货物的实时追踪，确保运输过程透明可控。

（4）安全性高：专业包装和严格的操作流程，保障货物安全。

航空快递以其高效、快速、门到门服务的特点，成为国际航空货物运输的重要方式。通过专业快递公司和航空公司的合作，航空快递能够满足高时效性货物的运输需求，为全球贸易和紧急物资运输提供重要保障。随着技术进步和市场发展，航空快递将进一步向智能化、绿色化和专业化方向发展。

三、按运输商品类型以及是否需要特殊装运条件分类

普通货物运输（General Cargo Transport），运输普通商品，无特殊装运要求。适用场景：电子产品、服装、日用品等的运输。

特种货物运输（Special Cargo Transport），运输需要特殊处理的货物，如危险品、冷链货物、活体动物等。这种运输方式运输成本较高，一般适用于药品、生鲜食品、危险化学品等。

案例 4-2 包机出运成为跨境电商货物“出海”新选择

近年来，随着国际航线日益丰富，物流体系不断拓展，越来越多的国内电商企业加入国外促销活动中。为了让国内商品实现“卖”全球，包机出运成为不少跨境电商企业出口的新选择。

2025 年 1 月 5 日下午，两辆满载出口跨境电商货物的卡车停靠在杭州萧山国际机场东区货站二层。这批出口跨境电商货物以服装、饰品为主，均来自国内同一家电商平台企业，在这里，这批货物在完成安检、理货、打板以及海关监管后，将搭乘前往墨西哥城全货机出口海外。与以往一架货机会运输来自多家企业货物的情况不同，这架前往墨西哥城的全货机采取包机运营的方式，飞机上装载的都是来自同一家电商平台企业的货物。

“在采用商业航班腹舱带货的传统模式下，出口跨境电商货物需要通过香港、曼谷等机场转机，时效基本在 3～5 天。而通过全货机包机的方式，去往墨西哥城的飞行时间仅需 15 小时，电商平台企业可以在短时间内将大批量货物运到海外，有效提升买家的体验感，卖家也可以更快、更有效地促成商品交易，快速回本并减少国外客户的退货成本。”杭州瑞升国际货运代理有限公司关务主管陈敏介绍，高峰时期，该物流公司一周要承接包机出口货物 150 多 t，运往欧美多个国家和地区。

这种灵活和更具效率的运力选择离不开丰富的国际网络航线和充足的航空运力支持。去年以来，杭州空港口岸已经新增或恢复往返迈阿密、温哥华、墨西哥城、大阪、洛杉矶、德比的 6 条国际货运航线，稳定运行的全货机航线达到了 17 条，航线网络横跨欧美亚，每周开行航班 120 余架次，与全球主要经济体建立起紧密的航空网络，为货物的快速流通提供了强有力的支撑，出口跨境电商货运量也大幅增长。

为保障国外电商大促带来的货运高峰，杭州萧山机场海关推出一系列便利化举措。“海关在航空运力不断增长的背景下，开通了国际货物的国际转国内、国际转国际等多类型的空空中转业务，帮助航司企业拓宽集货渠道，盘活航线资源，压缩转运时间，助力国际货运量进一步攀升”。杭州萧山机场海关综合业务二科科长魏雯洁介绍，海关通过运用“智能审图”“同屏比对”等非侵入式查验设备，将海关监管流程嵌入企业作业流程中，提升通关效率 20%以上。

资料来源：杭州海关官方网站

时间：2025-01-09

网址：http: //www.customs.gov.cn/hangzhou_customs/575606/575608/6305830/index.html

请结合以上案例以及本任务模块内容分析以下问题：

1. 相较于传统商业航班腹舱带货模式，全货机包机运输在跨境电商货物运输中有哪些显著优势？请结合案例阐述。

2. 杭州萧山机场海关推出的便利化举措，对跨境电商包机运输业务的高效运作有什么重要意义？请分析说明。

任务三　国际航空货运代理业务

国际航空货物运输中的一个显著特点是，航空公司一般不直接接受货主委托，而是指定航空货运代理人代其接受货物运输委托。国际货物运输的流程包括两大环节：国际航空货物出口运输代理业务流程和国际航空货物进口运输代理业务流程。

一、国际航空货物出口运输代理业务流程

出口货物航空货运代理作业是指航空货运代理从发货人手中接到货物并将货物交到航空公司发运的一系列活动，主要业务流程包括：揽货，接受委托并审核单证，预配舱、预订舱，接单，填制航空货运单，接收货物，作标记和贴标签，配舱、订舱，出口货物报检、报关，编制出仓单，提板、箱与装货，签单、交接发运，航班跟踪、信息服务、结算费用等发运后的事宜。

（一）揽货

揽货是指航空货运代理到有进出口经营权的企业去组织货源，销售航空公司的舱位。为承揽货物，航空货运代理需及时向托运人介绍本公司的业务范围、服务项目、各项收费标准，特别应向出口公司介绍优惠运价、公司的服务优势等；积极开展增值服务，为客户制定个性化的物流方案，提升竞争优势。揽货是出口国货运代理业务的核心和其他各项业务开展的前提，货源是否充足、客户是否长期稳定直接影响货运代理企业的经营效益和长期发展。

（二）接受委托并审核单证

航空货运代理公司与出口单位（发货人）就出口货物运输事宜达成意向后，可以向发货人提供其所代理的有关航空公司的“国际货物托运书”。发货人发货时，首先需根据发货情况填写国际货物托运书，并加盖公章，作为发货人委托货运代理承办航空货物出口运输的依据。发货人填妥国际货物托运书后，连同合同副本、发票、装箱单以及海关、

商检所需要的单证一并交给货运代理，货运代理审核相关单证无误后，据以办理货物出口运输手续。

国际货物托运书是托运人用于委托承运人或其代理人填开航空运单的一种表单，表单上列有填制航空运单所需的各项内容，并应印有授权承运人或其代理人代其在运单上签字的文字说明。国际货物托运书应由货主（托运人、发货人）自己填写，而且必须在上面签字或盖章，保证托运书所填写的内容准确无误。在实际业务中，国际货物托运书也可由航空货运代理填写，但须由货主（托运人、发货人）在上面签字或盖章。航空货运代理在接受托运人委托后，要对托运书中的价格、航班日期等进行审查，审核无误后必须在托运书上签字并写上日期以表示确认。航空货运代理确认后，航空货运代理与托运人双方的委托关系即确立。

（三）预配舱、预订舱

货运代理汇总客户委托（预报），根据航空公司不同箱板的重量和高度要求，计算各航线货物的件数、重量和体积，并制定预配舱方案。之后，货运代理根据预配舱方案，按照航班班期向航空公司预订舱位。由于此时货物还未进入货运代理仓库，而实际货物的件数、重量和体积可能和预报有所差别，因此需要在接受货物后对配舱再作调整。

（四）接单

接受托运人或其代理人送交的已经审核确认的托运书、报送单证和收货凭证。将收货记录与收货凭证进行核对，制作操作交接单，填上所收到的各种报关单证份数，给每份交接单配一份总运单或分运单。将制作好的交接清单、配好的总运单或分运单、报关单证移交制单。

（五）填制航空货运单

货运代理根据国际货物托运书填写航空货运单。航空货运单是航空运输中最重要的一种单据，具有法律约束力，货运单填写是否准确直接关系到货物能否及时、准确到达目的地。

1. 航空货运单的性质

（1）航空货运单是发货人与航空承运人之间的运输合同

与海运提单不同，航空货运单不仅证明航空运输合同的存在，而且航空货运单本身就是发货人与航空运输承运人之间缔结的货物运输合同，在双方共同签署后产生效力，并在货物到达目的地交付给运单上所记载的收货人后失效。

（2）航空货运单是承运人签发的已接收货物的证明

航空货运单也是货物收据，在发货人将货物发运后，承运人或其代理人就会将其中一份交给发货人（发货人联），作为已经接收货物的证明。除非另外注明，它是承运人收到货物并在良好条件下装运的证明。

（3）航空货运单是承运人据以核收运费的账单

航空货运单分别记载着属于收货人负担的费用、属于应支付给承运人的费用和应支付给代理人的费用，并详细列明费用的种类、金额，因此可作为运费账单和发票。承运人往往将其中的承运人联作为记账凭证。

（4）航空货运单是报关单证之一

出口时，航空货运单是报关单证之一。在货物到达目的地机场进行进口报关时，航空货运单通常是海关查验放行的基本单证。

（5）航空货运单同时可作为保险证书

如果承运人承办保险或发货人要求承运人代办保险，则航空货运单也可用来作为保险证书。

（6）航空货运单是承运人内部业务的依据

航空货运单随货同行，证明了货物的身份。运单上载有有关该票货物发送、转运、交付的事项，承运人会据此对货物的运输做出相应安排。

2. 航空货运单的分类

航空货运单分为航空主运单和航空分运单。

（1）航空主运单。航空主运单由航空运输公司签发，是航空运输公司据以办理货物运输和交付的依据，每一批货物都有对应的航空主运单。

（2）航空分运单。集中托运人在办理集中托运业务时签发的航空货运单称为航空分运单。在集中托运的情况下，除了航空公司签发主运单，集中托运人还要签发航空分运单，分运单是集中托运人与托运人之间的货物运输合同，而航空总运单是航空公司与集中托运人之间的货物运输合同，货主与航空公司之间没有直接的契约关系。

同时，由于在起运地货物由集中托运人交给航空公司，在目的地由集中托运人或其代理从航空公司处提取货物以后，再转交给收货人，所以，货主与航空公司之间也没有直接的货物交接关系。

中国国际航空公司航空货运单见图 4-3。

中国国际航空公司 航空货运单

Shipper's name and address Guangdong Shantou Garment Co., Ltd No.18,Construction Rd ,Shantou ,Guangdong Province	NOT NEGOTIABLE Air Waybill 中国国际航空公司 Issued by AIR CHINA
Consignee's name and address Japan Chiba Garment Co. Ltd. No. 18 Xiongchu Avenue, Chiba City, Japan	It is agreed that the goods described herein are accepted in apparent good order and condition (except as noted) for carriage SUBJECT TO THE CONDITIO- NS OF CONTRACT ON THE REVERSE HEREOF, ALL GOODS MAY BE CARRIDE BY ANY OTHER MEANS. INCLUDING ROAD OR ANY OTHER CARRIER UNLESS SPECIFIC CONTRARY INSTRUCTIONS ARE GIVEN HEREON BY THE SHIPPER. THE SHIPPER'S ATTENTION IS DRAWN TO THE NOTICE CONCERNING CARRIER'S LIMITATION OF LIABILITY. Shipper may increase such limitation of liability by declaring a higher value of carriage and paying a supplemental charge if required.
Issuing Carrier's Agent Name and City AIR CHINA	
Agents IATA Code / Account NO.	
Airport of Departure (Add. of First Carrier) and Requested Routing Shantou	Accounting Information FREIGHT PREPAID

To	By first carrier	To	By	To	By	Currency	WT/VAL		Declared Value for Carriage	Declared Value for Customs
CAN	AIR CHINA					USD	PPD		83125USD	83125USD

Airport of Destination	Flight/ Date	Amount of Insurance	
Narita International Airport	B777-200/MAY 25		INSURANCE-If carrier offers insurance and such insurance is requested in accordance with the conditions thereof indicate amount to be insured in figures in box marked "Amount of Insurance"

Handling Information

No. of Pieces	Gross Weight	Kg Lb	Rate Class	Chargeable Weight	Rate/Charge	Total	Nature and Quantity of Goods
1250	450KGS	KG	Q	500KGS	12.5	6250 USD	

Prepaid	Weight charge	Collect	Other Charges
6250USD	500KGS		

Valuation Charge XXX	
Tax XXX	
Total Other Charges Due Agent XXX	Shipper certifies that the particulars on the face hereof are correct and that insofar as any part of the consignment contains dangerous goods, such part
Total Other Charges Due Carrier XXX	

图 4-3 中国国际航空公司航空货运单

案例4-3 普及南京公司货运代理争议案

一、案例详情

2018年12月19日，案外人福益柯公司委托普及国际货运代理（中国）有限公司南京分公司（以下简称普及南京公司）自德国运输一套自动化设备装配线DQ200至上海，双方签订《货代合同》，普及南京公司在收取全额运费后签发空运单。主运单签发主体为比利时ASL航空公司，托运人为L + OCEANXXGMBH（Logwin德国公司），收货人为上海浦东机场的地面代理商，受普及南京公司委托为该批货物提供位于机场附近暂时的仓储区域。“HAJ95951925/756-15759343”号分运单签发主体为Logwin德国公司，托运人为福益柯公司，收货人为实际收货人F，比利时ASL航空公司作为实际承运人。分运单右下角注明“L+OCEANASCONTRACTINGCARRIER”（Logwin空运海运作为缔约承运人）。Logwin德国公司与普及南京公司为有紧密合作关系的关联公司，且Logwin德国公司系普及南京公司委托签发运单的受托人。

2019年1月3日，涉案货物运抵上海浦东机场，理货时发现两个木箱受损，造成福益柯公司损失。苏黎世财产保险（中国）有限公司北京分公司（以下简称苏黎世财保公司）作为涉案货物的保险人，依照货物运输保险单向被保险人福益柯公司赔付保险赔款人民币898 481.66元，依法取得代位求偿权。因涉案货物系在普及南京公司运输途中受损，苏黎世财保公司要求普及南京公司作为承运人对福益柯公司的损失承担赔偿责任。

二、裁判结果

上海金融法院二审认为，本案事实情形满足《蒙特利尔公约》的适用条件，且案涉《货代合同》也明确约定适用该公约，故《蒙特利尔公约》在本案中具有优先适用的效力。一审法院适用法律错误。普及南京公司在案涉货物运输过程中的法律地位，不应仅以案外人福益柯公司与普及南京公司所签合同名称进行判定。结合合同约定的责任承担、国际航空货运的行业惯例、运费收取方式及性质等因素，认定普及南京公司为缔约承运人，应当承担货损赔偿责任，但可以按照该公约规定限制赔偿责任。关于计算赔偿限额的重量依据，根据该公约第二十二条第四款的规定，本案应以体积重量为计费重量收取运费。关于“判决作出之日”特别提款权与人民币换算比率是指一审还是二审判决，出于该公约立约目的以及从事国际航空货运交易与承保企业的行业正常商业风险等角度，一审与二审判决做出之日之间汇率变动的诉讼风险由二审败诉一方承担更为合理。据此，改判普及南京公司赔偿苏黎世财保公司人民币612 047.50元。

资料来源：最高人民法院

时间：2024-04-26

网址：https: //sw.wuhan.gov.cn/ztzl_26/jgjs/yasf/202404/t20240426_2393963.shtml

请结合以上案例以及本任务模块内容分析以下问题：

1. 案例中，普及南京公司作为货运代理，最终被认定为“缔约承运人”并承担货损赔偿责任。请结合《蒙特利尔公约》和国际航空货运代理的行业惯例，分析普及南京公司被认定为缔约承运人的依据，并讨论货运代理在什么情况下可能被认定为承运人，其法律责任如何界定。

2. 案例中涉及主运单和分运单，主运单由比利时 ASL 航空公司签发，分运单由 Logwin 德国公司签发。请分析主运单和分运单在国际航空货物运输中的法律效力，以及两者在责任划分中的作用。分运单中注明“Logwin 空运海运作为缔约承运人”对责任认定有何影响。

（六）接收货物

接收货物是指航空货运代理公司把即将发运的货物从发货人手中接过来并运送至自己的仓库。

接收货物一般与接单同时进行。对于通过空运、铁路或公路从内地运来的出口货物，航空货运代理按照发货人提供的运单号、航班号及接货地点和接货日期，代发货人提取货物。如果货物在始发地已办理出口海关手续，发货人应同时提供始发地海关的关封。接收货物时，应对货物进行过磅和丈量，并根据发票、装箱单或送货单清点货物，核对货物的数量、品名、合同号或唛头等是否与航空货运单一致。

（七）作标记和贴标签

1. 标记。标记是指在货物包装上填写的有关事项与记号，包括托运人和收货人姓名、地址和联系电话、合同号以及操作注意事项（如小心轻放、防止暴晒、易碎、防潮等）。标记一般由托运人书写，以发货人为托运人时，由发货人书写；集中托运时，由作为集中托运人的货运代理来书写。

2. 标签。标签是说明航空运单号码、件数、重量、始发站、目的站、中转站的运输标志。标签分为航空公司标签和分标签两种。航空公司标签是对其所承运货物的标识，标签上前 3 位阿拉伯数字代表航空公司代号（如国航 999、南航 784），后 8 位阿拉伯数字是总运单号码。分标签是货运代理对有分运单的货物出具的标签，凡出具分运单的货物都要制作分标签，上面应有分运单号码和货物到达城市或机场的三字代码。一件货物贴一张航空公司标签，有分运单的货物再贴一张分标签。

（八）配舱、订舱

1. 配舱

配舱是指货物入库后，货运代理核对货物的实际件数、重量、体积和托运书上预报数量的差别，根据预订的舱位、板箱合理搭配，按照各航班的机型、箱板型号、高度、数量进行配载，对于货物晚到、未到或者未能顺利通关放行的货物作相应调整，为制定配舱单做准备。

2. 订舱

订舱是指货运代理将所接收的货物向航空公司正式提出申请并订妥舱位。首先，航空货运代理接到托运人的发货预报，向航空公司领取并填写订舱单，同时提供相应信息，包括货物的名称、体积、重量、件数、目的地、要求出运的时间及其他运输要求。其次，航空公司接受订舱后签发舱单，同时给予装货集装箱领取凭证以表示舱位已订妥。航空货运代理在订舱时应依照托运人的要求选择最佳的航线和最佳的承运人，为托运人争取最低、最合理的运价。

（九）出口货物报检、报关

货运代理填写《中华人民共和国出入境检验检疫出境货物报验单》，到当地的出入境检验检疫局进行报检报验。订舱与报验结束后，货运代理填写“货物出口报关单”，并随附航空货运单等相关运输单证和检验检疫单证向出境地海关办理货物出口手续。海关放行后，航空货运代理要将盖有海关放行章的运单与货物一起交给航空公司。航空公司验收单、货无误后在交接单上签字。

（十）编制出仓单

出仓单用于仓库安排货物出库计划及供装板、装箱部门作为仓库提货的依据和仓库交货的凭证，同时也是制作《国际货物交接清单》的依据。配舱方案制定后就可着手编制出仓单，出仓单上应载明出仓日期、承运航班日期、装载板箱形式及数量、货物进仓顺序编号、总运单号、件数、重量、体积、目的地三字代码和仓库交货的凭证。

（十一）提板、箱与装货

一般情况下航空货物运输均以“集装箱”“集装板”形式装运，因此航空货运代理要根据订舱计划向航空公司申请板箱并办理相关手续。提取集装板（箱）时应领取相应的塑料薄膜和网。领取集装板（箱）后，货运代理可以在自己的仓库场地装板（箱），也可以在航空公司指定的场地装板（箱）。

（十二）签单、交接发运

（1）签单。航空货运单在盖好海关放行章后，需到航空公司签单，其目的主要是审核运价是否正确，货物性质是否适合航空运输，危险品等是否办妥相应证明和手续。只有签单确定后，才允许将单、货交给航空公司。

（2）交接发运。交接发运是指航空货运代理向航空公司交单交货，航空公司接货并安排运输。

交单就是将随机单据和应由承运人留存的单据交给航空公司。随机单据包括第二联航空运单正本、发票、装箱单、产地证明、品质鉴定证书等。交货就是把与单据相符的货物交给航空公司。航空货运代理在交货前必须粘贴或拴挂货物标签，清点和核对货物，填制货物交接清单。大宗货、集中托运货，以整板、整箱称重交接。零散小货按票称重，计件交接。航空公司核对清点后，在交接清单上签收，并将货物存入出口仓库，以备配舱。

（十三）航班跟踪、信息服务、结算费用等发运后的事宜

（1）航班跟踪。货运代理将单、货交给航空公司后，货物很可能因航班取消、延误、故障、改机型、错运、倒垛或装板不符合规定等问题不能按预定时间运出，因此货运代理从单、货交给航空公司开始就需要对航班、货物进行跟踪。

（2）信息服务。货物出运后，货运代理需及时向发货人传递运单号、航班号、出运日期等发运信息，并随时提供货物在运输过程中的相关信息。同时，货运代理将单据（如航空运单正本第三联、加盖海关放行章和验讫章的出口货物报关单、出口收汇核销单等）交于发货人留存。并且，货运代理需要将航空运单副本、航班、件数、重量、品名、实际收货人及其地址、联系电话等内容通过传真或 E-mail 形式传递给进口国货运代理，这一过程称为预报。

（3）费用结算

费用结算主要涉及货运代理与发货人、承运人和进口国货运代理三方面的结算。

①与发货人结算费用。货运代理向发货人收取航空运费（在运费预付的情况下），同时收取地面运费、各种服务费和手续费。

②与承运人结算费用。货运代理向承运人支付航空运费，同时收取代理佣金（作为航空公司代理的情况）。

③与进口国货运代理结算。主要涉及付运费和利润分成等。在到付运费情况下，出口国航空货运代理为收货人垫付运费，因此进口国航空货运代理在将货物移交收货人时，应收回到付运费并将有关款项退还出口国航空货运代理。同时，出口国航空货运代理应

将利润（代理费用）的一部分分给其进口国货运代理。由于航空货运代理公司之间存在长期的互为代理协议，因此他们之间在结算时一般不采取一票一结，而采取应收应付相互抵消，在一定期限内以清单冲账的结算办法。

空运口岸出口通关流程如表 4-1 所示。

表 4-1 空运口岸出口通关流程

<table>
<tr><th></th><th>主要环节</th><th>主要作业流程</th></tr>
<tr><td rowspan="4">通关准备</td><td>1.舱位预定</td><td>发货人或其代理人向航空公司订舱</td></tr>
<tr><td>2.货物抵运</td><td>发货人或其代理人委托货车将货物运抵机场货站</td></tr>
<tr><td>3.收运入库</td><td>机场物流对货物检查、清点、称重，并将货物送至海关监管区域</td></tr>
<tr><td>4.抵运报告</td><td>机场物流对海关发抵运报告</td></tr>
<tr><td rowspan="4">通关查验</td><td>5.报关</td><td>发货人或其代理人通过中国国际贸易单一窗口报关，并获得海关回执</td></tr>
<tr><td colspan="2">备注：如采用“提前报关”模式申报，即将“报关”环节移至“抵运报告”前</td></tr>
<tr><td>6.海关查验（若有）</td><td>货物接受海关查验（如涉及查验）</td></tr>
<tr><td>7.海关放行</td><td>货代或者货主取得货物放行信息，并办结手续</td></tr>
<tr><td rowspan="3">货物发出</td><td rowspan="3">8.装机出运</td><td>机场物流根据航空公司的装载计划，对货物进行主板配装</td></tr>
<tr><td>机场物流将货物送至机坪待货区</td></tr>
<tr><td>机场物流装机，关闭舱门，飞机按计划驶离</td></tr>
</table>

二、国际航空货物进口运输代理业务流程

国际航空货物进口运输代理业务是指货运代理公司接受收货人委托办理接货手续，完成货物从入境到提取或转运整个流程的各个环节所需办理的手续及准备相关单证的全过程。一般包括以下流程：代理预报与交接单、货；理货与仓储；理单与到货通知；制单与报关；发货与收费；送货与转运。

（一）代理预报与交接单、货

1. 代理预报

在航班到达之前，由出口国货运代理将运单、航班、品名、重量、件数、实际收货人及其地址、联系电话等内容发给进口国货运代理，这一过程称为代理预报。代理预报的目的是使代理公司做好接货前的所有准备工作。

2. 交接单、货

航空货物入境时，运输工具及货物处于海关监管之下。货物卸下后，货物存入航空公司或机场的监管仓库。航空公司向货运代理交单（航空运单正本第二联、发票、装箱单、产地证明、品质鉴定书等）、交货。交接时要做到单单核对，即交接清单与总运单核对；单货核对，即交接清单与货物核对。核对后，若出现问题应及时处理。单货交接手

续办理完毕后，货运代理根据货物量安排地面运输，将货物运至货运代理企业自行使用的海关监管仓库内。

航空货运代理公司在与航空公司办理交接手续时，应根据总运单及交接清单核对实际货物，若存在有单无货或有货无单的情况，应在交接清单上注明，以便航空公司组织查询并通知入境地海关。

发现货物短缺、破损或其他异常情况，应向民航索要商务事故记录，作为实际收货人交涉索赔事宜的依据。部分货损不属于运输责任，因为在实际操作中，部分货损是指整批货物或整件货物中极少或极小一部分受损，是航空货物运输中较易发生的损失，故航空公司不一定愿意开具证明，即使开具了“有条件、有理由”证明，货主也难以向航空公司索赔，但可据以向保险公司提出索赔。对货损责任难以确定的货物，可暂时将货物留在机场，商请货主单位一并到场处理。

（二）理货与仓储

航空货运代理公司从航空公司接货后，即将货物运进自己的仓库，组织理货及仓储。理货时，要注意核对每票件数，检查货物破损情况。如有异常，确属接货时未发现的问题，可向航空公司提出交涉。仓储时，要根据货物的属性和特殊要求进行存储，保证货物安全、不受损。

（三）理单与到货通知

1. 理单

货运代理在取得航空运单后，对每一票货物运单进行整理分类。在集中托运的情况下，先将总运单下的分运单拆开后再整理分类。

对运单整理分类的方法很多，一般包括：分航班号理单，便于区分进口方向；分进口代理理单，便于掌握、反馈信息，做好对代理的对口服务；分货主理单，指对重要的经常有大批货物的货主，将其运单分类出来，便于联系客户，制单报关和送货、转运；分口岸、内地或区域理单，便于联系内地的货运代理公司，便于集中转运；分运费到付、预付理单，便于安全收费；分寄发运单、自取运单客户理单。分类理单的同时，须将各票总运单、分运单编上航空货运代理公司自己设定的编号，以便内部操作及客户查询。

2. 到货通知

货物到达目的港后，货运代理应尽快发出到货通知。如货主自行报关，要提醒货主配齐有关单证，尽快报关，以减少货主仓储费，避免产生海关滞报金。

（四）制单与报关

1. 制单

制单就是制作“进口货物报关单”。制单的依据是运单、发票、装箱单及证明货物合法进口的有关批准文件。部分货主要求异地清关时，在符合海关规定的情况下，可制作“转关运输申报单”，办理转关手续。

2. 报关

经海关放行后才能进口报关。进口报关是向海关提出办理进口货物手续的过程。报关是进口程序中最关键的环节之一，任何货物都必须向海关申报出海关监管场所。报关一般包括初审、审单、征税、验放 4 个阶段。

（1）初审

初审是海关在总体上对报关单证作形式上的审核。审核报关单所填报的内容与原始单证是否相符，商品的归类编号是否正确，报关单预录是否有误等。

（2）审单

审单是报关的中心环节，从形式和内容上对报关单证进行全面的审核。审核内容包括：报关单证是否齐全、准确；所报内容是否属实；有关的进口批文和证明是否有效；报关单所填报的货物名称、规格、型号、用途及金额与批准文件上的是否一致；确定关税的征收与减免等。

允许通关时，留存一套报关单据（报关单、运单、发票）作为海关备案。

（3）征税

根据报关单证所填报的货物名称、用途、规格、型号及构成材料等确定商品的归类编号及相应的税号和税率。若商品的归类或税率难以确定，海关可先查看实物或实物图片及有关资料后再行确定征税。若申报的价格过低或未注明价格，海关可以估价征税。

（4）验放

货物放行的前提是单证提供齐全，税款和有关费用已经全部结清，报关未超过规定期限，实际货物与报关单证所列一致。放行的标志是在正本运单上或航空货运代理公司经海关认可的分运单上加盖放行章。放行货物的同时，将报关单据（报关单、运单、发票）及核销完的批文和证明全部留存海关。如果报关时已超过海关法规定的报关期限，必须向海关缴纳滞报金。

验放关员可要求货主开箱，查验货物。此时查货与征税时查货，其目的有所不同。征税关员查看实物主要是为了确定税率，验放关员查验实物是为了确定货物的物理性质、化学性质以及货物的数量、规格、内容是否与报关单证所列完全一致，有无伪报、瞒报、走私等问题。除海关总署特准免验的货物外，所有货物都在海关查验范围内。

（五）发货与收费

1. 发货

办完报关、报检等手续后，货主须凭盖有海关放行章、检验检疫章的进口提货单到所属监管仓库付费提货。仓库发货时，须检验提货单据上各类报关、报验章是否齐全，并登记提货人的单位、姓名、身份证号以确保发货安全。报关员发货时，须再次检查货物外包装情况，遇有破损、短缺的，应向货主做出交代。

2. 收费

航空货运代理公司仓库在发放货物之前，一般先要收妥费用。收费内容包括：到付运费及垫付佣金（如果采用的是到付方式）；单证、报关费；仓储费；装卸、铲车费；航空公司到港仓储费；海关预录入、动植检、卫检报验等代收代付费；关税及垫付佣金。

（六）送货与转运

出于多种因素（便利、节省费用或运力所限）的考虑，许多货主或国外发货人要求将进口到达货物由航空货运代理公司报关、垫税，提货后直接运输到收货人手中。航空货运代理公司在代理客户制单、报关、垫税、提货、运输的“一揽子”服务中，由于工作熟练，衔接紧密，服务到位，因而受到货主的欢迎。

（1）送货。送货上门业务主要指将进口清关后的货物直接运送至货主单位，也称送货上门。运输工具一般为汽车。

（2）转运。转运业务主要指将进口清关后的货物转运至内地的航空货运代理公司，运输方式为飞机、汽车、火车、水运、邮政等。

办理转运业务，需由内地的货运代理公司协助收回相关费用，同时口岸货运代理公司也应支付一定比例的代理佣金给内地货运代理公司。

空运口岸进口通关流程如表 4-2 所示。

表 4-2 空运口岸进口通关流程

	主要环节	主要作业流程
通关准备	1. 航班抵达	航班抵达
	2. 登机检查	海关部门登机检查
	3. 货物卸机	机场物流将货物卸机
	4. 机坪转运	机场物流将货物转运至海关监管区
	5. 理货入库	机场物流对货物进行理货
	6. 理货报告	机场物流向海关发送理货报告

	主要环节	主要作业流程
通关查验	7. 报关	发货人或其代理人通过中国国际贸易单一窗口报关，并获得海关回执
	8. 海关查验（若有）	机场物流将海关布控的货物搬移至海关查验场地
		货物接受海关查验
	9. 海关放行	收货人或其代理人取得海关查验货物放行信息，并办结手续
货物提离	10. 办理提货手续	收货人或其代理人缴纳货物操作等费用
		收货人或其代理人办理提离手续，安排提货
	11. 装车出区	收货人或其代理人装车，货物驶离海关监管区卡口

案例 4-4 定制特殊监管区域“保税+”物流服务方案

为客户降本增效出实招

多年来，中远海运物流供应链空运物流事业部所属天津中空深耕当地特殊监管区域危险化学品业务市场，围绕《有效降低全社会物流成本行动方案》重点任务，由该公司制定的多项“保税+”物流服务方案，自 2023 年 1 月起实施至今，切实有效地为客户企业降低了物流供应链成本。

“保税+鉴定”——针对海关总署提出的“加大进口危化品查验力度，所有危险化学品均需从第三方鉴定机构获取危险特性分类鉴定”要求，天津中空制定了同类品不同规格、不同规范的产品，同件号不同经营单位的产品合并申请鉴定，按照订单及发货先后顺序，分批进行取送样、鉴定申请，提高了整体工作效率。2023 年 4 月至今，已为客户节省近 200 万元物流成本。

“保税+报关”——针对客户四罐三组份危险化学品组套的订单需求，与客户和海关研究制定了综保区内危险化学品跨账册组套报关+查验的新模式。将客户由于临时缺料造成的损失降到了最低。此模式落地不到 3 个月，已先后完成 16 批次组套业务，助力客户揽取 3 个新客户大订单及 4 个老客户临时加单，物流成本节省约 50%。将客户由于临时缺料造成的损失降到了最低，为客户实现自主生产压缩成本提供了智力支持和服务保障，进一步提升了公司在综合保税区业务领域的市场竞争力。

“保税+查验”——其一，在保税区内实施一次查验，当天放行。由于保税区内危险化学品需接受布控属地和目的地两方查验，天津中空与多地海关深度沟通，通过系统流转，合并放至属地企业查验，结合不同的布控内容，上传两次查验记录。此方案可节约 50%的人工成本，并大幅提高了通关效率。其二，面对特殊监管区域二线出区实行两卡管理的要求，危险化学品货物需两卡查验，导致压车及额外费用。天津中空将安全监督的规范和制度与关务要求充分结合，为客户争取到过卡前提前查验的定制监管政策，制定出货前由海关进厂查验的方案，使客户二次包装货物降为零成本，压车时长降低 90%，现场查验人工成本降低 50%。

资料来源：中国远洋海运报

时间：2025-01-03

网址：https: //newspaper.coscoshipping.com/wq/20250103/20250103d02b/art/2025/art_8a7d0d9e387d459f8610926ea44df860.html

请结合以上案例以及本任务模块内容分析以下问题：

1. 分析天津中空如何通过“保税+鉴定”“保税+报关”“保税+查验”方案，优化业务流程，降低客户的物流成本，并提高工作效率。

2. 在国际航空货运口岸作业中，货物的通关效率直接影响整体物流成本和时间。天津中空通过“保税+查验”方案，优化了危险化学品在特殊监管区域的口岸作业流程。请结合案例内容，分析天津中空如何通过“保税+查验”方案优化口岸作业流程，并讨论其对国际航空货运代理业务的意义。

任务四　国际航空货物运输费用

国际航空货物运输费用包括航空运费、声明价值附加费及其他费用。

一、航空运费

航空运费是指航空公司将一票（一票指一份航空运单）货物从始发站机场运至目的站机场应收取的航空运输费用，不包括承运人、代理人或机场收取的其他费用。航空运费取决于航空运价和计费重量。

（一）航空运价

航空运价是指承运人对所承运的每一重量单位的货物所收取的航空运费。按制定途径不同，航空运价分为协议运价和国际航协（IATA）运价。

1. 协议运价

协议运价是航空公司与托运人签订协议，托运人保证每年向航空公司交运一定数量的货物，航空公司向托运人提供一定数量的运价折扣。其分类如表 4-3 所示。

2. 国际航协运价

国际航协运价是指国际航空运输协会（IATA）在航空货运价手册（TACT）上公布的运价。它主要依据 IATA 运价手册并结合国际货物运输规则共同使用。按照 IATA 货物运价公布形式不同，国际航协运价可分为公布直达运价和非公布直达运价，具体分类如

表 4-4 所示。

表 4-3 航空货物协议运价分类

<table>
<tr><td rowspan="5">协议运价</td><td>长期协议运价</td><td>签订一年期限协议的运价</td></tr>
<tr><td>短期协议运价</td><td>签订半年或半年以下期限的运价</td></tr>
<tr><td>包板（舱）运价</td><td>对租用的全部或部分舱位或集装器签订的运价</td></tr>
<tr><td>销售返还</td><td>对已完成的销售量（额）给予一定比例的运费返还</td></tr>
<tr><td>自由销售</td><td>除订过协议的货物外，采取一票货物商议一个定价</td></tr>
</table>

表 4-4 航空货物国际航协运价分类

<table>
<tr><td rowspan="7">国际航协运价</td><td rowspan="5">公布直达运价</td><td>指定商品运价</td><td>C</td></tr>
<tr><td rowspan="2">普通货物运价</td><td>45 公斤以下普通货物运价 N</td></tr>
<tr><td>45 公斤以上普通货物运价 Q</td></tr>
<tr><td rowspan="2">等级货物运价</td><td>等级货物附加运价 S</td></tr>
<tr><td>等级货物附减运价 R</td></tr>
<tr><td rowspan="2">非公布直达运价</td><td colspan="2">比例运价</td></tr>
<tr><td colspan="2">分段相加运价</td></tr>
</table>

（1）公布直达运价

公布直达运价是指航空公司在运价本上直接注明从始发站到目的站的货物运价，主要包括指定商品运价、普通货物运价、等级货物运价 3 类。

①指定商品运价（Specific Commodity Rates，SCR）

指定商品运价也称特种商品运价，是指承运人根据某一航线上经常运输某一种货物的托运人的请求，或为促进某地区间某一种货物的运输，所提供的低于普通货物运价的优惠运价，其目的在于提高航空货物运输的竞争力，以具有竞争力的运价来吸引客户，使航空公司的运力得到充分利用。指定商品运价的运价等级代码为“C”。

使用指定商品运价必须满足 3 个条件：一是在始发站与目的站之间有公布的指定商品运价；二是货物品名与指定商品的品名相吻合；三是货物计费重量满足最低重量要求。

②普通货物运价（General Cargo Rates，GCR）

普通货物运价也称一般货物运价，是指对不适用指定商品运价和等级货物运价的普通货物所提供的运价。普通货物运价根据货物的重量不同，分成若干重量等级分界点运价，以量大价低为原则。

不同重量等级分界点的运价表示及运价等级代码如表 4-5 所示。

表 4-5　普通货物运价分类

45 公斤以下的普通货物运价	N
Q45 表示 45 公斤及以上的普通货物运价	Q
Q100 表示 100 公斤及以上的普通货物运价	
Q300 表示 300 公斤及以上的普通货物运价	

③等级货物运价（Commodity Classification Rates，CCR）

等级货物运价是指在指定地区内部或地区之间对少数货物航空运输提供的运价，通常是在普通货物运价的基础上增加（或不变）或减少一定的百分比。

在普通货物运价的基础上增加一定的百分比（或不变）称为等级货物附加运价，其运价等级代码为“S”；在普通货物运价的基础上减少一定的百分比称为等级货物附减运价，其运价等级代码为“R”。

IATA 规定的适用于等级货物运价的货物种类及运价等级代码如表 4-6 所示。

表 4-6　等级货物运价的货物种类

活动物	S	150%N 或 175%N
贵重物品	S	200%N
尸体和骨灰	S	100%N 或 200%N 或 300%N 或 100%Q
报纸、杂志、期刊、盲人和聋哑人专用设备和书籍	R	50%N 或 67%N
货物托运人行李	R	50%N

（2）非公布直达运价

如果货物的始发地至目的地之间没有公布的直达运价，可以采用比例运价或分段相加运价，这些统称为非公布直达运价。

①比例运价

在运价手册上除公布直达运价外，还公布一种不能单独使用的附加数。当货物的始发地至目的地之间无公布的直达运价时，可采用比例运价与已知的公布直达运价相加，构成非公布直达运价。

②分段相加运价

分段相加运价是指在两地之间既没有直达运价也无法利用比例运价时，可以在始发地与目的地之间选择合适的计算点，分别找到始发地至该点、该点至目的地的运价，两段运价相加组成全程的最低运价。

（二）计费重量

计费重量是据以计收运费的重量。航空公司规定计费重量以实际毛重和体积重量较高者为准。实际毛重指一批货物包括包装在内的实际总重；体积重量按每 6 000 cm^3 为 1 kg 换算。

国际航协规定，计费重量的最小单位是 0.5 kg，当重量不足 0.5 kg 时，按 0.5 kg 计算；超过 0.5 kg 不足 1 kg 时，按 1 kg 计算。

【例 4-1】某货物的毛重为 120.4 kg，体积为 540 000 cm^3，求计费重量。

解：实际重量：120.4 kg

体积重量：540 000÷6 000=90 kg

计费重量：120.5 kg（重量不足 0.5 kg 的按 0.5 kg 计）

（三）起码运费

起码运费也称最低运费，类别代号为 M，是指一票货物自始发地机场至目的地机场航空运费的最低限额，也是航空公司办理一批货物所能接受的最低运费。货物按其适用的航空运价与其计费重量，计算所得的航空运费低于起码运费之时，应按起码运费额进行收费。

（四）航空运费的计算

1. 专业术语

（1）Volume：体积。

（2）Volume Weight：体积重量。

（3）Gross Weight：毛重。

（4）Chargeable Weight：计费重量。

（5）Applicable Rate：适用运价。

（6）Weight Charge：航空运费。

2. 航空运价的使用原则

（1）如果有协议运价，优先使用协议运价；如果没有协议运价，则采用 IATA 运价。

（2）对于国际航协运价，首先采用公布直达运价；如果没有公布直达运价，则采用比例运价或分段相加运价。

（3）对于公布直达运价，优先使用指定商品运价；如果不是指定商品，优先使用等级货物运价；如果既非指定商品，也非等级货物，则使用普通货物运价。

3. 普通货物运费的计算

（1）计算步骤

普通货物运费计算方法是货物的计费重量乘以相应重量等级的运价所得的运费，与较高重量等级的起始重量乘以相应的运价所得的运费进行比较，取其低者。具体计算步骤如下：

①确认货物不属于指定商品或等级货物，而只是普通货物。

②计算货物体积重量，并与实际毛重比较，取高者作为计费重量Ⅰ。

③查找计费重量Ⅰ对应的运价，并求得运费Ⅰ。

④按照计费重量Ⅰ的较高临界点重量Ⅱ，计算此临界点重量下的运费Ⅱ。

⑤运费Ⅰ与运费Ⅱ比较，取两者较低者。

⑥再与起码运费比较，取较高者。

（2）航空货运单运费计算栏的填制

①No.of Pieces RCP：填写货物的数量。

②Gross Weight：填写货物的总重量。

③kg/L：以千克为单位用代号“K”表示，以磅为单位用代号“L”表示。

④Rate Class：若计费重量小于 45 kg，填写 N；若计费重量大于 45 kg，填写 Q；若航空运费为起码运费，则填写 M。

⑤Commodity Item No.：普通货物此栏不填。

⑥Chargeable Weight：填写计费重量。

⑦Rate/Charge：填写适用运价。

⑧Total：填写航空运费。

⑨Nature and Quantity of Goods（incl. dimensions or volume）：填写商品的品名及商品的尺寸。

【例 4-2】

Routing：SHANGHAI，CHINA（SHA）to PAIRS，FRANCE（PAR）

Commodity：Bamboo Basket

Gross Weight：38.6 kg

Dimensions：101 cm×58 cm×32 cm

公布的运价如下：

KGS	CNY
M	320
N	50.22
45	41.53
300	37.52

计算应收运费，并填写航空货运单运费计算栏。

解：

（1）Bamboo Basket 属于普通货物；

（2）货物体积：101 cm×58 cm×32 cm=187 456 cm^3

体积重量：187 456÷6 000=31.24 kg

实际毛重：38.6 kg

计费重量Ⅰ：39.0 kg（0.5 kg 以上不足 1 kg 按 1 kg 计算）

（3）适用运价：N 为 50.22CNY/kg

运费Ⅰ：39×50.22=CNY1 958.58

（4）较高临界点运价：41.53CNY/kg

较高临界点运费Ⅱ：41.53×45=CNY1 868.85

（5）运费Ⅰ与运费Ⅱ两者取小，即 CNY1 868.85

（6）与起码运费 M 比较，取大，即 CNY1 868.85

所以应收运费为 1 868.85 元。

航空货运单主要栏目

No.of Pieces RCP	Gross Weight	Kg/Lb	Rate Class		Chargeable Weight	Rate/ Charge	Total	Nature and Quantity of Goods（incl. Dimensions or Volume）
			Q	Commodity Item No				
1	38.6	K			45	41.53	1 868.85	BambooBasket 101 cm×58 cm×32 cm

4. 指定商品运费的计算

（1）计算步骤

①先查询运价表，如果运输始发地至目的地之间有公布的指定商品运价，则考虑使用指定商品运价。

②查找品名表，找出与运输货物品名相对应的指定商品代号。

③计算计费重量Ⅰ。计算货物体积重量，并与实际毛重比较，取高者作为计费重量Ⅰ。

④找出适用运价，然后计算出航空运费。此时需要比较计费重量Ⅰ与指定商品运价的最低重量，具体分两种情况：

第一种情况：如果货物的计费重量Ⅰ符合指定商品运价的最低重量要求，则优先使用指定商品运价作为商品的适用运价，此时航空运费=计费重量Ⅰ×适用运价，再与起码运费比较取大作为指定商品运费。

第二种情况：如果货物的计费重量Ⅰ不符合指定商品运价的最低重量要求，则需要把指定商品按普通货物计算运费Ⅱ；再利用指定商品最低重量乘以对应的指定商品运价计算指定商品运费Ⅲ；运费Ⅱ与运费Ⅲ比较，取两者较低者；再与起码运费进行比较，取高者。

（2）航空货运单运费计算栏的填制

Commodity Item No.：填写指定商品代号。

其余与普通货物的航空货运单运费计算栏的填制相同。

【例 4-3】

Routing：BEIJING，CHINA（BJS）to OSAKA，JAPAN（OSA）

Commodity：Fresh Oranges

Gross Weight：each 72.6 kg　　total 5 pieces

Dimensions：5 pieces×130 cm×60 cm×55 cm

公布的运价如下：

	KGS	CNY
	M	230
	N	37.51
	45	28.13
0008	300	18.80

计算应收运费，并填写航空货运单运费计算栏。

解：

（1）货物 Fresh Oranges 属于指定商品，商品代码为 0008

（2）计算计费重量 I

实际毛重：72.6×5=363 kg

货物体积：5×130 cm×60 cm×55 cm=2 145 000 cm^3

体积重量：2 145 000÷6 000=357.5 kg

计费重量 I：363 kg

计费重量 I 满足指定商品最低重量要求 300 kg，所以使用指定商品运价作为商品的适用运价。

（3）指定商品运费 I：363×18.80=CNY6 824.4

起码运费 M：CNY230

两者取大：CNY6 824.4，即应收运费为 6 824.4 元。

航空货运单主要栏目

No.of Pieces RCP	Gross Weight	Kg/Lb	Rate Class		Chargeable Weight	Rate/ Charge	Total	Nature and Quantity of Goods（incl. Dimensions or Volume）
			C	Commodity Item No				
5	363	K		0008	363	18.8	6 824.4	Fresh Oranges 5×130 cm×60 cm×55 cm

注意：由于按指定商品运价计费，因此航空货运单中要填入商品代码 0008。

【例 4-4】

Routing：BEIJING，CHINA（BJS）to OSAKA，JAPAN（OSA）

Commodity：Fresh Oranges

Gross Weight：each 72.6 kg　　total 4 pieces

Dimensions：4 pieces×130 cm×60 cm×55 cm

公布的运价如下：

	KGS	CNY
	M	230
	N	37.51
	45	28.13
0008	300	18.80

计算应收运费，并填写航空货运单运费计算栏。

解：

（1）货物 Fresh Oranges 属于指定商品，商品代码为 0008。

（2）计算计费重量Ⅰ。

实际毛重：72.6×4=290.4 kg

货物体积：4×130 cm×60 cm×55 cm=1 716 000 cm^3

体积重量：1 716 000÷6 000=286 kg

计费重量Ⅰ：290.5 kg

（3）计费重量Ⅰ不满足指定商品最低重量要求 300 kg。

按普通货物运价求得运费Ⅱ：290.5×28.13=CNY8 171.765

按指定商品最低重量求得运费Ⅲ：300×18.8 =CNY5 640

两者取小：CNY5 640

起码运费 M：CNY230

两者取大：CNY5 640，即应收运费为 5 640 元。

航空货运单主要栏目

No.of Pieces RCP	Gross Weight	Kg/Lb	Rate Class		Chargeable Weight	Rate/ Charge	Total	Nature and Quantity of Goods（incl. Dimensionsor Volume）
			C	Commodity Item No				
4	290.4	K		0008	300	18.8	5 640	Fresh Oranges 4×130 cm×60 cm×55 cm

注意：由于运费以指定商品最低重量 300 kg 为准计收，所以计费重量是 300 kg。

5. 等级货物运费的计算

（1）计算步骤

①首先确认货物不是指定商品，而是等级货物。

②计算货物体积重量，并与实际毛重比较，取高者作为计费重量。

③确定等级货物运价，然后计算出航空运费，具体分两种情况：

第一种情况：如果是附加的等级货物，则利用计费重量乘以等级货物附加运价，求得等级货物运费，再与规定的起码运费比较取大。

第二种情况：如果是附减的等级货物，则首先需要利用计费重量乘以等级货物附减运价，求得等级货物运费Ⅰ；再按照普通货物运价计算运费Ⅱ，两者取小；再与规定的起码运费做比较，取较高者。

（2）航空货运单运费计算栏的填制

Commodity Item No.：填写等级货物商品代号。

其余与普通货物的航空货运单运费计算栏的填制相同。

【例 4-5】

Routing：Brussels，Belgium（BRU）to Sharjah，United Arab Emirates（SHJ））Commodity：coffin

Gross Weight：210.4 kg

Dimensions：1 piece×230 cm×65 cm×60 cm

公布的运价如下：

KGS	CNY
M	62
N	11.58
45	8.75
100	3.92
300	2.88

尸体在该区内的等级运价为 200%N；规定最低运费为 200%M。

计算应收运费，并填写航空货运单运费计算栏。

解：

（1）棺材（尸体）不是指定商品，而是等级货物。

（2）计算计费重量。

实际毛重：210.4 kg

货物体积：230 cm×65 cm×60 cm=897 000 cm^3

体积重量：897 000÷6 000 =149.5 kg

计费重量Ⅰ：210.5 kg

（3）尸体是附加的等级货物，等级货物附加运价为 200%×11.58=23.16CNY/kg

等级货物运费Ⅰ：23.16×210.5=CNY4 875.2

规定的最低运费：200%×62=CNY124

两者取大：CNY4875.2，即应收运费为 4 875.2 元。

航空货运单主要栏目

No.of Pieces RCP	Gross Weight	Kg/Lb	Rate Class		Chargeable Weight	Rate/ Charge	Total	Nature and Quantity of Goods（incl. Dimensions or Volume）
			S	Commodity Item No				
1	210.4	K			210.5	23.16	4 875.2	Coffin 1×230 cm×65 cm×60 cm

注意：附加的等级货物商品代码为“N200”，运价是附加等级运价即 23.16。

【例 4-6】

Routing：Beijing，China（BJS）to London，United Kingdom（LON）

Commodity：Newspaper

Gross Weight：969.6 kg

Dimensions：30 pieces×80 cm×60 cm×40 cm

公布的运价如下：

KGS	CNY
M	320
N	63.18
45	45.22
100	41.22
500	33.42
1 000	30.61

报纸在该区的等级运价为 50%N；规定最低运费为 M。

计算应收运费，并填写航空货运单运费计算栏。

解：

（1）报纸不是指定商品，而是等级货物。

（2）计算计费重量

实际毛重：969.6 kg

货物体积：30×80 cm×60 cm×40 cm=5 760 000 cm^3

体积重量：5 760 000÷6 000=960 kg

计费重量Ⅰ：970 kg

（3）报纸是附减的等级货物，等级货物附减运价为 50%×63.18CNY/kg=31.59CNY/kg

等级货物运费Ⅰ：31.59×970=CNY30 642.3

按普通货物运价计算运费Ⅱ为 CNY30 610：

33.42×970=CNY32 417.4

30.61×1 000=CNY30 610

运费Ⅰ与运费Ⅱ比较，两者取小：CNY30 610

规定的最低运费为 M：CNY320

两者取大：CNY30 610，即应付运费为 30 610 元。

No.of Pieces RCP	Gross Weight	Kg/Lb	Rate Class		Chargeable Weight	Rate/ Charge	Total	Nature and Quantity of Goods（incl. Dimensions or Volume）
			Q	Commodity Item No				
30	969.6	K			1 000	30.61	30 610	Newspaper 30×80 cm×60 cm×40 cm

注意：尽管报纸是等级货物，但是这里按普通货物计费，故运价等级为“Q”，计费重量为普通货物临界点重量 1 000 kg。

二、声明价值附加费及其他费用

（一）声明价值附加费

《华沙公约》规定，对由承运人自身疏忽或故意造成的货物损坏、残缺或延误规定了最高赔偿责任限额，其赔偿的金额为货物毛重每千克不超过 20 美元或其等值货币。如果货物价值超出了上述价值，托运人就需要向承运人声明货物的价值，并支付声明价值附加费；如果没有超出，则不需要声明。声明价值是货物总价值，集中托运货物按整批货物价值声明。声明价值费的收取依据是货物的实际毛重，其计算公式为

声明价值费=（货物价值−货物毛重×20 美元/kg）×声明价值费费率

声明价值费费率通常为 0.5%。大多数航空公司在规定声明价值费费率的同时还规定声明价值费的最低收费标准。如果根据上述公式计算出的声明价值费低于航空公司的最低标准，则托运人要按照航空公司的最低标准缴纳声明价值费。

（二）其他费用

在航空运输中，货主还需要根据航空公司或航空货运代理提供的服务内容向其缴纳相应的其他费用。费用用 3 个英文字母表示，前两个字母是费用代码，第 3 个字母是 C 或 A。C 表示费用应支付给航空公司（Carrier），A 表示费用支付给航空货运代理（Agent）。

1. 货运单费

货运单费（Airway Bill Fee，AW）又称航空货运单工本费，是为填制航空货运单而

产生的费用。国际航空协会规定：由航空公司销售或填制航空货运单，此项费用归航空公司所有表示为 AWC；由航空货运代理销售或填制航空货运单，此项费用归货运代理所有，表示为 AWA。

2. 危险品处理费

对于危险品，在国际航空运输中，除了按危险品规则收运并收取航空运费，还应收取危险货物收运手续费，该费用必须填制在货运单“其他费用”栏内，用“RA”表示。该费用归出票航空公司，在货运单中表示为“RAC”。

3. 地面运输费

地面运输费（Surface Charge，SU）指托运人处收货运至始发站机场的运输费用。

目的站运输费（Surface Charge Destination，SD）指从目的站机场将货物送至收货人的陆路运输费用。

4. 手续费

（1）运费到付手续费（Charge Collect Fee，CC Fee）

在货物的航空运费和其他费用到付时，在目的地的收货人除支付货物的航空运费和其他费用外，还应支付到付货物手续费。此项费用由最后一个承运航空公司收取，并归其所有。其计算公式为到付运费手续费=（货物航空运费+声明价值附加费）×2%，并目最低收费标准为 100 元人民币。

（2）垫付款手续费（Disbursement Fee，DB）

垫付款是指在始发站机场运输一票货物时发生的部分其他费用，包括货运单费、地面运输费和始发站报关费。此项费用需填入货运单的“其他费用”一栏。

垫付款手续费是指为垫付款支付的手续费，由垫付款的数额而确定，垫付款手续费归出票航空公司所有，此项费用应表示为“DBC”。其计算公式为

$$垫付款手续费=垫付款\times 10\%$$

垫付款数额不能超过货运单上全部航空运费总额（总额低于 100 USD，可允许达到 100 USD）。每票货物的垫付费不得低于 20 USD 或其等值货币。

5. 保管费及停运费

始发站保管费（Storage Origin，SO）指货物在始发站机场产生的保管费。

目的站保管费（Storage Destination，SR）指货物在目的站机场产生的保管费。

中途停运费（Stop In Transit，SD）指在中途停运产生的相关费用。

6. 报关费

始发站报关费（Clearance And Handling-Origin，CH）指始发站清关处理费。

目的站报关费（Clearance And Handling-Destination，CD）指目的站清关处理费。

7. 服务费

集中货物服务费（Assembly Service Fee，AS）指始发站集中货物产生的费用。

押运服务费（Attendant，AT）指派人押运产生的费用。

分发服务费（Distribution Service Fee，DF）指目的站分发货、配货产生的费用。

保险服务费（Insurance Premium，IN）指货运代理代办保险业务的服务费。

包装服务费（Packaging，PK）指包装货物产生的费用。

代签字服务费（Signature Service，SS）指代表货主签字的服务费。

8. 特殊货物费用

特殊货物费用包括尸体、骨灰附加费（Human Remains，HR）、危险品处理费（Dangerous Goods Fee，RA）、动物处理费（Live Animals，LA）、动物容器租费（Animal Container，AC）、集装设备操作费（ULD Handling，TH）等。

【行业前沿】

省政府办公厅关于加快推动国际航空货运发展的意见

（苏政办发〔2024〕40 号）

各设区市人民政府，省各委办厅局，省各直属单位：

国际航空货运具有物流时效高、空间跨度大等突出优势，与先进制造业、跨境电商、邮政快递等产业的全球化布局需求高度适配，是推动交通物流降本提质增效的重要举措，对加快发展新质生产力、服务构建新发展格局、促进开放型经济高质量发展具有重要意义。为贯彻落实党中央、国务院决策部署和省委、省政府工作要求，推动我省国际航空货运专业化、集约化、信息化、全链条发展，经省人民政府同意，现提出以下意见。

一、总体要求坚持目标导向、问题导向，坚持系统谋划、精准施策，坚持政府引导、市场主导，加快构建布局合理、要素集聚、供需匹配、畅达全球的航空物流服务体系。提升南京禄口机场国际航空货运枢纽能级，打造全球性国际邮政快递枢纽；提升无锡硕放机场、南通机场面向特定区域、重点产业的区域航空枢纽功能；引导其他机场协同特色发展。到 2027 年，全省国际航空货邮吞吐量实现翻番，南京禄口机场国际货邮吞吐量排名跻身全国前十；货物单证电子化率达到 80%以上；口岸作业及通关时间压缩 15%以上，力争 95%的进口货物在 12 小时以内完成卸货、理货、放行等工作；初步构建稳定可靠、自主可控的全球 72 小时航空货运骨干航线网络。展望 2035 年，全省国际航空货运业务规模、通达能力、通关效率和服务品质位居全国前列，为强化国际供应链稳定畅通、塑造更高水平开放型经济新优势、建设具有世界聚合力的双向开放枢纽提供有力支撑。

二、重点任务。

（一）提升货运设施保障能力。

1. 加强基础设施建设。加快推进南京禄口机场三期工程、国际快件与跨境电商处理中心建设，优化完善货运设施布局。支持中国邮政集团加快建设南京国际货邮综合核心口岸，打造“邮、快、跨、普”全业务综合物流平台。加快实施无锡硕放机场改扩建工程，建成东部货运区工程、供油工程、国际邮件交换站，提升国际快件、跨境电商运营水平。推动南通兴东机场国际货库改扩建工程、盐城南洋机场飞行区等级提升工程，以及扬州泰州机场、淮安涟水机场跨境电商监管中心建设。加快完善机场货运集疏运体系。支持航空异地货站按照机场控制区安保要求和标准加快基础设施建设。（省发展改革委、省自然资源厅、省生态环境厅、省交通运输厅、省邮政管理局、民航江苏安全监管局、东部机场集团按职责分工负责。相关设区市人民政府为责任主体，下同，不再列出）

2. 提升装备专业化水平。适度超前完善南京禄口机场、无锡硕放机场、南通机场的快递、冷链、医药、活体动物、危险品及“空空联运”中转场地等货站设施及指定监管场地，按需加大升降平台车、分解组合平台、散货及集装货储存系统等设备投入，提升货站设施综合保障水平。适度提升徐州观音、常州奔牛、扬州泰州、盐城南洋、连云港花果山等机场的国际货站保障能力。按需加大机场口岸卫生检疫、动植物检疫和实货查验专业设施设备投入，加强专业力量配备。（省交通运输厅、南京海关、民航江苏安全监管局、东部机场集团按职责分工负责）

（二）构建全球航空货运网络。

1. 打造精品航线网络。南京禄口机场巩固和发展至北美、欧洲等枢纽机场的洲际货运航线，拓展至中东地区货运航线，积极开辟亚洲及“一带一路”重点产能合作国家和地区货运航线。无锡硕放机场以畅通先进制造业国际供应链、强化国际快件集散功能为核心，重点发展至欧洲、中北美洲的洲际货运航线，稳定运营亚洲货运航线。南通机场有效承接上海机场外溢货源，着力打造亚洲精品货运航线。其他机场根据当地经济发展实际需要，以腹舱带货为重点，统筹拓展国际航空货运业务。至 2027 年，南京禄口机场每周不少于 3 班的国际货运航线达到 5 条以上，其中每周不少于 6 班的高频精品洲际货运航线达到 2 条以上；无锡硕放机场每周不少于 3 班的洲际货运航线达到 2 条以上，亚洲货运航线达到 2 条以上；南通机场每周不少于 3 班的亚洲货运航线达到 3 条以上。（省交通运输厅、省商务厅、东部机场集团按职责分工负责）

2. 提升中转联运功能。积极支持南京禄口机场、无锡硕放机场与航司、电商、货代等企业“抱团出海”，结合航线发展在境外选址建设运营海外货站等物流设施，延伸海外物流服务链条。加强与国内外航司合作，拓展“国际－国际”“国际－国内”空空中转业务，提升“国内—国际”空空中转时效。结合国际航线发展，加密卡车航班网点、密度，推广定班运营模式，与长三角主要城市、海关特殊监管区域及异地货站协调联动，构建覆盖 500 公里以上具有较强品牌影响力的空陆联运网络。积极探索空铁联运、低空无人机配送等联运新模式，研究推动航空异地货站与口岸机场间开通低空货运航线。（省交通运输厅、省商务厅、南京海关、民航江苏安全监管局、东部机场集团按职责分工负责）

3. 强化行业资源供给。持续深化空域精细化管理改革，强化空域、航线、机场等资源的统筹协调，提升空管服务保障水平。积极争取加大南京禄口、无锡硕放等机场时刻容量供给，放宽机场高峰时段国际货运航班时刻限制，进一步提高全货机日利用率和机场货运服务设施设备利用率。积极争取扩大国际货运航权安排，充分利用和放大第五航权。（省委军民融合办、省交通运输厅、民航江苏安全监管局、民航江苏空管分局、东部机场集团按职责分工负责）

（三）增强市场培育组织能力。

1. 提升运力供给水平。积极引进国内外骨干航空公司加大运力投放，重点开通洲际全货机航线，提高国际客运航班腹舱载运率。支持基地货运航空公司持续扩大机队规模，结合市场需求布局国际货运航线网络。支持各货运航空公司与快递、物流龙头企业深化合作，共同开发中转联运产品，拓展中转集拼业务。支持货运包机企业打造“虚拟承运人”，定班运作国际货运航线，强化运力采购、运行保障、舱位分销和“一站式”物流服务能力。积极探索通过股权投资、飞机湿租和托管等方式，与货运航空公司开展资本合作，强化运力自主可控。（省交通运输厅、民航江苏安全监管局、东部机场集团按职责分工负责）

2. 培育物流龙头企业。积极引进全球知名的航空货运代理企业、电商头部企业，推动其全国总部、区域总部、功能总部和分拨中心等落户江苏，培育航空物流产业生态圈。积极支持国内领先的物流企业拓展国际航空物流业务，实现运力资源高效整合、精准匹配，提升国际航空物流供应链综合集成能力。鼓励航空物流龙头企业、电商头部企业、航空异地货站运营单位参与机场货站、物流园区的规划、建设和运营。（省交通运输厅、省商务厅、省邮政管理局、东部机场集团按职责分工负责）

3. 提升货源组织能力。鼓励机场和货运航空公司与经开区、高新区、综合保税区等开放载体深化合作，围绕集成电路、生物医药、智能制造等先进制造业集群发展，建立精准化航空物流供需服务对接机制。加快建设苏州航空异地货站，推动机场货站功能前置，积极探索出口货物“属地交货、属地安检、属地报关、属地放行、集拼运输”等创新模式。支持各机场设立异地货站，提升服务质效。（省发展改革委、省工业和信息化厅、省交通运输厅、省商务厅、南京海关、民航江苏安全监管局、东部机场集团按职责分工负责）

4. 推进临空经济发展。加快建设国家级南京临空经济示范区，推进区港一体规划、合作运营。以南京空港型国家物流枢纽为支撑，积极引进航空货运企业落户，推动进口贸易中心、国际分拨中心建设，引导临空指向型产业资源进一步在示范区集聚，促进临空经济与国际航空货运融合发展。支持无锡市争创国家级临空经济示范区，深化全国快递产业集聚发展示范园区建设。支持南通等市开展临空经济区规划建设。支持扬州市、泰州市结合扬州泰州机场二期扩建工程规划建设临空物流产业园。支持徐州市结合徐州观音机场国际货运站建设打造淮海经济区空港型物流枢纽。鼓励各机场打造航空运输、飞机维修、物流仓储等国际航空货运服务产业链，培育具有临空特色的现代服务、先进制造和智慧物流相关产业。（省发展改革委、省工业和信息化厅、省交通运输厅、省邮政管理局、东部机场集团按职责分工负责）

（四）提高物流服务保障效率。

1. 强化服务保障能力。优化货运设施空侧、陆侧运输流线组织，确保场内货运组织便捷畅通。在确保飞行区安全、满足民航安检规范前提下，推动跨境电商产业园区与机场货站实现一体监管、空侧直连、无缝衔接。南京禄口、无锡硕放等机场对标国际一流货站提升专业化服务水平，公布并严格履行进港接卸交接、分解理货时限及出港交运差错率等服务承诺。（省交通运输厅、省商务厅、南京海关、民航江苏监管局、东部机场集团按职责分工负责）

2. 优化简化安检流程。落实民航行业管理部门关于完善货运安保链条管理的部署要求，支持各机场在电子产品、集成电路、生物医药等重点行业建立基于信用管理的托运人白名单制度，探索各安检责任主体间白名单互认，提升安检效率。支持省内航空异地货站与口岸机场建立系统联通，实行“一次安检”。南京禄口、无锡硕放等机场加快开展跨境电商货物便利化运输，建立特货敏货便利化运输准入机制，在做好数据对接、分类识别等基础上，有效简化化妆品、含锂电池、弱磁类等货物收运手续。（民航江苏安全监管局、东部机场集团按职责分工负责）

3. 提升口岸通关效率。符合条件的机场实施 7×24 小时无障碍预约通关，根据需要设置邮件快件、跨境电商、转关货物通关绿色通道。积极探索出口货物收运分流、出口空运联程转关快速验放、出口电商货物安检收运理货“三合一”新模式。有序推广“卡车航班”“机坪直提”模式，力争实现跨境货物一次申报、一次验放。对进口重要设备、关键零部件、生物医药等实施通关查验便利化措施。推广应用提前申报、两步申报、两段准入等通关模式。（南京海关、东部机场集团按职责分工负责）

4. 推进智慧物流建设。推动口岸机场、航空公司、货代企业、航空异地货站及查验监管单位数据互联共享，加快形成以航空电子运单为基础的航空物流操作流程，力争实现单证“无纸化”流转和人员“零接触”交流。针对高附加值货物积极争取将主（分）

运单管理模式细化到最小包装单元，构建货物提取时间精准可控、位置实时可查、状态全面感知的全流程追踪服务体系。建立开放的客户导向的航空物流公共服务平台，为航司、机场、货代、货主以及海关等部门提供全过程一体化信息服务，有效提升航空物流效率和监管能力。具备条件的机场加快 AI 技术应用，逐步实现智能审图替代人工审图，提升安检、通关效率。（省发展改革委、省交通运输厅、省商务厅、南京海关、民航江苏安全监管局、东部机场集团按职责分工负责）

三、保障措施加强统筹协调，建立省市共建、政企联动的国际航空货运协同推进机制，积极争取国家有关部委支持。充分发挥空域统筹优化研究三方协作平台作用，积极争取军民航在空域保障方面给予支持。加大政策扶持，研究制定国际航空货运发展激励措施，统筹推进全省国际航空货运发展。鼓励各设区市根据经济发展状况、国际航空货运市场规律，加大对国际航空货运的支持力度。加强监测分析，建立和完善全省国际航空货运信息共享和统计监测机制，及时把握和适应国际航空货运需求新变化、经济社会发展新要求。

资料来源：江苏省人民政府官方网站

时间：2024-12-27

网址：https: //www.jiangsu.gov.cn/art/2025/2/5/art_64797_11485573.html

【课后习题】

一、单项选择题

1. 小件急需品和贵重货物，其有利的运输方式是（ ）。

A. 海洋运输　B. 邮包运输　C. 航空运输　D. 公路运输

2. 航空运价代号 M 表示（ ）。

A. 最低运费　B. 普通货物运价　C. 等级货物运价　D. 指定商品运价

3. 航空货物体积重量的折算标准为每（ ）cm^3 折合 1 kg。

A. 3 000　B. 4 000　C. 5 000　D. 6 000

4. 航空货运中“N”表示标准普通货物运价，是指（ ）kg 以下的普通货物运价。

A. 45　B. 50　C. 55　D. 60

5. 航空货运中对于 45 kg 以上的不同重量分界点的普通货物运价均用（ ）表示。

A. S　B. C　C. Q　D. M

6. AWC 表达的含义是（ ）。

A. 货运单费归航空公司所有　B 货运单费用归货运代理所有

C. 地面运输费归承运人所有　D. 地面运输费归货运代理所有

二、多项选择题

1. 相较于其他交通运输方式，以下属于航空货运优势的有（ ）。
A. 运输快速　B. 货物安全性好　C. 载重量较小　D. 运费高
2. （ ）属于航空货物运输费用。
A. 航空运费　B. 附加费　C. 地面运输费　D. 声明价值附加费
3. 航空运费取决于（ ）。
A. 航空运价　B. 计费重量　C. 货运单费　D. 声明价值附加费

三、简答题

1. 简述出口货物航空货运代理作业的主要内容。
2. 简述航空货运单的性质。

【实战训练】

【实训目的】

通过此实训任务，学生可以深入了解国际空运出口业务的核心环节，掌握单证制作、航线调研、运价计算等实操技能，为未来从事国际物流工作打下坚实基础。

1. 掌握国际空运出口业务流程：通过模拟货运代理的操作流程，了解国际空运出口业务的核心环节，包括航线调研、运价计算、单证制作等。

2. 熟悉空运出口单证操作：学习制作空运出口业务中的关键单证，如航空运单、报关单、商业发票、装箱单等。

3. 提升空运进出口业务实操能力：通过调研航线、计算运价、制作单证等任务，锻炼学生的实际操作能力和问题解决能力。

4. 从货运代理的视角出发，理解其在空运出口业务中的职责和作用。

【实训内容】

河北铁达进出口贸易有限公司（以下简称铁达公司）与美国客户 Home Living Inc.签订了一份出口合同，向美国一企业出口一批家居用品。铁达公司委托天津开发区亿得达国际货运代理有限公司作为货运代理，负责此次国际空运出口业务。业务基本信息如下：

1. 出口企业信息

公司名称：河北铁达进出口贸易有限公司

地址：河北省石家庄市长安区建设北大街×××号

联系人：张经理

电话：+86 311 1234 5678

2. 客户信息

公司名称：Home Living Inc.

地址：123 Main Street，Los Angeles，CA 90001，USA

联系人：John Smith

电话：+1 213 123 4567

3. 货物信息

品名：家居用品（Home Decor Items）

数量：200 箱

单价：500 美元/箱

总价：10 万美元

包装：纸箱包装

贸易术语：FOB 天津（FOB Tianjin）

4. 其他信息

发票编号：INV20231001

发票日期：2023 年 10 月 1 日

付款方式：电汇（T/T）

装箱单编号：PL20231001

装箱日期：2023 年 10 月 1 日

5. 运输路线信息

起运地：天津滨海国际机场（TSN）

目的地：洛杉矶国际机场（LAX）

6. 运输要求

运输方式：国际空运

运输时效：5 天内到达

特殊要求：货物需投保，保额为货物价值的 110%

任务一：航线调研与安排

1. 调研从天津滨海国际机场（TSN）到洛杉矶国际机场（LAX）的直飞或中转航线。

2. 列出可选航空公司（如中国国际航空、美国联合航空等），并比较其航班频率、时效和服务质量。

3. 根据客户要求的运输时效（5 天内到达），推荐最优航线并说明理由。

任务二：空运代理价格调研与报价

1. 调研当前国际空运市场的运价（如航空运费、燃油附加费、安检费等）。

2. 计算此次运输的总费用（包括航空运费、报关费、保险费等）。

3. 制作一份空运货代报价单，向铁达公司提供费用明细，并解释各项费用的计算依据。

任务三：制作空运出口单证

1. 商业发票（Commercial Invoice）。

2. 装箱单（Packing List）。

3. 报关单（Customs Declaration Form）。

4. 航空运单（Air Waybill，AWB）。

任务四：问题处理

1. 假设货物在报关时被海关抽查，导致延误。请模拟货运代理的处理流程，包括与海关沟通、通知客户、调整运输计划等。

2. 假设货物到达洛杉矶机场后，客户反馈部分货物外包装破损。请模拟货运代理的应对措施。

【实训要求】

以学习小组为单位（每组 3～5 人），分工合作完成以下任务，并提交一份完整的实训报告，实训报告要涵盖所有任务内容，并附上团队成员的分工说明，提交的实训报告应包含以下内容：

1. 提交航线调研报告一份：列出可选航线，推荐最优航线并说明理由。

2. 提交空运货代报价单：列出各项费用明细，并计算总费用。

3. 单证样本：提供商业发票、装箱单、报关单、航空运单的模拟样本。商业发票、装箱单无统一格式要求，可自己根据需求制作。

4. 问题处理方案：针对报关延误和货物破损问题，提出解决方案。

项目五　国际铁路物流与货运代理

知识与能力目标

- 准确复述国际铁路物流基础知识；
- 总结中欧班列的发展历程和现状；
- 分析国际铁路联运的特点；
- 绘制进/出口货物国际铁路联运业务流程图；
- 计算国际铁路联运中国内段运费；
- 厘清国际铁路货物联运进出口业务流程。

思政目标

- 从中欧班列的发展中，感受“一带一路”建设的蓬勃活力。

【导入案例】

中欧班列与跨境电商联动发展模式

西安国际港务区依托中欧班列（长安号）和西安港口岸平台，充分发挥“跨境+自贸+综保+进口+口岸”优势，积极践行“一带一路”倡议，通过开通电商专列、创新发运模式、优化配套服务、解决企业痛点等措施，助力跨境电商行稳致远。

一、主要做法

（一）开通电商专列，保障货物运输需求

优先安排电商货物班列计划，提供稳定高效的物流渠道。完善线路体系，与俄铁、德铁、哈铁等境外铁路公司合作，开行直达汉堡、马拉舍维奇等地的跨境电商专列，直达欧洲20余个城市，并通过跨境电商海外仓快速集散分拨电商货物。

（二）创新发运模式，提升货物通关时效

在综合保税区建设跨境电商散货集拼中心，创新推出散货“先查验，后装箱”模式，货物通关时效提升2～3天。对电商货物实施“优先装车、优先制票、优先挂运”等措施，货物即到即查即放行，24小时内完成清关查验。

（三）优化服务举措，降低企业运营成本

建设中欧班列（长安号）综合服务平台，为企业提供“门到门”的一站式综合物流解决方案；落地全国首个陆路启运港退税试点，企业退税时间从1个月左右缩短到2～3天，退税时间压缩了90%以上。截至目前，12家商业银行已在平台上线16种金融产品，融资百余笔，利率在3.8%左右，累计放款60.8亿元。

二、实践效果

（一）实现跨境电商企业的集聚

近年来，阿里巴巴、京东等一批知名跨境电商企业落户发展，累计注册各类跨境电商及上下游配套企业322家，吸引各类电商人才4 000余人，形成了完整的跨境电商产业生态。

（二）扩大跨境电商企业的销售市场

目前长安号常态化开通17条国际干线，基本实现欧亚大陆全覆盖，跨境电商企业依托班列开展对外贸易业务的渠道进一步拓宽，销售货品的覆盖面进一步扩大，促进了跨境电商企业加速发展壮大。

（三）提供稳定的班列货源

截至今年9月底，跨境电商专列累计开行450列，实现2天1列，排名全国第一，跨境电商企业的聚集和专列的稳定开行，为长安号提供了稳定的货源，促进长安号高质量发展。

（四）带动进出口贸易规模的提升

园区跨境电商交易额从2020年的15亿元增加到2022年的35亿元，带动园区进出口贸易额从2020年的100亿元增加到2022年的260亿元，今年1—9月园区进出口贸易额为206亿元，同比增长59%。

（五）推动国际合作项目的快速落地

中国—中亚峰会期间，开工建设了全国第一个哈萨克斯坦码头项目，项目将依托中欧班列（西安）集结中心的通道优势以及跨境电商企业的聚集优势，开展哈萨克斯坦货物在中国国内的集散分拨以及中国出口哈萨克斯坦货物的集结发运等业务。

资料来源：福建省商务厅

时间：2023-07-17

网址：https://swt.fujian.gov.cn/xxgk/jgzn/jgcs/dzswhxxhc/gzdt_598/202307/t20230717_6208719.htm

请结合以上案例以及本项目内容分析以下问题：

1. 从国际铁路货物联运的角度，分析西安国际港务区创新发运模式（散货“先查验，后装箱” 模式、“优先装车、优先制票、优先挂运” 等措施）对提高货物运输效率和通关时效的作用机制。

2. 中欧班列（长安号）的发展促进了跨境电商企业集聚和进出口贸易规模提升，结合这一案例，探讨国际铁路物流在推动区域经济发展和国际合作中扮演着怎样的角色。

国际铁路运输作为连接亚欧大陆的重要物流通道，具有运距长、运量大、时效稳定、成本适中的特点，是国际物流体系中的重要组成部分。它不仅能够有效弥补海运和空运的不足，还为“一带一路”建设提供了强有力的物流支撑。中欧班列作为国际铁路运输的典范，自开行以来，已成为亚欧大陆经贸往来的重要桥梁。它通过高效的运输网络和多样化的服务模式，显著缩短了中欧之间的物流时间，降低了企业运营成本，促进了跨境电商、制造业和国际贸易的快速发展。同时，中欧班列的常态化运营也推动了沿线国家和地区的经济合作与文化交流，为构建开放型世界经济注入了新动能。可以说，国际铁路运输和中欧班列不仅是物流通道，还是推动全球化、促进区域经济一体化的重要引擎。

任务一 国际铁路物流基础知识

一、国际铁路货物运输的特点

铁路是国际经济的大动脉，是现代化运输业的主要运输方式之一。与其他国际物流运输方式相比，国际铁路运输具有以下特点。

（一）运输的准确性和连续性强

铁路运输几乎不受气候影响，一年四季可以不分昼夜地进行定期、有规律、准确地运转。

（二）运输速度较快

铁路货运速度每昼夜可达上千公里，一般货车可达 100 km/h，高速铁路可达 250 km/h，远高于海上运输。

（三）运输量较大

一列可载货列车一般能运送 2 000～2 500 t 货物，远高于航空运输或汽车运输。

（四）运输成本较低

铁路运输费用仅为汽车运输费用的几分之一，甚至十几分之一；运输耗油约是汽车运输的 1/20。

（五）铁路运输安全性高

铁路运输受天气影响较小，事故率低，货物损失风险小，适合运输高价值或易损货物。

（六）初期投资大

铁路运输需要铺设轨道，建造桥梁和隧道，建路工程艰巨复杂；需要消耗大量钢材、木材；需要占用土地。其初期投资大大超过其他运输方式。

另外，铁路运输由运输、机务、车辆、工务、电务等业务部门组成，要具备较强的准确性和连贯性，各业务部门之间必须协调一致，这就要求在运输指挥方面实行统筹安排，统一领导。

二、我国国际铁路货物运输的形式

在我国涉及铁路的国际货物运输形式主要有以下 4 种：

一是国际铁路货物联运，即在跨国及两个以上国家铁路的货物运送中，由参加国家铁路共同使用一份运输票据，并以连带责任办理的全程铁路运送。

二是铁海货物联运，即海运和铁路间相互转换办理的货物运输。

三是供港（香港）澳（澳门）货物铁路运输。

四是过境铁路货物运输（境外货物通过我国铁路运往第三国的运输，包括海运到达港口的货物经铁路口岸运往第三国及相反方向的运输）。

三、国境站

（一）国境站的定义

凡办理一国铁路向另一国铁路移交或接收货物和机车车辆作业的车站，称为国境站。依照各国铁路轨距类型的不同，国境站区分为直通型国境站和换装型国境站。

我国铁路目前共有 13 个国境站，分别是满洲里、绥芬河、同江、珲春、二连浩特、阿拉山口、霍尔果斯、丹东、图们、集安、凭祥、河口、磨憨，通过铁路直接连通俄罗斯、蒙古国、哈萨克斯坦、朝鲜、越南和老挝 6 个国家（表 5-1）。

表 5-1　我国主要铁路国境站概况

国境站	对接国家	开通状态	备注
满洲里	俄罗斯	常态化运营	中国最大陆路口岸
绥芬河	俄罗斯	常态化运营	连接俄远东地区
同江	俄罗斯	2022 年开通	首座中俄跨界铁路大桥
珲春	俄罗斯、朝鲜	常态化运营	经俄朝图们江铁路
二连浩特	蒙古国	常态化运营	中蒙最大铁路口岸
阿拉山口	哈萨克斯坦	常态化运营	中欧班列核心通道
霍尔果斯	哈萨克斯坦	常态化运营	双西公路+铁路枢纽
丹东	朝鲜	常态化运营	中朝贸易主要通道
图们	朝鲜	常态化运营	连接朝鲜罗津港
集安	朝鲜	常态化运营	次要铁路口岸
凭祥	越南	常态化运营	中越国际联运主通道
河口	越南	常态化运营（米轨）	滇越铁路百年历史
磨憨	老挝	2021 年开通	中老铁路枢纽

（二）国境站货物和车辆的交接货地点和过货方式

交货地点：货物和车辆的交接原则上都在进口国国境站上进行。

过货方式：原车过轨、货物换装或货车换转向架。

案例 5-1　中蒙两国间首开宽轨集装箱专列

2022 年 5 月 25 日“二连号”宽轨集装箱专列从二连浩特铁路口岸驶向蒙古国乌兰巴托。该专列装载蒙古国急需物资，共 54 个集装箱，是中蒙两国间首开的宽轨集装箱专列。

此次专列开行后，从二连浩特铁路口岸发出的出口集装箱班列到达蒙古国口岸后无须换装，即可直达蒙古国乌兰巴托，运输时间较之前缩短 30%，运输效率得到明显提升。

据介绍，为增强铁路口岸集疏能力，二连浩特铁路口岸优化运输组织模式，挖掘宽轨返空车资源，加大开行集装箱宽轨货运列车组织力度，开行首列对蒙古国出口集装箱宽轨货运专列，拓宽了我国货物出口运输渠道。

我国铁路采用 1 435 mm 国际标准轨距，蒙古国采用 1520 mm 宽轨轨距。因各个国家铁路线轨距标准不同，国际货运列车需在铁路口岸进行换装作业，将货物换装到符合目的地国家轨距标准的列车上再通过国境。

资料来源：中华人民共和国中央人民政府官方网站

时间：2022-05-25

网址：https: //www.gov.cn/xinwen/2022-05/25/content_5692250.htm

请结合以上案例以及本任务模块内容分析以下问题：

1. 我国与蒙古国轨距不同，在“二连号”宽轨集装箱专列开行前，货物运输需进行换装作业。请分析轨距差异对国际铁路物流运输成本、效率的影响，以及国际标准轨距统一的潜在意义。

2. 二连浩特铁路口岸在此次专列开行中发挥了关键作用，结合案例阐述国境站在国际铁路物流中的主要功能和重要性，以及如何进一步提高国境站的作业效率和服务能力。

3. 此次专列开行后运输时间大幅缩短，从过货方式改变的角度分析其对提高国际铁路物流效率的作用机制，以及对我国通往邻国铁路干线运输模式优化的启示。

任务二　国际铁路货物联运

一、国际铁路货物联运的定义及特点

（一）国际铁路货物联运的定义

在国际铁路物流中，一般涉及两个或两个以上国家的铁路运送。在两个或两个以上国家的铁路运送中，使用一份运送票据，以连带责任办理货物的全程运送，并且在由一国铁路向另一国铁路移交货物时，无须发货人、收货人参与，这种运输方式称为国际铁路货物联运（International Through Railway Transport，International Railway Through Goods Traffic）。国际铁路货物联运是我国国际货物铁路运输的主要方式。

（二）国际铁路货物联运的特点

国际铁路货物联运作为国际货物运输的重要运输方式之一，在我国改革开放的进程中居于更加重要的位置。特别是在与周边国家的经济交流中，国际铁路货物联运更是我国不可或缺的主要货物运输方式。在我国与周边国家的对外经贸交往中，援外项目和海外投资项目越来越多，我国周边国家大多资源富集，如蒙古国的铁矿、煤矿、铜矿，哈萨克斯坦、土库曼斯坦的原油、天然气，乌兹别克斯坦的棉花、短绒等产品。中国企业会越来越多地投资建矿、建厂，这样，通过国际铁路货物联运的货运量会迅速增长，国际铁路货物联运已成为我国国际物流企业的重要业务。

与国内铁路运输相比，国际铁路货物联运有以下几个特点。

1. 涉及面广

国际铁路货物联运必须由两个及两个以上的国家铁路参与运送。运输过程需要联运国家之间签订《国际铁路货物联运协定》（以下简称《国际货协》），有时还要通过签订了《国际货协》的国家，向未签订《国际货协》的西欧、北欧国家办理转发送，才能完成全程的运送工作，最后达到目的地，因此运输政策性较强，运距较长。每运送一批货物都要涉及两个或两个以上国家和几个国境站。

2. 运输条件高，手续复杂

国际铁路联运货物在运送中要顾及各参加国铁路的设备条件、运输组织方式和相关的法规制度，涉及外贸、海关、商检、发货人、收货人、收转入等各方面，其运输票据、货物、车辆及有关单证都必须符合有关规定和一些国家的正当要求，从而也决定了该项业务操作的复杂性。

3. 一次托运，一票到底

在国际铁路联运中，联运铁路承运人使用一份铁路联运票据对发货人（托运人）或收货人负责，办理从一国铁路始运站至另一国铁路终到站的全过程运输。即使在由一国铁路向另一国铁路移交货物时，其交接工作也属于联运国家铁路之间的内部作业，无须发货人或收货人参加。

4. 运输责任方面采用统一责任制

按《国际货协》运单承运货物的铁路部门，负责完成货物运送全程的运输合同，直到到站交付货物时为止；如将货物转发送到未参加《国际货协》铁路的国家，则负责完成到按另一种国际铁路直通货物联运协定的运单办完运送手续时为止。每一继续运送的铁路部门，自接受附有运单的货物时起，即认为参加了这项运输合同，并承担由此而产生的责任和义务。国际铁路货物联运的上述责任也被称为国际铁路货物联运的连带责任。即参与国铁路系共同承运人，对发货人或收货人承担连带运输责任，从而可以更有效地保护发货人与收货人的利益。货物在运输过程中如出现损坏、短少、灭失等，无论发生在铁路联运中的任一国家，都按照联运国铁路签署的国际公约对收、发货人负责。

5. 仅适用铁路一种运输方式

国际铁路货物联运仅使用一种铁路运输方式，不涉及其他运输方式，货物甚至可以不经换装就可实现长距离的陆上跨国运输而运抵目的地，保证了国际货物运输的连贯性、持续性，节省了运输时间和成本，加速了货物流转，方便了货主。

目前，国际铁路货物联运主要应用于我国内地出口芬兰、俄罗斯、阿富汗、蒙古国、朝鲜、越南等国家的货物运输。这种运输方式的最大缺陷在于，由于俄罗斯和蒙古国铁路的轨距与我国不同，因此在边境站需要进行货物换装业务。

二、国际铁路货物联运业务流程

国际铁路货物联运是一项需严密策划组织的系统工作，涉及铁路运输的组织安排、货物包装装载、海关商检文件准备和报检报验、境内外运输、口岸交接及货物的运期、集散等多种类、多专业工作的综合安排。下面对进出口货物的国际铁路联运分别进行阐述。

（一）出口货物国际铁路联运

出口货物国际铁路联运流程如图 5-1 所示。

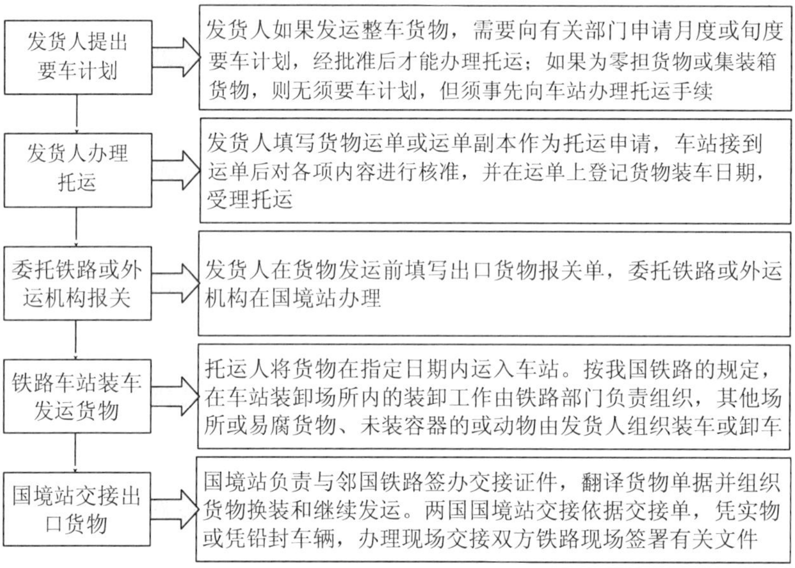

图 5-1 出口货物国际铁路联运流程

对于货主（出口商或发货人）来说，主要就是货物的托运。对于货运代理来说，主要应完成以下 4 项工作。

1. 接受货主委托，向铁路部门提出要车计划

货运代理办理出口货物国际铁路联运事宜，首先要接受货主委托书。

凡发送整车货物，均需具备铁路部门批准的月度要车计划或旬度要车计划。因此，货运代理要根据货主的贸易合同、备货和国际市场的需要等情况，按所在地铁路部门规定的月度要车计划提出时间，填写印有“国际联运”的月度要车计划表，向铁路部门提出下月度要车计划。

货运代理要制定装车方案，铁路部门要制定配载装车表。

2. 代理货物的托运

货物的托运可由货主办理，也可由货运代理代为办理。在托运前必须将货物的包装和标记严格按照合同中的有关条款以及《国际货协》等规定的有关条款办理。货物包装应能充分防止货物在运输中灭失和腐坏，保证货物多次装卸而不致毁坏。货物标记、标

示牌及运输标记、货签等字迹均应清晰、不易擦除，保证多次换装而不致脱落。

（1）整车货物托运的基本程序。整车货物托运主要有如下 4 步：

第一步，向铁路车站填报国际铁路联运运单。

第二步，车站接到运单后进行审核，对整车货物检查是否有批准的月度、旬度货物运输计划和要车计划，检查货物运单各项内容是否填写正确，如确认可以承运，给予签证。车站在运单上签注货物应进入车站的日期或装车日期，即表示受理托运。

第三步，按签证指定的日期将货物搬入车站或指定的货位。

第四步，车站根据运单核对货物，如无问题，待装车后由始发站在运单上加盖承运日期戳，负责发运。对棚车、保温车、罐车必须施封，由发货人装车的由发货人施封，由铁路部门装车的由铁路部门施封。铅封内容有站名、封志号和日期（年、月、日）。

整车货物一般在装车完毕后，由发站在货物运单上加盖承运日期戳，即为承运。承运是铁路部门负责运送货物的开始，表示铁路部门开始对发货人托运的货物承担运送义务，并负运送中的一切责任。

（2）零担货物的托运程序。与整车货物不同，零担货物的托运不需要编制月度、旬度要车计划，即可凭运单向车站申请托运。车站受理托运后，发货人应按签证指定的日期将货物搬进货场，送到指定的货位上，经查验、过磅后，即交由铁路部门保管。当车站将发货人托运的货物连同货物运单一同接受完毕，在货物运单上加盖承运日期戳时，即表示货物业已承运。铁路部门对承运后的货物负保管、装车发运责任。

3. 报检、报关

在货物发运前，货运代理要查验发货人提供的报检、报关文件，随车递交口岸站或在发站报检、报关。铁路车站承运后，应在货物报关单上加盖站戳，货物报关单与运单随货同行，以便国境车站向海关办理申报。

国际铁路联运货物的进口申报手续有边境口岸报关和到达站报关两种形式。一般国际铁路联运货物在边境口岸报关和缴纳海关应收、代收的税款。如在到达站设有驻在海关或有海关监管条件，在向海关提出申请后，可办理监管转关运输，运抵到达站报关，办理进口通关手续和缴纳税费。

4. 办理发运后事项

铁路部门对承运后的货物负保管、装车发运、在国境站交接的责任，货运代理要办理好发运后的事项。主要的发运后事项有如下 3 项：

（1）登记。在发货后，要将发货经办人员的姓名和货物名称、数量、毛重、净重、发站、到站、经由口岸、运输方式、发货日期、运单号、车号及运费等项目，详细登记在发运货物登记表内，作为原始资料。

（2）信息传递。例如，将车号等信息通知口岸代理和国外代理、向货主递送运单三正三副以对外结汇、向国外代理递送运单副本一份、口岸代理办理货物交接时通知发货人交接时间和通知收货人等。

（3）与国外代理结算。根据协议与国外代理结算费用，向货主通报货物在国外的交付信息。

（二）进口货物国际铁路联运

进口货物国际铁路联运流程可简单归纳为图 5-2。

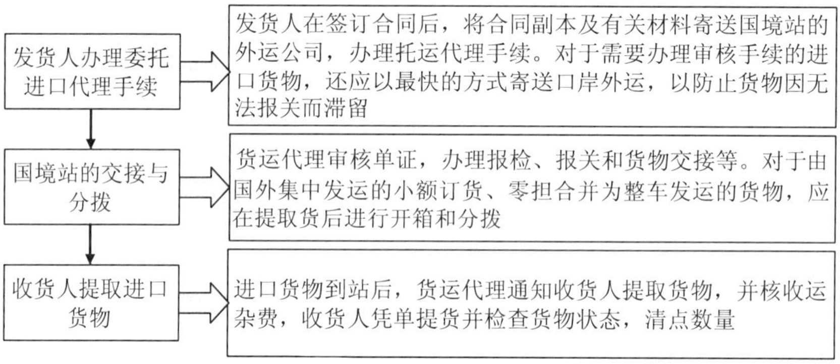

图 5-2 进口货物国际铁路联运流程

进口货物国际铁路联运的发运工作是由国外发货人根据合同规定，向该国铁路车站办理的。根据《国际货协》的规定，我国从参加《国际货协》的国家通过铁路联运进口货物，凡国外发货人向其所在国铁路部门办理托运，一切手续和规定均按《国际货协》和该国国内规章办理。我国国内有关进口商及货运代理处理联运进口货物的工作主要包括：联运进口货物在发运前编制运输标志；审核联运进口货物的运输条件，向国境站寄送合同资料；国境站交接、分拨、交付进口货物给收货人以及运到逾期计算等。

对于货运代理来说，要做好如下 6 项工作。

1. 接受货主委托

货运代理要与货主（收货人）签订代理协议，沟通运输细节。收货人应提出确切的到达站的车站名称和到达路局的名称，注明货物经由的国境站，即注明货物是经二连还是满洲里或阿拉山口进境。

2. 国外提货与国际运输

协调境外代理安排提货、装箱，审核国外单证（提单、装箱单、原产地证等），订舱并跟踪境外铁路运输，处理途中异常（如边境滞留、货物查验等）。

3. 向国境站外运机构寄送合同资料

货运代理应及时将贸易合同的副本、附件、补充协议书、变更申请书、确认函电、交货清单等寄送国境站外运机构，在这些资料中有合同号、订货号、品名、规格、数量、单价、经由国境站、到达路局、到站、唛头、包装及运输条件等内容。事后如有某种变更事项也应及时将变更资料抄送外运机构。

4. 代理报检、报关

在口岸站委托报检、报关代理办理报检、报关换装、运输等事宜，并将代理费和关税交报检、报关代理或海关。

5. 进口货物在国境站的交接与分拨

联运进口货物的交接程序与做法是我国国境站根据邻国国境站货物列车的预报和确报，通知交接所及海关做好到达列车的检查准备工作。进口货物列车到达后，铁路部门会同海关接车，由双方铁路部门进行票据交接，然后将车辆交接单及随车带交的货运票据呈交接所，交接所根据交接单办理货物和车辆的现场交接。海关则对货物列车执行实际监管。我国国境站交接所通过内部联合办公，开展单据核放、货物报关和验关工作，然后由铁路部门负责将货物调往换装线进行换装作业，并按流向编组向国内发运。

货运代理要根据国外发货人提供的发货运输信息在口岸站安排接运事宜。货物到站向收货人发到货通知；收货人接到通知向铁路部门付清运送费用后，铁路部门将其背面已由铁路部门记载各段运输情况并盖有各种运输戳记的运单第五联交给收货人或货运代理，收货人或货运代理凭运单第五联办理提货，在取货时应在运单上加盖收货戳记。提货时如发现货物部分或全部灭失或毁损，必须要求铁路部门编制商务记录。货运代理根据收货人的委托可办理国内运输，将货送交收货人。

6. 运费核收与国内配送

货运代理要在国内到站核收口岸至到站的运费和口岸站产生的换装费用。清关完成后提货，安排国内运输至客户指定地点。

进口货物国际铁路联运还涉及运到逾期的问题。铁路部门承运货物后，应在最短期限内将货物运至最终到站，货物从发站至到站所允许的最大限度的运送时间，即为货物运到期限。货物运到期限，应从承运货物的次日零时起开始计算，不足 1 天按 1 天计算。如承运的货物在发送前需预先保管，运到期限则从货物指定装车的次日零时起开始计算。货物实际运到天数超过规定的运到期限天数，表示该批货物运到逾期。如果货物运到逾期，造成逾期的铁路部门应按该部门收取的运费的一定比例，向收货人支付逾期罚款。逾期罚款的规定及计算方法如下：

$$逾期罚款=运费\times罚款率$$

$$逾期百分率=（实际运送天数-按规定计算运到期限天数）\div按规定计算运到期限天数\times100\%$$

《国际货协》对运到逾期罚款率的规定如下：逾期不超过总运到期限的 1/10 时，为运费的 6%；逾期超过总运到期限的 1/10，但不超过 2/10 时，为运费的 12%；逾期超过总运到期限的 2/10，但不超过 3/10 时，为运费的 18%；逾期超过总运到期限的 3/10，但不超过 4/10 时，为运费的 24%；逾期超过总运到期限的 4/10 时，为运费的 30%。

【例 5-1】我国某公司从保加利亚进口一批机器，该批货物按规定计算的运到期限天数为 60 天。保加利亚瓦尔纳港口站于某年 3 月 10 日以慢运整车承运。该批货物经由鲁塞东/翁格纳、后贝加尔/满洲里，5 月 16 日到达北京东站。铁路部门所收运费为 8 000 欧元。请问该批货物是否运到逾期？假如逾期，铁路部门应向收货人支付多少逾期罚款？

解：①计算该批货物从 3 月 11 日到 5 月 16 日的实际运送时间为 67 天（从承运货物的次日零时起开始计算，不足 1 天按 1 天计算）。该批货物按规定计算的运到期限天数为 60 天，因此，该批货物运到逾期。

②计算逾期百分率。

逾期百分率=（67−60）÷60×100% =11.67%

逾期百分率为 11.67% =1.167/10。

③逾期罚款率是由逾期百分率决定的，其逾期超过总运到期限的 1/10，但不超过 2/10 时，逾期罚款率按运费的 12%支付。

④按逾期罚款公式计算，逾期罚款=8 000 欧元×12% =960 欧元。运到逾期的铁路部门对该批货物应向收货人支付逾期罚款 960 欧元。

三、国际铁路货物联运进口货物通关流程

（一）一般模式

1. 货物入境前

（1）通关准备

进出口货物收发货人或其代理人按照规定准备进出口合同、发票、装箱单等报关所需单证及随附单据材料。

对于涉及监管证件管理要求的货物，应根据相关规定提交已申领的进口所需监管证件或批准文件及证明文件。

对于涉及安全准入的进口货物，应按要求明确进口货物是否符合安全准入相关管理规定，准入商品目录以海关总署调整公布为准，可参考海关总署网站“符合评估审查要求及有传统贸易的国家或地区输华食品目录”及海关总署网站动植物检疫司“企业信息”栏目。

（2）取得国际联运运单

进出口货物收发货人或其代理人办理现场提报计划，境外铁路运输企业对货物进行

组织装车并生成国际联运运单，做好列车编组工作。

注意：采用委托或代理方式取得国际联运运单的，进出口货物收发货人与报关单或国际贸易合同内收发货人不一致的，在首次办理申报时需提供证明双方委托关系的资料，或在国际联运运单内注明委托关系，以确保国际贸易的真实、有效。

2. 列车到达国际到发场

（1）舱单分票或归并

待铁路部门完成国际联运运单系统录入后，原始舱单信息推送至中国国际贸易单一窗口及海关系统，进出口货物收发货人或其代理人通过中国国际贸易单一窗口进行舱单分票或者归并作业，海关接收到信息后进行审核。

（2）货物申报

进出口货物收发货人或其代理人按照《进出口货物报关单填制规范》填制报关单，通过中国国际贸易单一窗口的“整合申报”或“两步申报”功能模块进行报关单电子数据申报，企业可选择在口岸海关申报，也可选择全国通关一体化申报报关单。应税货物，企业可选择提前完成税款担保、正常缴纳税款或者现场办理担保手续等方式；减免税进出口货物企业应当在货物申报进出口前办理减免税审核确认手续。

（3）海关作业

经海关对报关单电子数据进行规范性、逻辑性等审核，无货物查验指令或无须进一步检查的，海关发送放行信息至中国国际贸易单一窗口及铁路数字口岸系统，企业即可办理提离手续；命中查验指令的，被查验货物须进入海关查验区等待开展查验作业。

3. 列车到达海关查验区

（1）现场查验

进出口货物收发货人或其代理人在中国国际贸易单一窗口收到查验通知，应及时联系现场海关确定查验方案（免于陪同查验的应及时线上提交申请），同时向铁路部门申请查验调车，待查验列车调入对应查验区后，海关开展查验作业。

（2）放行作业

完成查验作业后，对于符合放行条件的报关单，系统发送放行信息至国际贸易“单一窗口”及铁路数字口岸系统，铁路部门完成集装箱归位及国内制票工作。

4. 列车进入国内到发场

数字口岸系统收到海关对入境货物的放行信息后，铁路部门进行列车编组，完成技检工作后执行发车。

5. 其他事项

（1）多式联运货物

多式联运货物以及具有全程提（运）单需要在境内换装运输工具的进出口货物，其收发货人可以向海关申请办理多式联运手续，有关手续按照联程转关模式办理。易受温度、静电、粉尘等自然因素影响或者因其他特殊原因，不宜在口岸海关监管区实施查验的进出口货物，满足以下条件的，经主管地海关（进口为指运地海关，出口为启运地海关）批准后，其收发货人方可按照提前报关方式办理转关手续。

①收发货人为高级认证企业。

②转关运输企业最近一年内没有因走私违法行为被海关处罚。

③转关启运地或指运地与货物实际进出境地，不在同一直属关区内。

④货物实际进境地已安装非侵入式查验设备。

邮件、快件、暂时进出口货物（含 ATA 单证册项下货物）、过境货物、中欧班列载运货物、市场采购方式出口货物、跨境电子商务零售进出口商品、免税品以及外交、常驻机构和人员公/自用物品，其收发货人可按照现行相关规定向海关申请办理转关手续，开展转关运输。

（2）进口转关申报

企业对进口货物有转关需求的，在转关货物运抵海关监管作业场所后，通过中国国际贸易单一窗口申报转关信息。海关对转关单进行审核放行，办理转关手续。货物运抵目的地属地海关后，属地海关必要时核对转关货物封志状态、集装箱号等基本信息，无异常情况的，快速放行。

6. 后续作业及异常情况处置

（1）签证作业

按照相关法律法规规定及企业申请，依据货物物品的检验检疫结果记录内容、电子证稿或纸质资料等进行证单审核无误后，按规定的证单种类、用途及有效版本，在办理时限内出具相应的检验检疫证单。

（2）异常处置

现场单证审核异常处置。对现场单证审核发现异常的，根据实际情况，及时联系进出口货物收发货人或其代理人，补充提交相关单证或情况说明，涉及报关单修改或撤销的情形，依据相关管理办法执行。

现场检查结果异常处置。对经检查发现异常的，及时通知进出口货物收发货人或其代理人，由现场海关异常处置岗根据异常类型，依据相关法律法规开展处置，处置结果包括但不限于退运、销毁、技术整改、没收、行政处罚等。

（二）铁路快速通关模式

铁路运营企业可根据自身需要向海关申请开展快通业务，海关同意其申请并设置相关参数后，由进出境铁路列车负责人按照规定向海关传输铁路舱单电子数据。海关通过对铁路舱单电子数据进行审核、放行、核销，实现对铁路列车所载进出口货物转关运输监管，无须铁路运营企业另行申报并办理转关手续。

1. 列车入境前

进出口货物收发货人或其代理人通过“95306 系统”提报进口快通申请信息，包括舱单信息和申请信息。数字口岸系统生成并向海关发送原始舱单和进口快通申请报文。

进出口货物收发货人或其代理人可在“95306 系统”查询海关审核结果，审核结果为“允许快通”的，方可办理铁路快速通关业务。

2. 列车到达口岸后

铁路部门完成信息录入，完成信息匹配或修改信息数据成功的；现场海关铁路舱单信息无误、各状态正常的；铁路部门完成相关作业后，海关收到快通载运报文后，即可完成列车口岸发运，完成舱单放行作业。

进口车辆交接单生成时，数字口岸系统向海关发送列车进境确报和理货报告。确报及理货报告推送成功后，海关在舱单状态查询模块查看确报、理货是否正常。

“理货正常”等同于当前报关模式下的“舱单放行”，铁路交接所可对进口国联运单进行受理。

铁路交接所对集装箱做完口岸出线后，数字口岸系统向海关发送快通载运报文。海关在“铁路快通管理模块——快通（进境）载运信息查询”中查看是否收到报文，确认海关接收到快通载运报文后，口岸站发车。

进出口货物收发货人或其代理人办理海关手续。

3. 车辆到达终到站

数字口岸系统向指运地海关发送到货报告，口岸海关流程完结，由属地海关按照相关管理规定办理后续货物通关手续。

四、国际铁路货物联运出口货物通关流程

（一）一般模式

1. 出口申报前监管

出口货物需要实施出口申报前监管的，按产地（含组货地）实施检验检疫的原则，企业向属地海关申请办理出口申报前监管手续，海关业务现场根据布控指令和相关要求实施检验检疫作业，并应企业申请对符合要求的按规定签发检验检疫证书。

2. 货物运抵始发站

通关准备。进出口货物收发货人或其代理人按照规定准备出口合同、发票、装箱单等报关所需单证及随附单据材料，对于涉及监管证件管理要求的货物，应根据相关规定

提交已申领的出口所需监管证件或批准文件及证明文件。

取得国际联运运单及电子预配舱单。进出口货物收发货人或其代理人根据货物实际情况通过“95306系统”进行线上提报计划，生成国际联运运单。始发站铁路部门组织装车，对列车进行编组发车，数据通过数字口岸系统传输至口岸海关，生成电子预配舱单信息。

全国通关一体化报关单申报或者转关单申报。进出口货物收发货人或其代理人在系统内查询到预配舱单信息后按要求做好报关单申报工作，海关按要求进行报关单电子数据审核。

3. 列车到达国际到发场

列车到达到发线后，铁路列检部门对列车进行技术作业，铁路车务段部门按要求开展核对现车及货检作业。

4. 货物运抵始发站

列车进入海关监管作业场所后，铁路交接所登录数字口岸系统，审核国联运单信息。

（1）到货通知。铁路交接所核实录入的运单信息后，进行到货通知，系统向企业指定的信息接收人发送短信通知，同时触发海关运抵报告，客户进行出口运单确认。

（2）舱单处理。对于铁路交接所运单录入和客户运单确认过程中发现的舱单数据错误需进行修正的，铁路交接所向海关发送相关报文，海关接受到信息后进行审核；对于进出口货物收发货人或其代理人根据需要进行的舱单分票/归并，由报关企业通过中国国际贸易单一窗口发起申请，海关接收到信息后进行审核。

（3）现场查验。进出口货物收发货人或其代理人收到查验通知后联系海关确定查验方案，同时向铁路部门申请查验调车，待查验列车调入对应查验区后，海关开展查验作业。

（4）异常处置。参照进口货物处置。

（5）放行。报关单完成现场接审单，涉及查验的货物完成查验作业，经系统判别后，符合所有自动放行要求的，系统将放行信息反馈至铁路数字口岸系统，进出口货物收发货人或其代理人可通过中国国际贸易单一窗口查询货物放行信息。

5. 列车到达国际到发场

已放行出口的货物，列车再次到达国际到发场，铁路交接所正常开展核对现车货检作业，同时将车辆交接单、货物交接单及装载清单通过数字口岸发送至海关生成理货报告、出境确报及出境货物申报单。铁路车辆段按要求进行列检作业。

6. 其他事项

出口转关申报。企业对出口货物有转关需求的，在转关货物运抵海关监管作业场所后，通过中国国际贸易单一窗口申报转关信息。海关对转关单进行审核放行，办理转关手续。货物运抵出境地口岸海关后，口岸海关必要时核对转关货物封志状态、集装箱号等基本信息，无异常情况的，快速放行。

口岸地申报报关单。若企业选择在磨憨铁路口岸申报报关单，则需等待列车进入磨憨口岸海关监管作业场所后方能申报报关单。

（二）快速通关模式

1. 进区前

进出口货物收发货人或其代理人在发站提报出口国联运单及出口快通申请，填写启运地（发站）关区代码和启运地（发站）口岸代码。

“95306 系统”向海关发送预配舱单及快通申请报文。

等待海关审核结果：（“允许快通”或“不允许快通”）“允许快通”的，“95306 系统”向海关发送到货报告报文。

2. 运抵海关监管作业场所

（1）收发货人为高级认证企业。

（2）海关完成查验、放行。

（3）海关放行后，装车发运，“95306 系统”向海关发送快通载运报文。

3. 运抵海关监管作业场所

口岸站可直接受理出口国联运单并向海关发送舱单报文及运输工具报文。即到货通知时向海关发送运抵报告，口岸站受理时向海关发送装载舱单，列车出境时向海关发送列车出境申报，列车出境后向海关发送出境确报和理货报告。

口岸海关确认各环节报文接收正常后同意列车出境。

五、国际铁路货物联运费用的计算和核收

国际铁路货物联运费用的计算和核收，必须遵循《国际货协》、《国际铁路货物联运统一过境运价规程》（以下简称《统一货价》）和中华人民共和国铁道部《铁路货物运价规则》（以下简称《国内价规》）的规定。联运货物运送费用包括货物运费、押运人乘车费、杂费和其他费用。

（一）国际铁路货物联运运送费用核收的规定

1. 参加国际货协各铁路之间运送费用核收的原则

发送路的运送费用——在发站向发货人或根据发送路国现行规定核收。

到达路的运送费用——在到站向收货人或根据到达路国现行规定核收。

过境路的运送费用——按《统一货价》在发站向发货人或在到站向收货人核收。

2. 国际货协铁路与非国际货协铁路之间运送费用核收的规定

发送路和到达路的运送费用与上述相同。

过境路的运送费用，按下列规定计收：

第一，参加国际货协并实行《统一货价》各过境路的运送费用，在发站向发货人（相反方向运送则在到站向收货人）核收，但办理转发送国家铁路的运送费用，可以在发站向发货人或在到站向收货人核收。

第二，过境非国际货协铁路的运送费用，在到站向收货人（相反方向运送则在发站向发货人）核收。

第三，在港口站所发生的杂费和其他费用，在这些港口站向发货人或收货人的代理人核收。

（二）国际铁路货物联运国内段运送费用的计算

根据《国际货协》的规定，我国通过国际铁路联运的进出口货物，其国内段运送费用的核收应按照我国《国内价规》进行计算。运费计算步骤如下：

第一，根据货物运价里程表确定从发站至到站的运价里程。

第二，根据运单上填写的货物品名查找货物品名检查表，确定适用的运价号。

第三，根据运价里程和运价号，在货物运价率表中查出相应的运价率。

第四，按《国内价规》确定的计费重量与该批货物适用的运价率相乘，计算出该批货物的运费。

运费计算公式如下：

整车货物每吨运价（运价率）=发到基价+运行基价×运价里程

运费=运价率×计费重量

重量以吨为单位，吨以下四舍五入。

【例 5-2】某公司从国外进口一整车的矿石，该货物的品名分类代码为“04”，经查该商品的运价号为“4”。按照《国内价规》的规定，使用矿石车、平车、砂石车经铁路局批准装运“铁路货物运输品名分类与代码表”中 “01”、“0310”、“04”、“06”、“081”和“14”类货物按 40 t 计费，国内段从发站至到站的运价里程为 200 km。根据表 5-2 核算该票货物的国内段运费。

表 5-2 铁路货物运价率

类别	运价号	发到基价		运行基价	
		单位	标准	单位	标准
整车	1	元/t	7.40	元/（t·km）	0.056 5
	2	元/t	7.90	元/（t·km）	0.065 1

类别	运价号	发到基价		运行基价	
		单位	标准	单位	标准
整车	3	元/t	10.50	元/（t·km）	0.070 0
	4	元/t	13.80	元/（t·km）	0.075 3
	5	元/t	15.40	元/（t·km）	0.084 9
	6	元/t	22.20	元/（t·km）	0.114 6

解：

计算步骤如下：

第一步，根据商品的运价号为“04”，从表 5-2 可以确定该批货物的发到基价为 13.80 元/t，货物的运行基价为 0.075 3 元/（t·km）。

第二步，计算该票货物的运价率。

整车货物每吨运价（运价率）=发到基价+运行基价×运价公里

=13.80+0.075 3×200=28.86 元/t

第三步，计算该票货物的国内段运费。

总运费=运价率×计费重量

=28.86 元/t×40 t=1 154.40 元

该票货物的国内段运费为 1 154.40 元。

（三）国际铁路货物联运过境运费的计算

国际铁路货物联运过境运费是按照《统一货价》的规定计算的。其运费计算步骤如下：

第一，根据运单记载的应通过的国境站，在《统一货价》过境里程表中分别找出货物所通过的各个国家的过境里程。

第二，根据货物品名，查阅《统一货价》中的通用货物品名，确定所运货物适用的运价等级。

第三，根据货物运价等级和各过境路的运送里程，在《统一货价》中找出符合该批货物的运价率。

第四，《统一货价》对过境货物运费的计算是以慢运整车货物的运费额为基础的（基本运费额），其他种别的货物运费则在基本运费额的基础上分别乘以不同的加成率。

运费计算公式如下：

总运费=基本运费额×加成率

基本运费额=货物运价率×计费重量

六、国际铁路货物联运运单

国际铁路货物联运运单（International Through Railway Bill）是参加国际铁路货物联运的铁路与发货人、收货人之间缔结的运输合同，它体现了参加联运的各国铁路和发货人、收货人之间在货物运送上的权利、义务、责任和豁免，对铁路和发货人、收货人都具有法律效力。运单签发即表示承运人已收到货物并受理托运，装车后加盖承运日戳即为承运。运单正本随同货物送至终点站交与收货人，是铁路同收货人交接货物核收运杂费用的依据。运单副本加盖日戳后是卖方办理银行结算的凭证之一。国际铁路联运运单与海运提单及航空运单不同，它不是物权凭证，因此不能转让。

我国是《国际货协》参加国，在办理国际铁路货物联运业务时，铁路部门要求必须使用国际铁路联运运单作为唯一法定运单办理货物托运手续。

国际铁路货物联运运单是参加国际铁路货物联运的铁路与发货人、收货人之间缔结的运输合同。它体现了参加联运的各国铁路和发货人、收货人之间在货物运送上的权利、义务、责任和豁免，对铁路和发货人、收货人都具有法律效力。

（1）国际货协运单样本：https：//www.crexpress.cn/#/businessConsulting。

（2）国际货约/国际货协运单（统一运单）样本：https：//www.crexpress.cn/#/businessConsulting。

（3）国际货协运单填写说明：https：//www.crexpress.cn/#/businessConsulting。

（4）国际货约/国际货协运单（统一运单）填写说明：https：//www.crexpress.cn/#/businessConsulting。

国际货协运单样本及填写说明

七、国际铁路货物联运主要适用的规章

铁路货物联运的国际公约主要有以英国、法国、德国等 32 个国家组成的“货约”集团所制定的《铁路货物运输国际公约》（简称《国际货约》，也称《伯尔尼货运公约》）；由原经济互助委员会成员等社会主义国家于 1951 年成立的“货协”集团所制定的《国际货协》。该组织目前仍继续运作，我国是其创始成员国和重要成员国，凡经由铁路运输的进出口货物均按《国际货协》的现行规定办理。

办理国际铁路货物联运时主要适用下列规章：

第一，《国际货协》。

第二，《国际铁路货物联运协定办事细则》。

第二，《统一货价》。它规定了参加《统一货价》的铁路，按照《国际货协》的条件，利用铁路运送过境货物时，办理货物运送的手续、过境运送费用的计算、货物品名分等表、过境里程表和货物运费计算表等内容，对铁路和发货人与收货人都适用。

第四，《国际联运车辆使用规则》。

第五，《国际旅客联运和铁路货物联运清算规则》。

第六，《国境铁路协定》和《国境铁路会议议定书》。《国境铁路协定》是由相邻国家签订的，它规定了办理联运货物交接的国境站、车站及货物交接条件和方法、交接列车和机车运行办法及服务方法等内容。根据国境协定的规定，两个相邻国家铁路定期召开国境铁路会议，对执行协定中的有关问题进行协商，签订国境铁路会议议定书，其主要内容为双方铁路之间关于行车组织、旅客运送、货物运送、车辆交接以及其他有关问题。

第七，我国《铁路货物运价规则》。它是办理国际铁路货物联运时国内段货物运送费用计算与核收的依据，规定了在各种不同情况下计算货物运输费用的基本条件，各种货物运费、杂费和其他费用的计算方法及国际铁路货物联运国内段的运输费用的计算方法等。

第八，我国《国际铁路货物联运办法》。

案例 5-2　“铁路快速通关”模式与“抵港直装”业务

资料 1：“铁路快速通关”模式助力中欧班列货物出口换挡提速

2024 年 2 月 1 日，在天津海关所属新港海关的监管下，一批货值 900 余万元的全自动滚筒洗衣机自中铁天津集装箱中心站起运，搭乘天津中欧班列，即将通过二连浩特铁路口岸出境。这也是天津海关首次采用“铁路快速通关”业务模式监管出口的中欧班列货物，货物抵达二连浩特铁路口岸后，无须向当地海关申报和办理转关手续，完成铁路换装作业后，当天可直接发运出境，口岸通关时间较以往缩短 1～2 天。

“铁路快速通关”模式是海关总署为推进高质量共建“一带一路”、进一步促进国际铁路联运班列发展而推出的一项便利化措施。在该模式下，通过报关单与铁路舱单及相关电子数据进行核销、校验，实现对铁路列车所载进出口货物的运输监管，无须运营企业另行申报和办理转关手续，能够有效提高中欧班列境内段铁路进出口货物转关运输通行效率和通关便利化水平，中欧班列出口货物“换挡提速”效应明显。

资料来源：海关总署

时间：2024-02-04

网址：http: //gongbei.customs.gov.cn/customs/xwfb34/302425/5673007/index.html

资料 2：铁路快通货物“抵港直装”业务

为深入落实党中央、国务院深化“放管服”改革、优化营商环境的决策部署，根据《国务院办公厅关于进一步优化营商环境 更好服务市场主体的实施意见》等文件，石家庄海关在海运口岸开展了“船边直提”“抵港直装”工作试点，取得初步成效。为复制成功经验，使该成果更好惠及外贸企业，鹿泉海关结合石家庄国际陆港中欧班列业务常态化开展，在铁路快通货物中推广“抵港直装”便利化措施。

一、业务介绍

铁路快通货物“抵港直装”，即通过提前申报、铁路部门或海关监管作业所经营人发送到货通知、根据指令分流放行和查验货物，使海关放行货物可直接装车离境。“抵港直装”模式下，企业可根据自身生产计划与石家庄国际陆港“预约”抵港时间，灵活安排库区装货出厂，按照“提前申报—货到放行—抵港直装”的流程，大幅提高通关效率，帮助企业实现物流“零库存”。

（一）传统出口通关模式

订舱—提空装箱—运抵堆存—申请放行—装船—离港。

（二）抵港直装通关模式

订舱—提空装箱—申请放行—运抵直装—离港。

工厂准备出口货物时，只需提前向鹿泉海关申报，然后根据班列发车时间将出口货物运输至港区后即可直接开展货物装车，免去进入海关监管场所“一卸一装一倒运”环节，理论上可节省 1 ~ 2 天的物流作业时间。

二、适用范围

应用铁路快速通关业务模式，在石家庄国际陆港启运的出口集装箱货物，适用“抵港直装”。

三、工作流程

（一）企业申请

企业向石家庄国际陆港公司发起抵港直装申请。

表 5-3　出口抵港直装流程

	直装申请	提前申报	制订装车计划	到货通知	装车启运
出口企业	出口企业提出直装申请	出口企业向海关提前申报	发送发车时间		
石家庄国际陆港公司	公司确认		制订配载/发车计划		
海关		受理申请		触发放行/查验指令	未布控直接放行，布控优先查验

（二）提前申报

企业在货物运抵港区前做好提前申报。

（三）制订装车计划

在确定货物基本信息后，企业将货物到港区时间告知石家庄国际陆港公司，陆港公司根据报关单/舱单信息将抵港直装的目标集装箱纳入配载计划、装车计划。

（四）运抵陆港

货物运抵石家庄国际陆港后，铁路部门或海关监管作业场所经营人发送到货通知，触发海关放行或查验指令。

（五）放行装车或布控查验

对海关放行的货物集装箱可直接由拖车吊装至运输列车；对布控需查验的，海关货物查验部门优先予以查验，放行后予以装车。

资料来源：石家庄海关 12360 微信公众号

时间：2024-09-23

网址：https: //mp.weixin.qq.com/s/0nx_4P7NZ9Ym-I2yItrswQ

请结合以上案例以及本任务模块内容分析以下问题：

1. 结合“铁路快速通关”模式的案例，分析在国际铁路联运业务流程中，简化申报和转关手续对提高货物运输效率的作用机制，以及对整个联运流程优化的重要意义。

2. 对比传统出口通关模式与“抵港直装”通关模式，从国际铁路联运业务流程角度，阐述“抵港直装”模式如何改变了货物装卸、运输安排等环节，进而提高整体物流效率和降低企业成本。

任务三　中欧班列

一、中欧班列简介

中欧班列（CHINA RAILWAY Express，CR express）是指按照固定车次、线路、班期和全程运行时刻开行，往来于中国与欧洲以及“一带一路”沿线各国的集装箱等国际铁路联运班列。近年来，在“一带一路”倡议推动下，中欧班列充分发挥其在时效、价格、运能、安全性等方面的比较优势，逐渐为中欧广大客户所接受，成为中欧间除海运、空运外的第三种物流方式，开行数量和质量持续稳步提升，通达欧洲 20 多个国家，超过 200 个城市，一列列“钢铁驼队”正成为中国与“一带一路”相关国家政策沟通、设施联通、贸易畅通、资金融通、民心相通的重要桥梁。

二、中欧间三大铁路运输通道

目前，中欧间已形成了西、中、东三大铁路运输通道。

（一）西通道

西通道，主要吸引西南、西北、华中、华北、华东等地区进出口货源，是中国中西部地区与欧洲间的主要铁路运输通道，经陇海、兰新线在新疆阿拉山口（霍尔果斯）铁路口岸与哈萨克斯坦、俄罗斯铁路相连，途经白俄罗斯、波兰等国铁路，通达欧洲其他各国。西部南通道，从阿拉山口（霍尔果斯）出入境，经哈萨克斯坦、乌兹别克斯坦、土库曼斯坦、伊朗、土耳其（或哈萨克斯坦、阿塞拜疆、亚美尼亚、格鲁吉亚、土耳其）到达欧洲。

（二）中通道

中通道，主要吸引华中、华北等地区进出口货源，是华北地区、华中地区与欧洲间的主要铁路运输通道，经京广、京包、集二线在内蒙古二连浩特铁路口岸与蒙古国、俄罗斯铁路相连，途经白俄罗斯、波兰等国铁路，通达欧洲其他各国。

（三）东通道

东通道，主要吸引华东地区、华南地区、东北地区进出口货源，是华东地区和华南沿海、东北地区与欧洲间的主要铁路运输通道，经京沪、京哈、滨州线在内蒙古满洲里铁路口岸、黑龙江绥芬河铁路口岸与俄罗斯铁路相连，途经白俄罗斯、波兰等国铁路，通达欧洲其他各国。

三、中欧班列主要运行情况

(一) 中国主要到发城市和车站名称

中欧班列中国主要到发城市和车站见表 5-4。

表 5-4 中欧班列中国主要到发城市和车站

序号	省份	城市	车站
1	安徽省	合肥市	合肥北
2	北京市	北京市	大红门
3	福建省	南平市	武夷山
		厦门市	前场
		福州市	江阴港
		厦门市	东孚
		泉州市	泉州东
		泉州市	黄塘
		龙岩市	蛟洋
4	甘肃省	张掖市	张掖
		兰州市	中川北
		兰州市	兰州东川
		武威市	武威南
		白银市	白银市
5	广东省	广州市	广州国际港
		东莞市	石龙
		广州市	南沙港南
		广州市	增城西
		江门市	江门北
		东莞市	常平
		深圳市	平湖南
		广州市	大朗
		广州市	下元
6	广西壮族自治区	柳州市	柳州南
		南宁市	南宁南
7	贵州省	贵阳市	改貌
		贵阳市	都拉营
8	河北省	邯郸市	邯郸
		保定市	保定

序号	省份	城市	车站
8	河北省	石家庄市	高邑
		唐山市	曹妃甸
		唐山市	京唐港
		廊坊市	廊坊北
		廊坊市	三平
9	河南省	郑州市	上街
		郑州市	巩义
		洛阳市	洛阳
		郑州市	圃田
		南阳市	南阳
		新乡市	塔铺
10	黑龙江省	哈尔滨市	新香坊
		绥化市	绥化
		哈尔滨市	黎明
11	湖北省	武汉市	吴家山
12	湖南省	郴州市	郴州南
		长沙市	长沙北
		衡阳市	衡阳南
13	吉林省	长春市	兴隆山
		长春市	远达
		辽源市	东丰
14	江苏省	南京市	龙潭
		南通市	海安
		连云港市	墟沟北
		连云港市	连云港港口
		苏州市	苏州西
		苏州市	太仓港
		徐州市	杨屯
		徐州市	徐州北
		徐州市	铜山
		南京市	尧化门
15	江西省	鹰潭市	鹰潭南
		鹰潭市	贵溪北
		萍乡市	姚家洲
		赣州市	赣州国际港
		南昌市	向塘
		南昌市	横岗
		九江市	九江南
		上饶市	上饶
		抚州市	东乡

序号	省份	城市	车站
16	辽宁省	辽阳市	辽阳
		锦州市	锦州港
		铁岭市	得胜台
		营口市	鲅鱼圈北
		沈阳市	沈阳东
		沈阳市	蒲河
		大连市	金港
17	内蒙古自治区	呼和浩特市	台阁牧
		呼和浩特市	沙良
		赤峰市	赤峰南
		通辽市	木里图
		包头市	二道沙河
		乌兰察布市	七苏木
		巴彦淖尔市	呼和温都尔
		赤峰市	马林
		鄂尔多斯市	新街
18	宁夏回族自治区	银川市	银川南
19	青海省	西宁市	双寨
20	山东省	淄博市	农中
		威海市	文登
		日照市	日照
		济南市	济南南
		烟台市	烟台
		青岛市	胶州
		烟台市	福山
		潍坊市	王木匠
		德州市	平原
		淄博市	桓台
		临沂市	朱保
		枣庄市	枣庄西
		济南市	董家镇
21	山西省	临汾市	侯马北
		阳泉市	白羊墅
		太原市	中鼎物流园
		太原市	皇后园
22	陕西省	榆林市	绥德
		榆林市	曹家伙场
		榆林市	杨桥畔
		西安市	西安国际港
		宝鸡市	阳平
23	上海市	上海市	闵行

序号	省份	城市	车站
24	四川省	成都市	城厢
		绵阳市	皂角铺
		广元市	广元南
		南充市	南充东
		内江市	资中
		遂宁市	遂宁南
		德阳市	黄许镇
		泸州市	泸州港
		成都市	公兴
25	天津市	天津市	新港
		天津市	新港北
26	新疆维吾尔自治区	阿克苏地区	阿克苏
		石河子市	石河子
		库尔勒	库尔勒
		博尔塔拉蒙古自治州	精河
		乌鲁木齐市	三坪
		乌鲁木齐市	乌西
		阿克苏地区	库车
		博尔塔拉蒙古自治州	阿拉山口
		伊犁哈萨克自治州	霍尔果斯
		胡杨河市	五五
		库尔勒	库尔勒东
		巴音郭楞蒙古自治州	和静
		奎屯	奎屯西
		乌鲁木齐市	乌北
27	浙江省	金华市	金华南
		义乌市	义乌西
28	重庆市	重庆市	小南垭
		重庆市	团结村
		重庆市	鱼嘴

（二）欧洲主要到发国家和城市名称

中欧班列欧洲主要到发国家和城市见表 5-5。

表 5-5 中欧班列欧洲主要到发国家和城市

序号	国家	城市
1	俄罗斯	莫斯科、克拉斯诺亚尔斯克、布拉茨克、新西伯利亚、圣彼得堡、乌斯季伊利姆斯克、叶卡捷琳堡、瑟克特夫卡尔、索利卡姆斯克、伊尔库茨克、下诺夫哥罗德、列索西比尔斯克、尼格泽罗、伯力、丘诺亚尔、卡拉布拉、鄂木斯克、下卡姆斯克、尼佐夫卡、托博尔斯克、阿尔汉格尔斯克、基洛夫、托木斯克、彼尔姆、卡卢加

序号	国家	城市
2	波兰	马拉舍维奇、罗兹、波兹南、华沙、斯瓦夫库夫、达布罗瓦古尔尼恰、高特基、沙夫马克、谢米亚诺夫卡、格丁尼亚、波德拉斯基省、额尔登特、弗罗茨瓦夫、格但斯克、热平、华沙-布拉格
3	白俄罗斯	明斯克、卡利、若季诺、布鲁兹吉、卡林科维奇、布列斯特、维捷布斯克、莫吉廖夫、莫济里、巴拉诺维奇、扎第聂伯罗夫斯卡亚、奥尔沙、戈伦、岑特罗利特、罗西、莫斯蒂、格罗德诺、莫诺杰奇诺、斯韦特洛戈尔斯克、日特科维奇、日洛宾
4	德国	杜伊斯堡、汉堡、曼海姆、诺伊斯、纽伦堡、罗斯特克、雷根斯堡、莱比锡、罗斯托克、不莱梅哈芬、慕尼黑、科隆、威廉港、博格豪森、汉诺威、法兰克福、路德维希、辛根、科恩韦斯特海姆、巴塞尔
5	捷克	切斯卡雀波瓦、布拉格、科林、洛沃西采、布尔诺
6	比利时	列日、根特、安特卫普
7	荷兰	蒂尔堡、鹿特丹、鹿特丹市、阿姆斯特丹、芬洛卡布特
8	匈牙利	布达佩斯
9	意大利	布斯托阿西齐奥、梅尔佐、米兰、维罗纳
10	芬兰	乌萨里、科特卡、赫尔辛基、科沃拉
11	土耳其	伊兹密特、梅尔辛、瑟奇科伊、安卡拉、伊兹密尔、伊斯坦布尔、加济安泰普
12	格鲁吉亚	波季、第比利斯、巴统、阿哈尔卡拉基
13	西班牙	马德里、巴伦西亚、巴塞罗那
14	法国	杜尔日、巴黎、里昂、波尔多
15	立陶宛	维尔纽斯、考纳斯
16	英国	伊明赫姆、伦敦
17	挪威	奥斯陆
18	丹麦	陶洛夫、腓特烈西亚
19	哈萨克斯坦	库斯塔奈、阿特劳、泰恩恰、多斯特克、新伊希姆斯卡亚、塞米伊、热特苏、马金斯克、科克舍套、阿克先格尔、阿拉木图、休钦斯克、贾尔特尔、杰特加拉、阿曼卡拉盖、阿克斗卡、扎尔肯特、布伦代、阿克苏、亚克西、克孜勒图、里杰尔
20	奥地利	克雷姆斯、维也纳、威尔斯
21	斯洛伐克	多瑙斯特雷达、布拉迪斯拉发
22	拉脱维亚	雷泽内、里加
23	塞尔维亚	贝尔格莱德、因吉亚
24	蒙古国	扎门乌德、乔伊尔
25	罗马尼亚	康斯坦察、普洛耶什蒂
26	乌兹别克斯坦	塔什干
27	阿塞拜疆	巴库
28	瑞典	哥德堡、斯德哥尔摩
29	爱沙尼亚共和国	塔林
30	卢森堡	贝登堡
31	塔吉克斯坦	司匹塔门

四、中欧班列业务办理流程

（一）客户注册

发货客户登录 e.crexpress.cn 使用手机号进行注册，注册使用的手机号默认为客户的管理员账号，后续可根据需要对客户内部其他账号的权限自行调整。另外，注册完成后，客户需在商务合同模块中选择“企业信息管理—我的企业信息”提交上传营业执照、法人身份证件等资料供多联公司审核。

（二）运输需求提报

客户注册信息审核通过后即拥有运输需求提报的权限，客户可根据需要新增运输需求提报（去程或回程）。填写时阶段运输需求类型默认为“国际联运”，并选取运输需求所对应的月份，再依次填入发站、装车地点、到达国家、国境站、车数、列数等运输信息，装车地点为专用线的应先联系多联公司市场部确认有无专用线共用协议。另外，发运需求涉及下述范围的还应一并提交商定申请：

（1）品名属于危险品的或超限货物。

（2）过境多国的［主要指通过三国铁路及以上的运输需求，但目的国范围为中亚五国以及中国始发经哈萨克斯坦至俄罗斯（加里宁格勒地区除外）的不需要商定］。

（三）合同签署

注册信息经审核通过后，客户可到系统商务合同模块提交签约申请，审核通过后可下载需要签署的协议，需要注意的是客户需先点击签约安全协议后才能下载其他业务协议。协议下载后客户先行盖章并由法定代表人或授权委托人签字后再寄给中铁国际多式联运有限公司签字盖章，每种协议需完整打印四份（包含每份协议所有的附件内容），由授权委托人签字的需一并寄送授权委托书。中铁国际多式联运有限公司签字盖章后再寄回客户一式两份合同。

（四）询价与报价

客户根据询价需求完整填写询价信息进行询价（图 5-3）。

中欧班列询价信息表					
联系信息	公司名称*				
	联系人*				
	联系电话*				
	邮箱*				
	是否与多联公司有中欧班列运输服务协议*				
询价需求		品名 1	品名 2	品名 3	品名……
货物信息	货物中文品名*				
	货物英文品名*				
	商编代码*（HS Code）				
	单箱货物毛重*				
	货物单件重量*				
	货物包装*				
	货物状态*（固体、液体）				
用箱信息	箱型（20/40/45）*				
	箱类（通用/冷藏等）*				
	箱主（自备箱/中铁箱）*				
	箱数*				
线路及发运信息	发站（国家）*				
	到站（国家）*				
	是否指定口岸				
	预计发运时间				
其他补充说明					
填写说明：					
1．“*”为必填项。					
2．多联公司报价内容包含的服务仅限于站到站运输、口岸转关，不含用箱、报关等其他费用。					
3．中欧班列运行口岸为阿拉山口、霍尔果斯、二连浩特、满洲里和绥芬河共五个口岸。					
4．特种箱（如冷藏箱、罐箱等）需提供照片及具体箱型信息；20 尺集装箱需成对发运。					
5．多联公司报价为委托整列发运的单箱报价，单列最低发运量以协议及国铁集团最新政策为准。					

图 5-3　中欧班列询价信息

（五）客户预付运费

客户需在班列发运前至少 3 个工作日预付运费。国内段费用以美元报价，客户可以使用美元或人民币作为结算货币，当使用人民币作为结算货币时，报价中的美元汇率按照国铁集团公布汇率执行。境外段费用可以使用美元或人民币作为结算货币。当甲方无法向乙方支付美元时，报价中的美元应按乙方开具账单之日的中国银行公布的美元银行卖出价汇率折算人民币结算。预付款金额计算方法如下：

国内段单箱价格（美元）×当月国铁集团汇率×箱数+境外段单箱价格（美元）×中行10点实时汇率×箱数

多联公司财务登记到款后，客户需自行标记并确认到款，账户中有足够可用余额方可提报委托。

（六）委托提报与受理

客户填写实际发运信息，确认委托。委托受理后，客户应及时确认班列箱号及到站信息。

（七）运单制作，现场发运与班列费用结算

班列发运后，多联公司业务操作人员生成班列费用账单，客户需及时确认费用账单。

中欧班列业务办理流程见图 5-4、图 5-5。

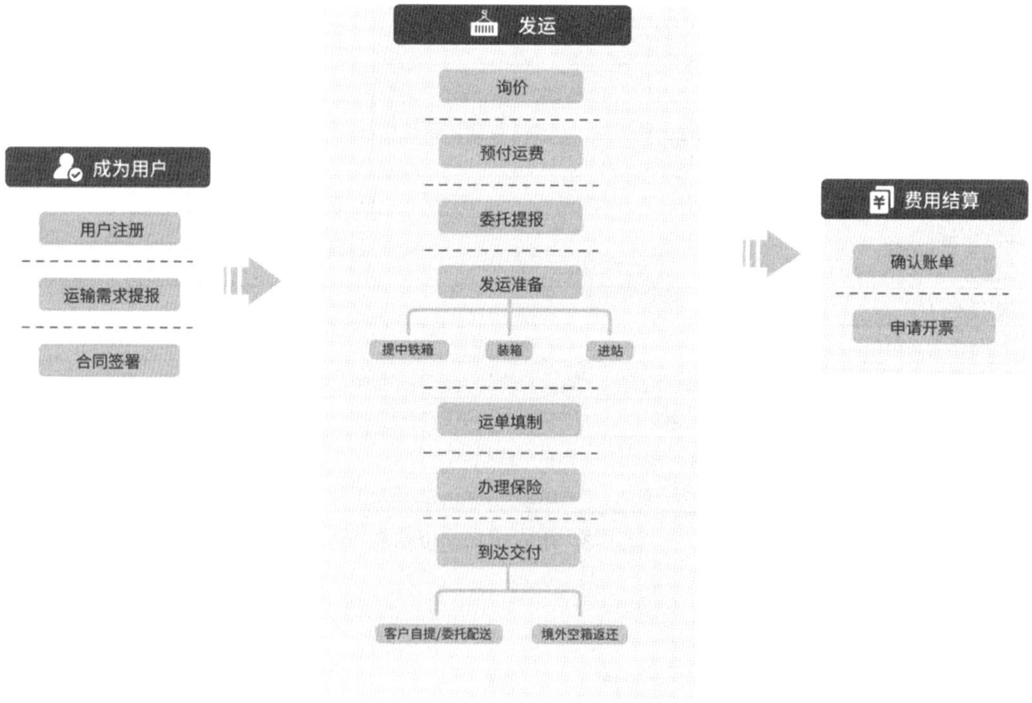

图 5-4 中欧班列业务办理流程（多联公司视角）

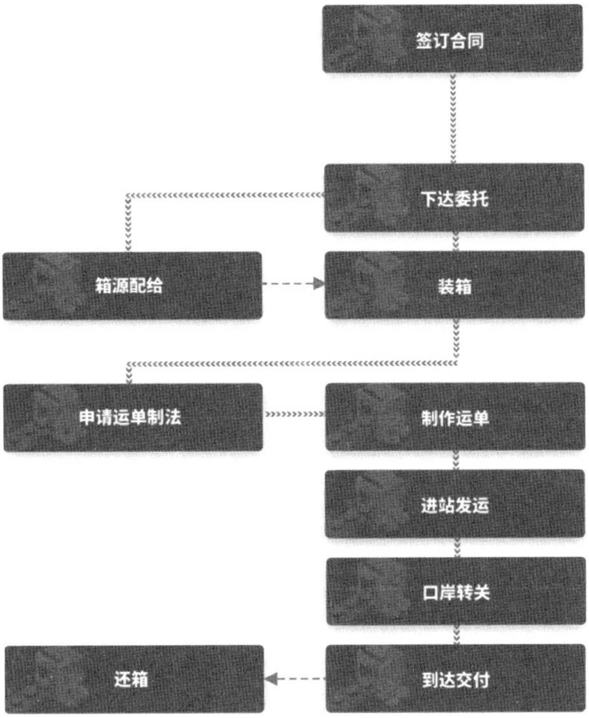

图 5-5　中欧班列业务办理流程（托运人视角）

五、中欧班列的价值意义

近年来，各国经济争相发展，货运市场要求高速快捷，传统而缓慢的海洋运输远跟不上市场需求，这就为国际铁路运输带来了商机。随着国家铁路的高速发展，西部铁路全面建设，为中亚中欧铁路运输奠定了基础，铁路运输比空运便宜、比海运快的特点突现出来。铁路部门抓住时机开通了中欧班列，使丝绸之路全面恢复。中欧班列使欧亚各国经济联系更加紧密，沿线国家之间道路连通、物流畅通，使更多的中国制造走出国门、走向世界。

（一）中欧班列成为国际物流陆路运输骨干

亚欧之间的物流通道主要包括海运通道、空运通道和陆运通道，中欧班列以其运距短、速度快、安全性高的特征，以及安全快捷、绿色环保、受自然环境影响小的优势，已经成为国际物流中陆路运输的骨干方式。中欧班列物流组织日趋成熟，班列沿途国家经贸交往日趋活跃，国家间铁路、口岸、海关等部门的合作日趋密切，这些有利条件，为铁路进一步发挥国际物流骨干作用，在“一带一路”倡议中将丝绸之路从原先的“商贸路”变成产业和人口集聚的“经济带”起到重要作用。

（二）中欧班列为“一带一路”建设提供了强力运输保障

中欧班列充分发挥着时效快、全天候、分段运输等独特优势，在保障国际物流通道畅通、维护中国经济正常秩序特别是外贸进出口稳定发展中体现了一定的优势。中欧班列作为我国践行“一带一路”倡议的重要体现和推进设施联通的重要内容，在其网络覆盖面不断扩大、班列运输的货物品类、运量特别是返程运量日益增多、国际影响力和品牌效应明显提升的同时，不仅有效改善了我国内陆地区的国际运输条件，也加强了与“丝绸之路经济带”沿线国家地区的交往合作。相信中欧班列一定能够抓住全球贸易格局重构的历史机遇，成为全球供应链变革的“试炼场”，成功转型为市场化国际运输工具，为进一步巩固和发展“一带一路”建设提供更有力保障。

（三）打造中国国际铁路联运货运品牌

为适应日益增长的中欧班列沿线各国间国际联运货物运输需要，进一步提高运输质量和效益，打造“快捷准时、安全稳定、绿色环保”的铁路国际联运货物运输品牌，铁路部门按照“六统一”，即统一品牌标志、统一运输组织、统一全程价格、统一服务标准、统一经营团队、统一协调平台，强化机制和装备保障的原则，拟定了《中欧班列组织管理暂行办法》和中欧班列品牌标志设计方案，不断优化班列组织方案。铁路总公司以市场和客户为导向，从与口岸、海关作业无缝衔接入手，铁路部门对列车运行图进行重新规划设计，国内段运行时间平均压缩 1 天左右。同时，中国铁路总公司为提升班列服务质量，由集装箱公司全面推进中欧班列服务平台建设，设立单证中心和客户服务中心，统一向中欧班列客户提供单证服务，定点定时向客户推送班列追踪信息和客户服务，加强境内外营销组织，为客户提供优质的全程物流服务。铁路总公司正按照全程统一编制运行图，基本满足每天 1 列、日行 1 000 km、全程运输时间在 12 天左右，在做好整列直达组织的基础上，逐步推进按成组集结、零散中转等运输组织方式的目标，不断深化中欧班列建设。

（四）中欧班列使内陆城市“沿海化”

沿海城市依靠海运快速发展，发达的海运航线和港口、成熟的海运规则、完整的物流协作体系、激烈竞争的海运市场、优惠的政策安排，都使沿海地区的国际物流成本变得十分低廉，服务质量也不断提高。而内陆地区除少数直航的空运外，没有直接联系海外的便捷通道，必须通过国内的公路、水路或铁路的支线运输与远洋航线相衔接，在成本上和时间上的劣势很难克服。如今中欧班列的开行给了内陆城市直接输出的能力，尽管铁路班列与集装箱班轮在运力和运费上仍有一定的差距，但铁路班列的速度优势可使到欧洲主要城市的运输时间比海运节省一半以上。加之班次频度高的优点，中欧班列的运输服务有助于跨国企业降低流通环节总库存，提高市场响应速度。

案例 5-3 中欧班列（渝新欧）持续赋能重庆汽车产业

2023 年 4 月 8 日上午，随着一声汽笛长鸣，一列装载着赛力斯品牌新能源汽车的中欧班列（渝新欧）从重庆团结村车站缓缓驶出，这批“重庆造”新能源汽车将经由阿拉山口口岸出境，最终运抵德国杜伊斯堡。自 2022 年 10 月国铁集团开放新能源汽车运输以来，中欧班列（渝新欧）新能源汽车出口量不断攀升，今年一季度实现环比增长 57%，成为新能源汽车出海拓市场的最优选择。

一、为重庆车企量身定制物流方案

东风小康（赛力斯）是中欧班列（渝新欧）的重点汽车出口项目之一，早于 2020 年 4 月双方就合作开行了整车出口专列，100 辆东风风光 ix5 通过该专列出口德国，这也是“重庆造”乘用车首次批量出口德国。近年来，该品牌乘用车已通过中欧班列（渝新欧）相继出口德国、法国、英国、意大利等欧洲国家。

得益于中欧班列（渝新欧）完善的物流运输体系，重庆车企能够高效“走出去”拓展欧洲市场。新能源汽车是赛力斯集团目前发展的核心业务，也是和渝新欧公司未来合作的重点项目。2022 年 12 月公司有 4 台新能源汽车需紧急运至德国参展，渝新欧公司克服困难为参展车辆量身定制了运输方案，最终顺利抵达德国参展，便捷服务为赛力斯的全球化战略提供了强有力的物流供应链支撑。

二、助力“重庆造”汽车打开欧亚市场

重庆汽车产业的高速发展，离不开中欧班列（渝新欧）等物流支持。

渝新欧公司开行的中欧、中亚以及东南亚方向班列不断助推长安、长城、东风小康（赛力斯）、庆铃等“重庆造”品牌汽车出口欧亚市场。特别是 2022 年以来，中欧班列（渝新欧）率先实现商品车铁路运输专用车国际班列常态化发运，运能较以往提升约 50%；完成首批中欧、中老方向“重庆造”新能源汽车运输，成为服务国产新能源汽车出口海外的又一重要渠道，为重庆及周边地区汽车企业抢抓国际订单、快速抢占国际市场份额提供了坚实保障。

2023 年一季度，中欧班列（渝新欧）出口商品汽车超 1.4 万辆，环比增长 148%。重庆将持续拓展中欧班列等出海出境大通道，提升产业链供应链保障能力，更好地服务本地汽车等支柱产业发展，为融入“一带一路”建设以及构建国内国际双循环新发展格局提供有力支撑。

三、国际物流品牌效应不断显现

如今，不仅是在团结村场站，在果园港鱼嘴货运站也时常出现这样的场景：一排排“重庆造”新能源汽车正整装待发，准备搭乘中欧班列（渝新欧）发往欧亚市场。

依托在运输整车方面积累的丰富经验，渝新欧公司目前已形成集装箱托盘运输、集装箱车架运输、笼车运输等多种运输方案，一批批长安、长城、东风小康、庆铃等中国品牌汽车依托中欧班列（渝新欧）销往海外，推动重庆整车产业链、供应链、价值链深度融合。自中欧班列（渝新欧）开行以来，已累计实现整车进出口近 5 万辆，运输汽车及零配件产值超 500 亿元。

2023 年 2 月渝新欧公司正式获批全国 5A 级综合型物流企业，国际物流品牌效应不断显现，未来我们将持续发挥带动重庆产业“走出去”的“先锋官”作用。目前，中欧班列（渝新欧）已建立起“3+8+N”集结分拨体系，稳定运行近 50 条成熟线路，通达欧亚 100 余个城市和地区，运输货物品类近万种，正成为重庆打造内陆开放高地的核心支撑。

重庆市将持续发挥好中欧班列通道的作用，提升班列信息化、数字化、智能化和供应链金融等方面创新能力，强化产业链、供应链服务，全力推进重庆汽车产业驶入高质量发展快车道。

资料来源：“一带一路”网

时间：2023-04-11

网址：https: //www.yidaiyilu.gov.cn/p/313602.html

请结合以上案例以及本任务模块内容分析以下问题：

1. 结合中欧班列（渝新欧）助力重庆汽车产业发展的案例，分析国际铁路运输从运输成本、运输时效、市场拓展等方面，对类似汽车产业这样的大型制造业发展具有哪些重要意义。

2. 中欧班列（渝新欧）已建立起“3+8+N”集结分拨体系，稳定运行近 50 条成熟线路，通达欧亚 100 余个城市和地区。请结合中欧班列的国际物流网络布局，分析其在“一带一路”倡议中的战略地位，以及如何通过多式联运和数字化创新提升其国际竞争力。

【行业前沿】

全国首个“中欧班列+低空物流”模式落地

2024 年 8 月 7 日，位于成都国际铁路港综合保税区内的青铁公司仓库接到客户订单，在迅速完成拣货、打包以及海关审核清关后，工作人员将货品送上无人机，随后从成都国际铁路港综合保税区起飞，按照规划飞行线路精准降落至亚蓉欧国家（商品）馆 OTO 跨境体验中心店，并交付至消费者手中，整个飞行时间不到两分钟。此次飞行标志着全国首个“中欧班列+低空经济”配送模式落地成都青白江。

“以前，消费者在亚蓉欧国家（商品）馆 OTO 跨境体验中心线上下单，所购商品在保税区仓库完成分拣打包并经海关监管放行后，由运输车辆装载配送至店内消费者手中，至少需要两天时间。”据该门店负责人李乐介绍，现在跨境电商业务应用于低空飞行场景并实现成都国际铁路港综保区直接发货，可以让消费者既能享受到跨电商品免税价格，还能体验更加优质、快捷的配送服务，让保税直购业务实现“分钟达”。

据悉，该批货物为近日搭乘中欧班列从欧洲进口的货物。成都国际铁路港跨境电商进口商品无人机直达配送业务的“首秀”，串联起了中欧班列和低空物流两种运输方式，进口商品从欧洲经中欧班列抵达成都，铁路运输时间相较海运节约 30 天，同时铁路运输和无人机直达配送均采用电力驱动，碳排放量得到大幅降低，物流运输方面将平均减少 56%碳排放量。

市口岸物流办有关负责人介绍，下一步市口岸物流办将以推动中欧班列提质增量为引领，提质建设立体全面开放通道，不断增强内畅外联的枢纽通达能力；按照“干支通、全网联”的理念，支持有关区（市）县会同相关市场主体发挥各自优势，构建低空物流“干—支—末”网络，推动实现无人机支线物流连线组网与新兴场景无人机配送应用大规模落地。

资料来源：都江堰市人民政府官方网站

时间：2024-08-08

网址：http: //www.djy.gov.cn/dyjgb_rmzfwz/c129227/2024-08/08/content_cf2d84 e85c0c403f999a46fbd32d1ecb.shtml

【课后习题】

一、单项选择题

1. 我国绝大多数铁路采用的是（ ）。

A. 标准轨　　B. 宽轨　　C. 窄轨　　D. 米轨

2. 国境站货物和车辆的交接，原则上都在（ ）上进行。

A. 出口国国境站　　B. 条件便利一方国境站

C. 进口国国境站　　D. 双方协商确定

3. 《国际货协》对运到逾期罚款率的规定中，逾期超过总运到期限 1/10，但不超过 2/10 时，运到逾期罚款率为运费的（ ）。

A. 6% B. 12% C. 18% D. 24%

4. 在国际铁路联运业务中，凡经由铁路运输的进出口货物按（ ）规定办理。

A. 《国际货约》 B. 《国际货协》

C. 《国境铁路协定》 D. 《国境铁路会议议定书》

5. 2011 年 3 月 19 日，中欧班列首次开通，（ ）专列从重庆团结村始发，顺利抵达德国的杜伊斯堡，拉开了中欧贸易用铁路运输的序幕。

A. 渝新欧 B. 义新欧 C. 蓉欧快铁 D. 郑欧班列

二、多项选择题

1. 以下属于国际铁路货物运输特点的有（ ）。

A. 运输的准确性和连续性强 B. 铁路运输安全性高

C. 运输成本较低 D. 便于开展国际联运

2. 以下铁路国境站与俄罗斯对接的有（ ）。

A. 二连浩特 B. 阿拉山口 C. 满洲里 D. 同江

3. 2014 年 11 月 18 日，首趟义新欧中欧班列从义乌出发，经过 21 天后抵达终点马德里。与其他中欧班列相比，当时的“义新欧”创下了五个第一，以下表述正确的是（ ）。

A. 运输线路最长 B. 途经国家最多

C. 国内穿越省份最多 D. 境外铁路换轨次数最多

三、简答题

1. 简述国际铁路货物联运的特点。

2. 简述中欧班列的价值和意义。

【实战训练】

【实训目的】

通过本次实训，在知识层面能够更全面地掌握国际铁路联运的基本流程、运费计算方法等知识。培养学生设计国际物流运输方案能力，拓展高效利用互联网信息查询国际物流运费信息的调研能力，提升国际物流业务操作的实践能力，培养职业素养和创新思维。

【实训内容】

1. 实训背景

天津开发区亿得达国际货运代理有限公司接到河北铁达进出口贸易有限公司的国际货运代理业务订单，需要将一批长城某型号的新能源汽车从河北保定运输至德国杜伊斯堡。具体信息如下：

订单数量：共 50 辆长城某型号新能源汽车。

集装箱装载能力：每辆新能源汽车的尺寸为 4.8 m（长）× 1.8 m（宽）× 1.6 m（高），每辆车的重量约为 2 t。一个 40 英尺集装箱（内尺寸：12.03 m×2.35 m×2.39 m）可装载 3 辆新能源汽车。

运输目的地：德国杜伊斯堡（Duisburg），欧洲最大的内陆港口和物流枢纽之一。

客户需求：

（1）运输时效：在合同签署后 30 天内交付，尽可能缩短运输时间，确保车辆按时交付。

（2）成本控制：在保证时效的前提下，尽量降低运输成本。

（3）安全性：确保车辆在运输过程中不受损坏。

二、实训任务

任务一：运输路线与方式设计

1. 确定运输起点和终点。起点：河北保定（新能源汽车生产基地）。终点：德国杜伊斯堡。

2. 设计运输路线。

方案 1：全程铁路联运。从保定直接装上铁路集装箱，通过国内铁路联运与中欧班列运输至德国杜伊斯堡。

方案 2：公路+铁路联运。使用公路运输将新能源汽车从保定运至国内某铁路国境站，再装上铁路集装箱，通过中欧班列运输至德国杜伊斯堡。

3. 选择运输方式。根据客户需求（如时效性、成本控制等），选择国际铁路联运这种运输方式。

任务二：集装箱装载与运输计划

1. 计算集装箱需求量。

2. 制订运输计划：确定装车时间、发车频率（如每周 1 班或 2 班）、运输时间（如 12～15 天）等。

任务三：国内段铁路运费查询

1. 若国内全程铁路运输，可登录铁路 95306 网站，查询并计算国内段铁路运费。

2. 若国内采用公路与铁路联合运输，充分利用网络信息和资源查询并计算国内段运费。

任务四：国际段铁路运费查询

可通过以下渠道获取国际段运费信息：

（1）中欧班列运营公司网站：部分中欧班列运营公司会公布运费参考价。

（2）找物流公司询价，获得运费报价。

（3）参考行业报告或学术论文中的运费数据。

任务五：物流方案优化

1. 对比全程铁路联运和公路+铁路联运的成本与时效，选择最优方案。

2. 优化通关流程。引入“铁路快速通关”模式，缩短通关时间，降低仓储成本。

3. 优化运输成本。

任务六：完成“河北新能源汽车出口德国杜伊斯堡国际铁路联运物流方案设计”实训报告

【实训要求】

以学习小组为单位（每组 3～5 人），分工合作完成以下任务，并提交一份完整的实训报告，实训报告要涵盖所有任务内容，并附上团队成员的分工说明，提交的实训报告应包含以下内容：

1. 运输路线设计：详细描述两种运输方案的路线和操作流程。

2. 集装箱装载计划：计算集装箱需求，制订运输计划。

3. 运费计算：基于铁路 95306 网站和行业调研数据，计算国内段和国际段运费。

4. 方案优化：提出至少 2 项优化措施，并说明其可行性和预期效果。

5. 报告撰写：报告内容需逻辑清晰、数据准确，体现团队的合作与创新能力。

项目六　国际公路物流与货运代理

知识与能力目标

- 有条理地分析国际公路货物运输的特点与作用；
- 全面概括 TIR 海关过境制度的内涵与意义；
- 厘清中国海关实施 TIR 的进程，并能全面分析中国海关实施 TIR 的利好；
- 理解 TIR 制度的基本原则；
- 全面梳理 TIR 的基本流程，并能分析总结 TIR 与普通国际公路运输运作流程的区别。
- 掌握 TIR 持证人申请流程与 TIR 证申领流程。

思政目标

- 理解我国加入 TIR 对优化国际贸易营商环境、促进“一带一路”建设的重要意义。

【导入案例】

首开大湾区“第四通道”丨中国外运开通深圳至中亚 TIR 跨境公路货运线路

2023 年 6 月 28 日，满载电子设备的中国外运自有“中速卡航”TIR 卡车在深圳平湖鸣笛启程，标志着深圳至中亚 TIR 国际跨境公路货运线路正式开通，该线路打通了深圳至境外继空运、海运、铁运之后的第四货运通道，是大湾区首个往返中亚的 TIR 国际跨境公路运输产品。

这辆“中速卡航”TIR 卡车将经新疆口岸出运至哈萨克斯坦，到达中亚全程 6～8 天，到达其他亚欧大陆主要国家全程 10～12 天。“中速卡航”提供的“门到门”服务，全程不拆箱不换装，节省了常规空运所需的仓库到机场、机场货站操作时间，可实现全程运输时长与空运整体时间一致，使卡车运输拥有了“空运速度”，为国内品牌产品出海提供了有力的资源支持。线路常态化运营后，出境车辆将运送更多大湾区的优质中国制造“走出去”，入境车辆将载运中亚地区的酒水及生鲜食品进港，更好地满足双边货运物流需求。中国外运的“中速卡航”产品以其安全、快捷、灵活、智慧的特点，为国内外客户提供了兼具速度优势和成本优势的运输新选择。

一、安全可控

中国外运采用自有车辆运输，运力资源安全可控；TIR 直通口岸直达目的地，途中免开箱免查验，为客户提供一站式“门到门”的安全运输服务。货物经海关查验封存，运输途中过境第三国无须开箱查验或换装。

二、高效快捷

在货源地报关，边境口岸核验关锁后直接出境，手续简化、流程简单、效率提升；报关次日即可退税，加快客户资金周转。

三、灵活多面

车型灵活，资源丰富多样；发车时刻灵活，可承接多类型货物运输；运输线路灵活，可基于客户个性化需求提供量身打造的运输配置规划。

四、智慧监控

为客户提供在线下单、订单管理及轨迹查询等全程可视化功能；运营团队通过先进的监控设备，对跨境运输中的司机和车辆进行全方位监控。

此次在大湾区推出的“中速卡航”产品，是助力区域合作、助推全球经济发展繁荣的又一项实际成果，线路的开通为中亚、欧洲方向运输提供了跨境新通道，对深圳乃至粤港澳大湾区至亚欧的经贸往来起到积极推动作用。

中国外运将在稳定推进海运、空运业务的基础上，持续打造卡航产品，推进更多线路的跨境 TIR 卡航运输，服务中国制造、中国产品、中国品牌出海；持续发力拓展跨境公路物流网络建设，提升国际道路运输便利化水平；强化通道能力，在加强国内外物流网络布局、助力区域互联互通道路上稳健前行。

资料来源：中外运股份有限公司官方网站

时间：2025-06-29

网址：https：//www.sinotrans.com/art/2023/6/29/art_2391_36093.html

请结合以上案例以及本项目内容分析以下问题：

1. 结合国际公路运输的基础知识，讨论 TIR 制度如何提高国际公路运输的效率和便利性。

2. 结合案例内容和 TIR 制度相关知识点，分析 TIR 制度对中国国际公路运输发展的影响，并讨论未来 TIR 制度在中国的发展前景。

国际公路货物运输作为国际物流体系的重要组成部分，凭借其灵活性、高效性和广泛的覆盖范围，在连接全球供应链、促进跨境贸易和区域经济一体化中发挥着不可替代的作用。与海运、空运和铁路运输相比，公路运输能够实现“门到门”的便捷服务，尤其适用于中短途运输和“最后一公里”配送，极大地提高了物流效率。此外，国际公路运输在多式联运中扮演着关键角色，能够与其他运输方式无缝衔接，为跨境货物提供更加灵活和多样化的解决方案。在应对紧急物流需求、保障供应链稳定性以及促进区域经济合作方面，国际公路货物运输更是展现了其独特的优势，成为推动全球经济互联互通的重要纽带。随着“一带一路”倡议等国际合作框架的深入推进，国际公路运输网络将进一步扩展，为全球贸易和经济发展注入新的活力。

任务一　国际公路物流基础知识

一、国际公路货物运输的含义

国际公路货物运输是指根据相关国家政府间有关协议，经过批准，通过国家开放的边境口岸和公路进行出入境的汽车货物运输。由于国际公路货物运输一般以汽车作为运输工具，因此国际公路货物运输也可称为国际汽车货物运输。

国际公路货物运输的起运地、目的地或约定经停地位于不同国家或地区，根据途经国家的多少，分为双边汽车运输和多边汽车运输。双边汽车运输是指根据两个国家政府之间签订的汽车运输协定而进行的汽车出入境运输，多边汽车运输是指根据两个以上国家政府之间签订的汽车运输协定而进行的汽车过境运输。

二、国际公路货物运输的特点

（一）国际公路货物运输的优点

国际公路货物运输既是一个独立的运输体系，也是车站、港口和机场集散物资的重要手段。作为沟通生产和消费的桥梁和纽带，其优点如下：

（1）适应性强。公路货物运输的车辆形式多样、技术性能各异、受地理和气候条件限制较小、运行范围广。因此，与其他运输方式相比，公路货物运输有较强的适应性，这种适应性恰好可以弥补其他运输方式的不足。

（2）灵活性高。由于汽车的载重量有大有小，既可以使用单辆车独立运输，也可以由若干车辆组成车队同时运输，因此既易于集中，也易于分散，调度灵活，突击性强，能及时提供有效的服务。

（3）直达性能好，可以实现“门到门”运输。水运、铁路、航空运输只能直达港站，只有公路运输能够实现“门到门”的直达运输，中间不需要倒运换装，极为方便。

（4）运输速度较快，便于周转流通。短途货物运输批量小，时间紧，要求急，对装卸机具和场地要求不高，是公路运输特有的优势。

（5）投资少，见效快。公路货物运输驾驶技术比较容易掌握，设备和资金转移的自由度大，具有投资少、见效快、利润高、投资回收周期短等特点，便于吸收社会闲散资金集中使用。

（6）可以广泛参与联合运输。公路货物运输是沟通铁路、水运、航空和管道货物运输的有效方式，可以为其他运输方式分流，缓解其他运输方式运力不足造成的紧张局面，特别是在开展现代化国际集装箱多式联运中具有独特的优势。汽车拖挂的集装箱，既可以直接开上滚装船，也可以直接开上滚装火车的底盘，通过水路和铁路到达终点，再进行公路货物运输，直到把货物交到收货人手中。

（二）国际公路货物运输的局限性

（1）运量较小，运输成本较高。由于汽车载重量小，行驶阻力比铁路运输大 9～14 倍，所消耗的燃料又是价格较高的液体汽油或柴油。因此，汽车运输的成本仅次于航空货物运输。公路货物运输的运价较高，在一定程度上竞争力弱于铁路和水路货物运输。

（2）运行持续性较差。有关统计资料表明，在各种现代运输方式中，公路货物运输的平均运距是最短的，运行持续性较差。

（3）安全性较低，环境污染较大。自汽车诞生以来，由于车型复杂、道路条件不良、驾驶人疏忽等各种因素的影响，汽车交通事故发生频繁，特别是从 20 世纪 90 年代开始，死于汽车交通事故的人数急剧增加，汽车交通事故平均每年达 50 多万起。汽车所排出的尾气和发出的噪声也严重威胁着人类健康，是大城市环境污染的最大污染源之一。

（4）运作复杂。国际公路货物运输由于涉及不同国家的跨境运输，对货物包装要求较高，对运输企业、运输车辆和货运代理的管理较严，并且存在出入境海关监管问题，因此整个运输的运作环节更为复杂。

三、国际公路货物运输的作用

（1）公路运输的特点决定了它最适于短途运输。它可以将两种或多种运输方式衔接起来，实现多种运输方式联合运输，做到进出口货物运输的“门到门”服务。

（2）公路运输可以配合船舶、火车、飞机等运输工具完成运输的全过程，是港口、车站、机场集散货物的重要手段。尤其是在鲜活商品运输、集港疏港抢运中，往往能够起到其他运输方式难以起到的作用。可以说，其他运输方式往往要依赖公路运输来完成最终两端的运输任务。

（3）公路运输也是一种独立的运输体系，可以独立完成进出口货物运输的全过程。公路运输是欧洲大陆国家之间进出口货物运输的最重要的方式之一，我国的边境贸易运输、港澳货物运输，其中有相当一部分也是靠公路运输独立完成的。

（4）集装箱货物通过公路运输实现国际多式联运。集装箱由交货点通过公路运到港口装船，或者相反。美国陆桥运输、我国内地通过香港的多式联运都可以通过公路运输来实现。

案例 6-1 黑龙江创新中俄陆路国际运输组织模式 为中俄两国经济贸易发展注入新活力

黑龙江贯彻落实习近平总书记访俄成果，通过创新通关模式、换装模式、推广国际道路运输管理信息系统等方式，着力提升黑河公路大桥和同江铁路大桥运输效能，提升国际道路运输信息化管理水平，为国际国内双循环提供有力支撑。

一、创新“自行走机械”通关模式，提升黑河公路大桥运营效能。黑河公路大桥口岸开通后，汽车起重机、牵引车等工程机械及专项作业车出口需求大增。按照常规要求，应由具备资质的专业拖板类车辆托运至俄方指定场地，为解决因等待专业运输车辆发生的工程机械滞留、通关效率低下等问题，经与俄方多次共同调研、反复磋商，俄方同意压缩通关手续办理时间并联合制定“自行走机械”收费标准，双方商定可由中方司机驾驶机械送至俄方口岸指定监管场地，机械车辆等待海关部门查验，中方司机则乘坐其他交通工具返回中方，或者由俄方司机搭乘指定客车到中方口岸后驾驶机械返回俄方。黑龙江首创“自行走机械”通关模式提升通关效率，通关手续时间由 20 min/台压缩至 15 min/台，极大地降低了运输成本，日通过能力由 190 台提升至 220 台，验放车辆高峰时可达到约 340 台次/d，有力推动了中俄双边贸易发展。

二、应用推广管理信息系统，提升国际道路运输信息化、便利化水平。黑龙江开展国际道路运输管理信息系统推广工作，结合全省各公路口岸国际道路运输管理业务，在原有基础上优化完善国际道路运输企业和车辆审批备案、客货运输数据统计、手机小程序查验等系统功能，支持国际道路运输经营许可（备案）、运输线路申请、行车许可证管理、路单运单管理、口岸现场查验等国际道路运输管理业务，大力提升国际道路运输管理水平。目前，该系统已在全省 8 个公路口岸应用，累计备案国际道路运输企业 194 家、各类运输车辆 5 094 辆、从业人员 1 583 人，发放各类国际道路运输行车许可证 1.8 万张，登记出入境查验近 10.37 万次，为黑龙江公路口岸开展国际道路运输管理工作奠定了坚实的基础。

资料来源：中华人民共和国交通运输部官方网站（《交通运输部关于印发交通物流降本提质增效典型案例名单（第二批）的通知》）

时间：2024-11-18

网址：https://xxgk.mot.gov.cn/2020/jigou/ysfws/202412/t20241212_4160962.html［附件2：交通物流降本提质增效典型案例（第二批）］

请结合以上案例以及本任务模块内容分析以下问题：

1. 黑龙江创新的“自行走机械”通关模式，在提升黑河公路大桥运营效能方面有哪些关键举措？对国际公路货物运输的时效和成本控制有什么启示？

2. 黑龙江推广国际道路运输管理信息系统，从系统功能优化和应用范围来看，对提升国际公路货物运输信息化水平有哪些重要意义？这对国际公路货物运输的经营方式产生了怎样的影响？

3. 结合案例，分析黑龙江在提升黑河公路大桥和同江铁路大桥运输效能过程中，所采取的措施是如何促进国际公路货物运输在中俄双边贸易中发挥作用的。

任务二　TIR 海关过境制度

一、TIR 海关过境制度的内涵与意义

（一）TIR 海关过境制度的内涵

TIR（Transport International Router）为国际公路运输，特指通过公路运输方式进行国家之间的物资流通。我们一般所说的 TIR 就是指 TIR 系统。TIR 系统是一个建立在联合国《国际公路运输公约》（以下简称《TIR 公约》）基础上的国际跨境货物运输领域的全球性海关便利通关系统。《TIR 公约》允许取得 TIR 系统使用资格的承运人（TIR Holder）通过道路持 TIR 证进行国际货物运输（TIR 运输），货物在起运地进行海关检查并施加关封，货物从起运国海关直接运抵目的地国海关，中间经过的所有过境国海关原则上都不对货物进行开箱查验，缔约国之间可以真正实现“门到门”的卡车运输。同时，由于 TIR 证本身可以提供最高 10 万欧元的海关担保，从事 TIR 运输的承运人在通过过境国时无须缴纳货物的关税担保金，基于上述原因，使用 TIR 系统进行运输可以最大限度地降低企业运输成本，根据国际道路运输联盟（IRU）测算，TIR 系统可以为 TIR 承运人节省约 58%的运输时间和 38%的运输成本。

自1949年创建以来已经运行了70余年，被证明是最为成功的国际道路运输公约之一，也是迄今为止现有的唯一全球认可的海关过境制度，全球已有78个缔约国/方，20多个国家正在寻求加入，已基本覆盖“一带一路”共建国家。《TIR公约》缔约国/方（名录）见表6-1。TIR运输与传统运输方式互为补充，将有利于促进我国国际物流运输方式多样化发展，使我国与“一带一路”共建国家外贸交流更加便捷。

表6-1　《TIR公约》缔约国/方（名录）

序号	缔约方	序号	缔约方	序号	缔约方	序号	缔约方
1	阿富汗	21	欧洲联盟	41	利比里亚	61	塞尔维亚
2	阿尔巴尼亚	22	芬兰	42	立陶宛	62	斯洛伐克
3	阿尔及利亚	23	法国	43	卢森堡	63	斯洛文尼亚
4	阿根廷	24	格鲁吉亚	44	马耳他	64	西班牙
5	亚美尼亚	25	德国	45	蒙古国	65	巴勒斯坦国
6	奥地利	26	希腊	46	黑山	66	瑞典
7	阿塞拜疆	27	匈牙利	47	摩洛哥	67	瑞士
8	白俄罗斯	28	印度	48	荷兰	68	阿拉伯叙利亚共和国
9	比利时	29	印度尼西亚	49	北马其顿	69	塔吉克斯坦
10	波斯尼亚和黑塞哥维那	30	伊朗（伊斯兰共和国）	50	挪威	70	突尼斯
11	保加利亚	31	伊拉克	51	阿曼	71	土耳其
12	加拿大	32	爱尔兰	52	巴基斯坦	72	土库曼斯坦
13	智利	33	以色列	53	波兰	73	乌克兰
14	中国	34	意大利	54	葡萄牙	74	阿拉伯联合酋长国
15	克罗地亚	35	约旦	55	卡塔尔	75	大不列颠及北爱尔兰联合王国
16	塞浦路斯	36	哈萨克斯坦	56	韩国	76	美利坚合众国
17	捷克共和国	37	科威特	57	摩尔多瓦共和国	77	乌拉圭
18	丹麦	38	吉尔吉斯斯坦	58	罗马尼亚	78	乌兹别克斯坦
19	埃及	39	拉脱维亚	59	俄罗斯联邦		
20	爱沙尼亚	40	黎巴嫩	60	沙特阿拉伯		

（二）TIR海关过境制度的意义

海关过境制度的设计目的是尽最大可能便利国际贸易中货物的流动和海关监管。因此，需要在海关监管与贸易便利化之间取得平衡。

在没有TIR海关过境制度的情况下，国际公路货物运输过程中穿越一国或多国领土时，每个国家的海关当局都要实行本国的管控和过境程序。各国的管控和过境程序会有差异，但往往都涉及每个国家在国家边境检查货载，并实施国家的保障要求（如担保、保税、关税押金等），以覆盖货物在穿越各国领土过境时潜在的涉险税费。由于要在每个过境国都实行此类措施，因此对国际运输造成的费用、延误和干扰都很大。

TIR 海关过境制度的目标就是要减少国际公路运输经营人遇到的这类困难，同时，又为海关当局提供一种国际管控制度，以取代传统的国家管控程序，还要有效地保护货物运输所经过的每个国家能从过境货运中得到的财政收入。

1. TIR 制度对海关管控的益处

与传统过境程序相比，TIR 海关过境制度极大减少了海关过境所需的时间和代价。同时，可以把在过境国进行实物检查的需要消耗的时间和资源减少到最低限度，只需检查车辆或集装箱的封志和外部状况，同时免除了进行国家层级的担保和使用国家报关系统的需要。

另一个益处是，运输全过程只需要一项单一的文件，即 TIR 证，因此，向海关呈报不准确信息的可能性也比较小，同时又提供了具备国际有效担保的证明。

在怀疑有违章情况时，海关有权检查货物，在必要时可中断 TIR 运输作业和（或）根据本国的立法采取必要的措施。然而，考虑到《TIR 公约》的严格条文，而且为了便利国际运输，这类干预应属例外。海关因此可以把常规程序减少到最低限度，把资源集中用于实施基于风险评估的特别管控措施。

2. TIR 制度对国际公路运输业发展的益处

在 TIR 程序之下，货物在跨越边界时，海关的干预被降低到最低程度。TIR 制度消除了国际货物流动的传统障碍，因此有助于国际贸易的发展，这对于内陆发展中国家尤为重要。TIR 制度可以减少过境时的延误，从而极大节省了运输费用。此外，有了独特设计的国际担保链，运输经营人也便于利用国际有效担保覆盖，而且费用合理。

二、中国海关实施 TIR 的进程与利好

（一）中国海关实施 TIR 的进程

（1）2016 年 7 月，中国加入联合国《TIR 公约》，成为全球第 70 个《TIR 公约》缔约国。

（2）2017 年 5 月，国际道路运输联盟（IRU）与中国海关总署签署《关于促进国际物流大通道及实施 TIR 公约的战略合作安排》。

（3）2018 年 5 月，海关总署决定启动 TIR 运输试点，《TIR 公约》在中国落地实施。在交通运输部、海关总署、国际道路运输联盟等机构的共同见证下，中国首票 TIR 示范运输作业在大连正式启动。

（4）2019 年 5 月，海关总署宣布全面实施《TIR 公约》，标志着中国全境海关开放 TIR 运输业务。

（5）2023 年，以中国郑州—俄罗斯莫斯科线路 TIR 双向直达运输成功运行为标志，中国 TIR 运输进入了市场化、常态化运行的新发展阶段。

2024 年中国境内 TIR 作业情况，见表 6-2。

表 6-2　中国境内 TIR 作业情况统计（2024 年 1—12 月）

国籍	承运人数量	总票数	口岸	出境票数	入境票数
中国/CHN	60	1 055	新港/0202	4	0
			满洲里/0603	0	35
			二连海关/0705	2	0
			集宁海关/0714	2	0
			辽中海关/0808	88	0
			长春兴隆/1531	103	0
			绥关公路/1925	11	0
			温州海关/2903	5	0
			威海海关/4204	6	0
			临沂海关/4213	97	0
			胶州海关/4265	282	0
			泉城海关/4301	3	0
			潍坊海关/4310	3	0
			淄博海关/4320	2	0
			郑州综保区口岸作业区/4620	275	0
			笋岗海关/5306	4	0
			西安车站海关/9009	1	0
			霍尔果斯/9402	41	4
			阿拉山口/9404	13	1
			伊宁海关/9406	17	0
			喀什海关/9408	10	0
			塔克什肯/9411	16	0
			伊尔克什坦/9415	7	0
			乌昌海关/9420	8	0
			金城海关/9501	1	0
			河东机场海关/9602	15	0
蒙古国/MNG	5	121	二连海关/0705	30	91
哈萨克斯坦/KAZ	11	27	霍尔果斯/9402	5	0
			阿拉山口/9404	22	0
乌兹别克斯坦/UZB	3	5	伊尔克什坦/9415	4	1
塔吉克斯坦/TJK	1	3	喀什海关/9408	1	0
			卡拉苏/9425	0	2

国籍	承运人数量	总票数	口岸	出境票数	入境票数
俄罗斯/RUS	5	7	满洲里/0603	0	4
			辽中海关/0808	1	0
			阿拉山口/9404	0	2
吉尔吉斯斯坦/KGZ	3	45	吐尔尕特海关/9403	4	0
			喀什海关/9408	41	0
巴基斯坦/PAK	1	288	吐尔尕特海关/9403	2	0
			喀什海关/9408	257	0
			红其拉甫/9409	12	14
合计：8 国	89	1 551	29	1 397	154

注：自 2024 年起，只统计经中国海关系统完成放行操作的 TIR 作业。

（二）中国全面加入《TIR 公约》的利好

（1）提高通关效率：《TIR 公约》简化了跨境运输的海关手续，允许运输车辆在参与公约的国家间无须开箱查验即可直接通行，极大地缩短了货物在边境口岸的等待时间；

（2）降低运输成本：减少了海关检查和审查的时间和费用，TIR 模式有助于降低货物的滞留成本，提高运输的经济效益；

（3）增强运输安全：TIR 制度要求严格的安全封志和跟踪机制，确保运输过程中的货物安全，降低盗窃和损坏的风险；

（4）促进国际贸易：TIR 公约消除了跨境运输的物流障碍，增强了国际贸易的便利性，鼓励更多企业参与国际贸易活动；

（5）优化供应链效率：通过简化海关流程和提高运输效率，TIR 模式有助于优化供应链管理，加快货物的流转速度，提升整体供应链的响应速度和灵活性。

综上所述，中国全面实施《TIR 公约》将有助于加强与其他国家在道路运输领域的合作，提高国际物流效率，降低运输成本，进一步促进“一带一路”倡议下的国际经贸合作，推动全球经济的互联互通。

TIR 系统宣传片

三、TIR 制度的基本原则

TIR 制度规定了 5 项基本原则，即 TIR 制度的五大支柱。其主要目标是尽最大可能便利国际贸易中海关加封货物的流动和提供必要的海关控管和保障。

（一）有管控的车辆和集装箱

《TIR 公约》要求使用符合海关监管要求、具有海关监管设置、能够确保安全的车辆或集装箱装载货物。

（二）国际担保链

为承担整个运输过程中的海关关税和税收的风险，《TIR 公约》建立了国际担保制度，由总部设在瑞士日内瓦的 IRU 管理。所有《TIR 公约》缔约国的国家担保协会（通常为国家级道路运输协会）和国际道路运输联盟共同构成了联保系统，在《TIR 公约》缔约国中形成一个支持 TIR 单证运输的国际担保链。该联保系统又由几家大保险公司担保，并由 TIR 执行理事会监督。在担保总额方面，各缔约国可以确定担保金的限额，但国际道路运输联盟确定的最大担保限额为每张 TIR 运单 5 万美元，其中，运输酒精和烟草的最大担保限额为每张 TIR 运单 20 万美元。

（三）TIR 通关证

TIR 单证是 TIR 制度下所载运货物具备国际担保条件的法律证明文件，更是起运国、过境国和目的地国海关监管的依据。

TIR 单证由国际道路运输联盟向各缔约国的担保协会发放，各国担保协会再根据自己与承运人的相关协议发放给承运人。TIR 单证由承运人填写，在协会批准的时间内，自起运国海关启用，直至货物运至目的地国海关完成 TIR 单证运输，TIR 单证一直有效。

（四）海关监管的相互承认

由起运国海关查验并施加关封后的道路车辆或集装箱，在通过过境国及目的地国家边境海关时无须开封检查。只有在有充分证据怀疑 TIR 单证运输存在违法可能或存在欺诈行为的情况下方可开封检查。

（五）管控使用

各国政府主管部门（通常是海关）授权国家担保协会向符合条件的企业发放 TIR 单证，并对承运人使用 TIR 单证实行行政许可管理。

四、TIR 运输主要参与方与流程

（一）TIR 系统的各参与方

（1）IRU：是一个全球道路运输行业联合会，在联合国授权下实施 TIR 过境制度。

（2）国际道路运输联盟各成员协会：发放 TIR 证，担保 TIR 系统下的运输经营，与各国主管机构合作共同为运输经营者加入 TIR 系统提供授权。

（3）TIR 证持有人：在 TIR 系统下进行运输业务的运输经营者。物流公司或车队要从事 TIR 业务，首先要成为 TIR 持证人。我国 TIR 证申请机构为中国道路运输协会，申请人需提供相关申请资质文件交中国道路运输协会审核。

（4）各国主管机构：通常为海关部门，为国际道路运输联盟成员协会和运输经营者进入 TIR 系统提供授权。

（5）联合国机构：在全球范围内对 TIR 国际公路运输系统和多边运输相关立法进行监督。

（二）TIR 运输主要流程

1. 起运

起运地海关办理货物出口手续，起运地海关根据运输经营人在 TIR 证上填报的情况检查所载货物。海关对装载室或集装箱加封，并同时在 TIR 证上作相应签注，完成单证操作。然后 TIR 证被交还给运输经营人，由其开始运输作业。

2. 出境

TIR 运输车辆（装载货物的情况下）在离开该国的国境时，出境海关检查封志并完成 TIR 证操作。随后这辆车即可离开该国。

3. 过境

TIR 运输车辆（装载货物的情况下）途经的每一个国家都适用与起运国所执行的相似的制度。沿途国的入境海关对封志进行检查，并完成 TIR 证签注操作，然后 TIR 作业即可放行。

4. 抵达

TIR 运输车辆（装载货物的情况下）在目的地国，TIR 运输结束。

TIR 制度运作流程如图 6-1 所示，TIR 海关过境制度与普通国际公路运输运作流程对比情况如表 6-3 所示。

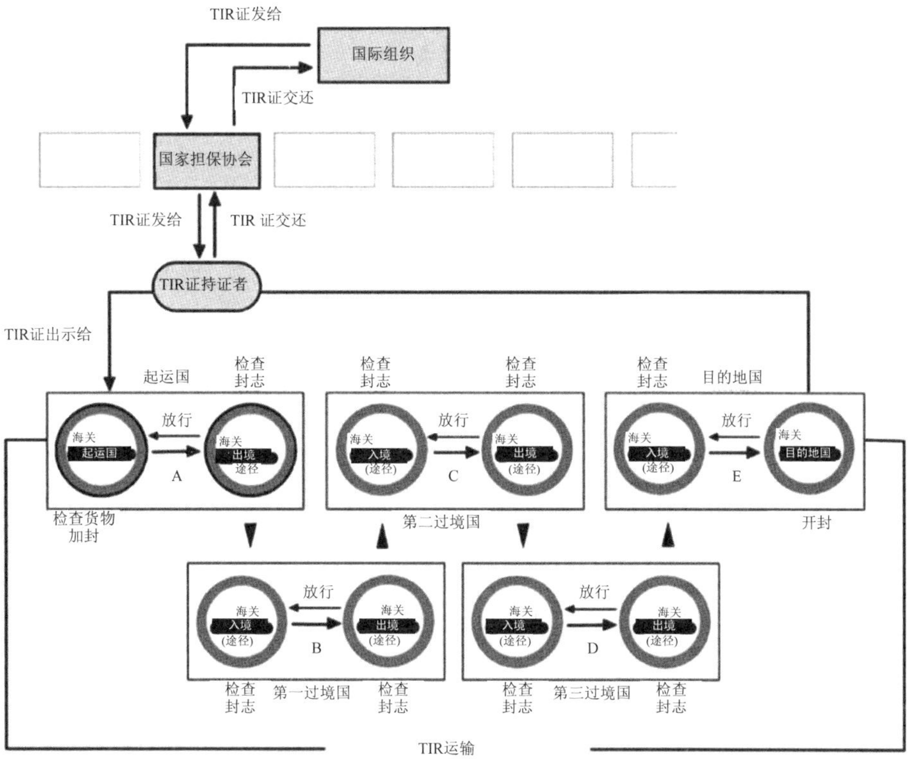

图 6-1　TIR 制度运作流程

表 6-3　TIR 海关过境制度与普通国际公路运输运作流程对比情况

	TIR 海关过境制度	普通国际公路运输
准备阶段	（1）准备箱单、发票等资料； （2）进行 TIR 电子预申报，系统内生成 CMR 运单	（1）准备箱单、发票等资料； （2）人工录入并打印过境沿线各国需要的 CMR 运单
启运阶段	（1）办理出口申报手续； （2）司机前往海关办理 TIR 证签注，车辆施封	（1）办理出口申报手续； （2）委托 A 国启运地报关行前往海关办理转关手续； （3）海关对车辆施封，并视情况进行查验
过境阶段	海关检查关封，司机直接前往 A、B、C、D 国海关办理 TIR 证签注，沿途海关原则上不允许开箱查验	出境 A 国： （1）委托 A 国出境报关行前往海关办理转关核销手续； （2）海关检查车辆关封，并视情况进行查验。 过境 B 国： （1）委托 B 国入境地报关行准备申报材料，并前往 B 国海关办理货物入境手续； （2）车辆入境施封，海关视需要进行查验； （3）委托 B 国出境报关行前往海关办理货物出境手续； （4）出境海关检查关封，并视情况进行查验。

	TIR 海关过境制度	普通国际公路运输
过境阶段	海关检查关封，司机直接前往 A、B、C、D 国海关办理 TIR 证签注，沿途海关原则上不允许开箱查验	过境 C 国： （1）委托 C 国入境地报关行准备申报材料，并前往 C 国海关办理货物入境手续； （2）车辆入境施封，海关视需要进行查验； （3）委托 C 国出境报关行前往海关办理货物出境手续； （4）出境海关检查关封，并视情况进行查验。 入境 D 国： （1）委托当地报关行前往海关办理转关申报手续； （2）海关进行车辆施封，并视情况进行查验
抵达阶段	（1）海关检查关封，司机前往海关办理 TIR 证签注手续。 （2）办理进口申报手续	抵达 D 国目的地城市： （1）委托 D 国目的地报关行前往海关办理转关核销手续； （2）海关检查车辆关封，并视情况进行查验； （3）办理进口申报手续

五、TIR 持证人申请流程与 TIR 证申领流程

TIR 持证人申请是运输企业或相关主体为获得使用 TIR 系统的资格，成为被认可的 TIR 业务参与方。TIR 证申请是 TIR 持证人在具备使用资格后，为具体的运输业务申请用于通关等环节的国际海关文件。

（一）TIR 持证人申请流程

（1）参与 TIR 运输的公司管理和业务操作人员应具有《TIR 公约》的相应知识。

（2）当申请人向中国道路运输协会申请进入 TIR 程序时，需要提供公司相关资质证明，包括营业执照副本、经营许可证、企业征信情况、财务报告、纳税情况、海关加封货物运输车辆批准证明书等文件。

（3）申请人需将相关申请材料电子版及纸质版文件提交中国道路运输协会，确保所提交文件的真实性和有效性。

（4）对申请人提交的文件进行资质审核时，如存在资质文件不完善的情况，中国道路运输协会将联系申请人进行文件补充；如不符合申报要求，协会将告知申请人。

（5）通过协会审核后，TIR 证申请人将被分配唯一识别码，由协会报海关进行终审。

（6）终审通过后，申请人与中国道路运输协会签署《承诺声明》，签收《TIR 持证人手册》，办理担保，获得 TIR 持证人身份。

另外，申请人需拥有经核批的 TIR 运输车辆，辆核批机构为交通运输部公路科学院汽运中心。

（二）TIR 证申领流程

（1）TIR 证只签发给进入 TIR 程序的 TIR 持证人，且发证时其 TIR 证使用资格未被协会暂停或永久取消。

（2）持证人需在每年 4 月及 10 月向协会提交 TIR 证使用计划表。领证数量不能超出 TIR 持证人的配额限制。

（3）持证人指定 TIR 证领取人，将领取人信息书面提交给协会备案。

现场领取方式：

（1）持证人指定领取人现场领取 TIR 证，需携带持证人书面授权文件及本人身份证件。

（2）领取人身份确认后，现场或通过汇款转账方式完成 TIR 证缴费流程。

（3）协会工作人员在发证单上填写签发记录，领取人在签收栏签字确认。

（4）协会工作人员填写 TIR 证封面内容，加盖协会及 TIR 持证人专用章。在 TIR 系统中完成 TIR 信息登记。

（5）协会工作人员现场发放 TIR 证给指定 TIR 证领取人。

非现场领取方式：

（1）如确因特殊原因持证人无法现场领取 TIR 证，可启用非现场签发程序。

（2）持证人以书面申请方式（原件）告知协会，并提供收件人姓名、联系方式及邮寄地址等详细信息。

（3）协会工作人员收到书面申请后，准备相应数量的 TIR 证（不超过配额数量），通知持证人完成 TIR 证缴费流程。

（4）协会工作人员完成发证单签发记录登记工作。

（5）协会工作人员填写 TIR 证封面内容，加盖协会及 TIR 持证人专用章。在 TIR 系统中完成 TIR 信息登记。

（6）协会工作人员以挂号信或以其他安全方式（快递等）邮寄 TIR 证给持证人。

（7）持证人收到 TIR 证后应立即检查 TIR 证封面协会填写部分的信息是否正确填写，及时向协会进行反馈，并提供 TIR 证签收证明。

TIR 证签发流程与管理办法（2025 年 1 月 1 日实施）

案例 6-2 浙江首票国际公路运输（TIR）货物顺利启运

服务共建“一带一路”再添新通道

2024 年 12 月 12 日上午，4 辆载有约 53 t 卫浴配件、鞋子等货物的国际公路运输（TIR）车辆经杭州海关所属温州海关监管施封后从温州瑞安驶出，之后将通过内蒙古满洲里公路口岸出境后运往欧洲。企业之所以选择国际公路运输，有以下原因：

首先，其他运输方式在过程中往往都需要搬动、倒装，对于易碎品以及精密仪器而言有破损风险。国际公路运输（TIR）相较于传统公路运输具有全程“一次申报、一车直达”、全程不倒装、不卸货等特点，能最大限度地降低搬动、倒装次数和货物破损风险。

其次，这次运输全程约 9 400 km，历时 8 ~ 12 天，在运输费用上相比航空运输能节省 75%左右，比铁路更快更灵活。传统国际公路运输模式是出口企业约货车将货物送到各个口岸、报关，再由欧洲的货车换装出口，需要 25 ~ 30 天。而 TIR“卡车航班”清关便捷，相较普通的货运在时间和运输成本上都大幅减少。作为继航空、铁路、海运之外的中欧“第四物流通道”，TIR 为跨境贸易提供了更为丰富多样的物流选择。

在海关作业方面，在启运前，温州海关驻瑞鳌办事处业务科会对承运人的资质进行严格审核，确保 TIR 证和《车辆批准证明书》在有效期内，再对货物实施监管施封。货物在其他口岸通关时，仅需核对 TIR 证书、车牌和车辆备案信息、检查海关封志是否完好，一般情况下无须进行开箱检查，从而缩短货物在口岸的等待时间，提高通关时效，降低运输成本。为保障该票货物能够顺利启运，杭州海关所属温州海关提前准备，协同地方政府，指导企业梳理 TIR 申报流程，邀请 TIR 专家开展业务培训指导。同时，加强和满洲里、二连浩特等口岸海关的联系配合，设置通关绿色通道保障 TIR 货物快速通关。该票货物是浙江省启运的首票 TIR 出境货物，标志着 TIR 货运模式在浙江落地实施，为浙江高质量共建“一带一路”再添新通道。

资料来源：杭州海关发布

时间：2024-12-12

网址：https: //mp.weixin.qq.com/s/JyV28UA9-yoYFbbY14nAfg

请结合以上案例以及本任务模块内容分析以下问题：

1. 国际公路运输（TIR）与传统国际公路运输、国际航空运输、国际铁路运输相比，在运输特点和成本时效上有哪些显著差异？这些差异如何影响企业的运输方式选择？

2. 在海关作业方面，TIR 模式相较于普通货运模式，在通关流程和监管措施上有哪些优化？这些优化对提高运输效率和降低成本起到了怎样的作用？

【行业前沿】

2024年，中国TIR运输规模化发展元年！

2024年，中国TIR运输有无数个令人铭记的瞬间。中国TIR持证企业及TIR车辆数量增长超过4倍，跨境电商、大件货物、冷链等新品类接连涌现，“经IRU认证的TIR集结中心”在多地落地——中国TIR运输迈入规模化发展元年，持续推动中欧“第四物流通道”高质量发展，为共建以公路直达运输为支撑的“亚欧大陆物流新通道”注入新动力。

一、数据增长很亮眼

中国TIR运输企业及车辆数量实现跨越式增长、中国TIR运输不断点亮新地标，解锁更多目的地！

（一）发展动力足

1. 中国海关办结TIR业务量增加88%。

2. TIR运输企业增加460%。

3. TIR车辆增加470%。

（二）辐射区域广

1. 35个口岸和内陆城市启动TIR。

2. 50+条TIR直达运输路线。

3. 直达欧洲30+国家。

二、行业发展有亮点

北中南三大通道并行。TIR公路直达运输已覆盖中欧“第四物流通道”北、中、南向三大主要通道，中俄、中巴阿、中吉乌、中蒙俄（白）、中哈、中欧跨里海线路常态化运行，进一步助力中欧贸易通道多样化。

中企主导中国TIR运输。中外8国承运人参与中国相关通道TIR运输，其中中国企业开展业务数量占比超过60%，成为共建中欧“第四物流通道”的主导力量。

通过TIR，中国车辆已直通俄罗斯、中亚、蒙古国、白俄罗斯、高加索地区及土耳其。

特色货物频频“上新”。TIR运输“一证直达、一车直抵”优势凸显，为汽车、卡车、大件货物、锂电池等特殊货物的运输提供高效、安全的运输解决方案。

三、合作创新有看点

自2024年5月起，“经IRU认证的TIR集结中心”（以下简称TIR集结中心）已在喀什、乌鲁木齐、郑州及沈阳相继揭牌运营，为TIR运输线路拓展、运力对接、国际交流合作提供综合平台。

IRU依托75年推动TIR及跨境运输发展的经验，以及遍布亚欧大陆的资源，助力各TIR集结中心进一步发挥本地优势，打造中国TIR业务创新示范窗口及示范项目，成效初显——“一站式”服务省时省力。TIR集结中心为供应链上下游企业提供包括报关、仓储、货物装卸及TIR相关业务等在内的一站式跨境运输服务，据入驻企业反馈，相关手续最快仅需2小时。

本地及周边产业集聚发展。截至年底，各地TIR集结中心迎来近40家中外TIR运输企业、国际货代及物流相关企业入驻，运营20余条TIR线路，辐射中亚、俄罗斯、巴基斯坦、阿富汗乃至高加索地区。

中外合作交流。IRU通过组织各TIR集结中心参加IRU全球和相关重点地区的国际会议及活动，助力TIR集结中心进一步拓展业务网络，与全球IRU会员包括各国国家级行业协会、国际商会，全球领先的物流企业、大型跨国企业和行业机构等开展国际交流合作。

资料来源：IUR国际道路运输联盟微信公众号

时间：2025-01-22

网址：https: //mp.weixin.qq.com/s/nd-0shV2TvQx0FPAAXfPSg

【课后习题】

一、单项选择题

1. 截至目前《TIR 公约》全球已有（ ）个缔约国/方，已基本覆盖“一带一路”共建国家。

A. 70　　B. 78　　C. 20　　D. 60

2. （ ），中国加入联合国《TIR公约》，成为全球第70个《TIR 公约》缔约国。

A. 2016年7月　　B. 2018年5月　　C. 2019年5月　　D. 2023年6月

3. （ ），海关总署宣布全面实施《TIR公约》，标志着中国全境海关开放TIR运输业务。

A. 2016年7月　　B. 2018年5月　　C. 2019年5月　　D. 2023年6月

4. TIR持证人申请，申请人应向（ ）申请进入TIR程序。

A. 交通运输部　　B. 中国道路运输协会

C. 交通运输部公路科学院汽运中心　　D. 海关总署

二、多项选择题

1. TIR运输车辆到达海关监管作业场所后，TIR证持证人应当向海关交验（ ），经启运地海关验核有关材料无误、施加海关封志，并完成相关 TIR 运输海关手续后，TIR 证持证人方可开始 TIR 运输。

A. TIR 证　　B. TIR 运输车辆批准证明书

C. 报关单　　D. 装箱单

2. 以下属于 TIR 制度的支柱的有（ ）。

A. 有管控的车辆和集装箱　　B. 国际担保链

C. TIR 通关证　　D. 海关监管的相互承认

三、简答题

1. 请从海关管控和国际公路运输业发展两个层面概况 TIR 海关过境制度的益处。

2. 请简述中国全面加入《TIR 公约》的利好。

【实战训练】

【实训目的】

1. 掌握 TIR 持证人资质申请流程：通过模拟天津开发区亿得达国际货运代理有限公司申请 TIR 持证人资质，了解申请 TIR 持证人所需的材料、流程及注意事项。

2. 熟悉 TIR 证申领流程：通过为某票 TIR 业务申领 TIR 证，掌握 TIR 证申领的具体步骤、所需单证及填写规范。

3. 提升实操能力：通过模拟真实业务场景，培养学生解决实际问题的能力，增强学生对国际公路运输业务的理解。

【实训内容】

1. 申请 TIR 持证人资质

模拟天津开发区亿得达国际货运代理有限公司员工，根据中国道路运输协会的要求，准备并提交 TIR 持证人资质申请材料：

（1）申请表一份；

（2）营业执照副本复印件；

（3）《道路运输经营许可证》、《国际道路运输经营许可证》和道路运输企业等级证书（非必要）复印件；

（4）企业征信报告（中国人民银行出具）；

（5）企业法定代表人或实际控制人征信报告（中国人民银行出具）；

（6）企业经审计的近两年度财务报告；

（7）企业近两年年度所得税和增值税纳税申报表；

（8）企业自有车辆年度保险单；

（9）无违反相关行业主管部门规定行为的声明；

（10）企业开展国际道路运输业务证明材料。

2. 申领 TIR 证

模拟为某票 TIR 业务申领 TIR 证，具体业务内容如下：

（1）货物信息：电子产品（如智能手机），总重量 10 t，价值 50 万美元。

（2）运输路线：从中国天津港出发，经哈萨克斯坦，最终抵达德国汉堡。

（3）运输车辆：车牌号为津 A12345 的冷链运输车，车辆符合 TIR 标准。

（4）计划起运时间：2024 年 11 月 10—20 日。

（5）承运人：天津开发区亿得达国际货运代理有限公司。

（6）发货人：天津某电子产品制造公司。

（7）收货人：德国某电子产品分销公司。

（8）填写 TIR 证申领所需单证，包括《持证人 TIR 证使用计划表》《TIR 证申请表》《货物描述表》《车辆信息表》等。将填写完整的单证整理成 PDF 文件，并模拟提交至中国道路运输协会。

【实训要求】

1. 资料准备规范且精准：严格按照相关管理办法，准备各类申请资料，确保资料完整、准确，复印件清晰规范。

2. 流程操作熟练且灵活：小组内部分工明确，沟通协作积极主动，在资料准备、表格填写、手续办理和突发情况处理等环节，充分发挥团队优势，高效完成任务。熟练掌握 TIR 持证人资质申请及 TIR 证申领的全流程，明确各环节办理时间节点和要求。根据不同业务场景，灵活调整申请进度和策略。

3. 提交实训成果要求

将申请 TIR 持证人资质的材料和 TIR 证申领单证整理成一份完整的实训报告，包括以下内容：

（1）TIR 持证人资质申请材料（PDF 文件）。

（2）TIR 证申领单证（PDF 文件）。

（3）实训总结，包括申请流程中的注意事项、遇到的问题及解决方法。

项目七　集装箱运输与国际多式联运

知识与能力目标

- 清晰概括集装箱和集装箱运输的发展历程；
- 掌握集装箱相关基础知识；
- 能分析集装箱运输的与国际多式联运的特点与优势；
- 能准确复述各种集装箱装箱方式与交接地点；
- 能够厘清集装箱运输和国际多式联运进出口业务流程。

思政目标

- 通过了解集装箱运输单证电子化和多式联运“一单制”相关内容，理解交通运输部门、海关等部门通过数字化改革优化国际贸易营商环境、提升物流效率、降低企业成本的重要意义，增强服务“双循环”新发展格局的责任意识，培养创新精神和实践能力。

【导入案例】

东北地区首趟“一单制”铁海快线班列开行

2024 年 3 月 24 日 10 时，满载 54 个集装箱淀粉货品的铁海快线班列，从黑龙江富锦站启程，经鲅鱼圈集港出海，发往广州新沙港，这是东北地区开行的首趟“一单制”“门到门”铁海快线班列。

据中国铁路哈尔滨局集团有限公司相关负责人介绍，哈尔滨铁路物流中心与中铁集装箱公司、辽宁港口集团、上海中谷物流股份有限公司共同协作，推动交通物流降本提质增效。“一单制”铁海快线班列采取“班列+班轮+物流总包”运输模式，由铁路完成全程运力直采，提供全链条服务，实现“一张运单全国通达”。

“一单制”铁海快线班列首次采用 35 t 新型宽体集装箱进行铁海联运，与标准集装箱相比新箱体装载量增加 3 t，整趟班列可多装运 160 余 t 货物，为适应新箱体尺寸，船运公司对国内最大内贸集装箱船进行改造升级，班轮最大装载量超过 4 600 标箱。班列采用

“一箱制”实现车船直取、集装箱不落地，直接装船出海无须二次倒运换装，实现“零货损”同时，铁海快线货物运输时间由20天缩短至12天，运时更快。

与传统多式联运相比，“一单制”铁海快线具有“一次委托、一份单证、一次结算、一箱到底”的特点，直接由铁路部门统筹整个物流环节，减少企业与海运、公路等环节的货运协商、单证交接、短驳运输、货物换装等环节，运输效率提高40%。以首趟班列发货企业为例，通过综合测算，每趟班列平均节省港口换装等费用超过2万元，全年可为企业节省物流成本600余万元，实现全链条综合物流成本降低。

哈尔滨铁路物流中心整合区域内的铁路物流资源，实现铁路物流业务和市场的统一管理和开发，同时加强与公路、水运等其他方式的融合发展，为客户提供全程物流服务，由过去的“站到站”的运输向“门到门”转变，推动物流服务在仓储、转运、装卸、运输方式衔接等方面提高效率，缩短货物在途时间，努力解决单一运输成本低、全链条运行物流成本高的难题，为降低企业财务成本和交易成本提供有效方案。

资料来源：中铁集装箱运输有限责任公司官方网站

日期：2024-03-29

网址：https：//www.crct.com/index.php？m=content&c=index&a=show&catid=20&id=605

请结合以上案例以及本项目内容分析以下问题：

1. 案例中提到“一单制”铁海快线班列首次采用35 t新型宽体集装箱，与传统标准集装箱相比，装载量增加了3 t。请结合本项目内容，分析集装箱运输的优势，并讨论新型集装箱的应用对运输效率和成本的影响。另外，你认为集装箱标准化对国际多式联运的发展有什么重要意义？

2. 案例中提到的“一单制”铁海快线班列具有“一次委托、一份单证、一次结算、一箱到底”的特点。请结合本项目内容，分析国际多式联运的主要特征，并讨论这种模式如何提高了运输效率、降低了物流成本。

3. 与传统多式联运相比，“一单制”铁海快线班列在哪些方面进行了优化？这些优化如何帮助企业降低物流成本？

4. 案例中提到哈尔滨铁路物流中心与多家企业协作，整合铁路、海运资源，实现了“门到门”的全程物流服务。请结合本章内容，分析集装箱运输和多式联运中各关系方的角色，并讨论如何通过有效的组织与协调实现全链条物流服务。

集装箱运输是以集装箱为单元进行货物运输的一种货运方式，集装箱的发明和使用促进了国际物流运输方式的改革升级，同时集装箱的标准化使各种运输方式之间高效衔接成为可能。集装箱运输和集装箱标准化使得各种运输工具和方式之间能够密切配合、紧凑衔接，货物所到之处中转迅速及时，从根本上提高了国际物流的时效性，国际多式联运就是在此基础上发展起来的。集装箱运输和国际多式联运的优势在实践中得到充分的验证，而且直接带动了贸易全球化，各个国家的企业分工协作，最后形成一条完美的全球产业链条，推动资源在世界范围内的合理配置。

任务一　集装箱运输组织

一、集装箱的概念

集装箱（Container）是指海、陆、空不同运输方式进行联运时用以装运货物的一种容器。我国香港特区称为“货箱”，我国台湾地区称为“货柜”。集装箱是用钢、铝、胶合板、玻璃钢或这些材料混合制成的，具有坚固、密封和可反复使用等优越性。国际标准化组织（ISO）将集装箱定义为集装箱是一种运输设备，应满足以下要求：

（1）具有足够的强度，在有效使用期内可以反复使用；

（2）适于一种或多种运输方式运送货物，途中无须倒装；

（3）设有供快速装卸的装置，便于从一种运输方式转到另一种运输方式；

（4）便于箱内货物装满和卸空；

（5）内容积等于或大于 1 m^3（35.3 ft^3）。

二、集装箱的分类

（一）按使用用途分类

（1）干货集装箱（Dry Cargo Container）。

（2）开顶集装箱（Open Top Container）。

（3）台架式及平台式集装箱（Platform Based Container）。

（4）通风集装箱（Ventilated Container）。

（5）冷藏集装箱（Reefer Container）。

（6）散货集装箱（Bulk Container）。

（7）动物集装箱（Pen Container）。

（8）罐式集装箱（Tank Container）。

（9）汽车集装箱（Car Container）。

（二）按集装箱的制作材料分类

（1）钢制集装箱。

（2）铝制集装箱。

（3）不锈钢制集装箱。

（4）玻璃钢制集装箱。

（三）其他分类

按结构分类分为固定式集装箱、折叠式集装箱、薄壳式集装箱。

特殊用途集装箱：防火集装箱、化工防爆集装箱、军用特种集装箱等。

三、集装箱运输的优势

（一）集装箱运输经济效益高

（1）简化包装，节约包装费用。集装箱具有坚固、密封的特点，可以避免货物在运输途中受到损坏，其本身就是一种极好的包装。使用集装箱还可以简化运输包装，有的甚至可以以无包装的状态装箱。

（2）减少货损货差，提高货运质量和运输的安全性。货物装箱并铅封后，途中无须拆箱倒载，一票到底，即使经过长途运输或多次换装，不易损坏箱内货物，还可以有效减少被盗、潮湿、污损等引起的货损和货差。

（3）降低物流成本。据统计，英国在大西洋航线上开展集装箱运输后，运输成本仅为普通杂货船的 1/9。

（二）集装箱运输作业效率高

集装箱作为一种标准规格的运输单元，从根本上改变了因货物原包装尺寸各异、形状不一，不能使用大型装卸机械作业的状况，为实现货物的装卸和搬运机械化提供了条件。例如，在港口的普通码头，装卸效率为 35 t/h，且需配备 17 个装卸工，而在集装箱码头，每小时可装卸 50 个标准箱，按每箱装货 10 t 计算，装卸效率达到 500 t/h，且只需配备 4～8 个工人，工作效率提高了几十倍。随着工业互联网、物联网、5G 等新技术应用，全自动化集装箱码头开始出现，如我国的青岛港，目前是亚洲首个真正意义上的全自动化集装箱码头，也是世界首个“氢+5G”智慧绿色码头，最高作业效率达到 52.1 自然箱/h，较传统码头作业效率提高 30%，人工成本降低 70%左右。

（三）促进多式联运的发展，实现了“门到门”运输

由于集装箱运输在不同运输方式之间换装，不需搬运箱内货物，中途无须倒载，也无须开箱检验，适用于不同运输方式之间的联合运输，所以集装箱的出现使多式联运成为可能，以集装箱为媒介，将货物从内陆发货人的工厂或仓库装箱后，经由海陆空不同运输方式，可一直运至内陆收货人的工厂或仓库。

（四）缩短货物在途和中转时间，提高了港口、场站设施设备的利用率

集装箱标准化给港口、车站的货物装卸的全机械化和自动化创造了条件，标准化的货物单元，使装卸搬运速度加快，缩短了货物的停留时间。同时由于集装箱的强度较大，可以多层堆码，使港口、场站设施的利用率大幅提高。据航运部门统计，一般普通货船在港停留时间约占整个营运时间的 56%，采用集装箱运输，在港时间仅占整个营运时间的 22%。

四、集装箱运输的关系方

（1）货主：集装箱货物的所有人。

（2）承运人：本人或委托他人，以本人名义与托运人订立货物运输合同的人。包括实际承运人、无船承运人和区段承运人。实际承运人是接受承运人委托从事货物运输或部分运输的人，包括接受转委托从事此项运输的其他人。无船承运人是无运输工具而承担运输责任的契约承运人。区段承运人是全程运输中某区段的实际承运人。

（3）装箱人和拆箱人：负责将货物装入和取出集装箱的作业经营者。

（4）集装箱租赁公司：专门经营集装箱空箱出租业务的组织。

（5）联运保赔协会：联运保赔协会是一种由船公司互保的保险组织，对集装箱运输中可能遭受的一切损害进行全面、统一的保险，是集装箱运输发展后产生的新的保险组织。

（6）集装箱码头（堆场）经营人：集装箱码头（堆场）经营人是拥有码头和集装箱堆场经营权（或所有权），从事集装箱在码头的交接、装卸、保管等业务的服务机构。它受托运人或其代理人以及承运人或其代理人的委托提供各种集装箱运输服务。

（7）集装箱货运站：集装箱货运站是在内陆交通比较便利的大中城市设立的提供集装箱交接、中转或其他运输服务的专门场所，一般可分为集装箱内陆货运站及港口货运站。

（8）货运代理人：货运代理人是指根据委托人的要求，代办货物运输业务的机构。它们有的代理承运人向货主揽取货物，有的代理货主向承运人办理托运，有的兼营两个方面的代理业务。它们属于运输中间人性质，在承运人和托运人之间起着桥梁作用。

五、集装箱装箱方式

集装箱运输是将散件货物汇成一个集装箱运输单元，使用船舶等运输工具对集装箱运输单元进行运输的方式。集装箱运输改变了传统的货物流通途径，在集装箱货物的流转过程中，其装载方式可分为整箱货与拼箱货两种。

（一）整箱货（Full Container Load，FCL）

整箱货是指装货量达到每个集装箱容积的 75%或达到每个集装箱负荷量的 95%，整箱货是货方自行将货物装满整箱以后，以箱为单位托运的集装箱。这种情况在货主有足够货源装载一个或数个整箱时采用，除有些大的货主自己置备有集装箱外，一般都是向承运人或集装箱租赁公司租用一定的集装箱。整箱货的特点是货物批量大，全部货物均属于一个货主，到达地一致，货物从发货人处装箱后一直到收货人拆箱为止，一票到底。

（二）拼箱货（Less Than Container Load，LCL）

拼箱货是指承运人（或代理人）接受货主托运的货量达不到整箱标准的，需按拼箱托运，即由承运人的集装箱货运站负责装箱和计数、填写装箱单，并加封志的集装箱货物。承运人负责在箱内每件货物外表状况明显良好的情况下接受并在相同的状况下交付拼箱货。在目前的货运实践中，由于每一票货物的数量较少，因此，装载拼箱货的集装箱内的货物会涉及多个发货人和多个收货人，主要由拼箱集运公司从事拼箱货的货运业务。根据货类性质和目的地进行分类整理，把去同一目的地的货，集中到一定数量后拼装入箱。由于一个箱内有不同货主的货拼装在一起，所以称为拼箱。拼箱货的特点是货物批量小而且货物来自不同起运地，待货物集中后，把不同票但到达同一目的地的货物拼装在同一个集装箱内，再通过各种运输方式把货物运送给收货人。

货运代理或拼箱集运商从事拼箱货运输，因其直接面对客户和承接小批量的货运业务、专门处理相关的货运问题，使班轮公司不再需要为小批量货物专门组织人力和物力，耗费资金和时间承担风险和责任，另外，拼箱集运可以扩大货运代理企业的活动空间和业务范围，使货运代理企业通过为小批量货物货主提供良好服务的同时获得回报。拼箱集运还可以通过提供拼箱集运的服务，满足货主对小批量货物在贸易、技术、经济、流通等方面的要求。

六、集装箱的交接

（一）集装箱的交接方式

集装箱交接方式是指承运人与托运人商定的集装箱运输责任划分方式。由于集装箱货物分为整箱货和拼箱货两种，因此，在交接方式上也有所不同，大致有以下 4 类 9 种。下列各种交接方式中，以整箱交、整箱接效果最好，也最能发挥集装箱的优越性。

1. 整箱交货，整箱接货（FCL/FCL）

货主在工厂或仓库把装满货后的整箱交给承运人，收货人在目的地以同样以整箱的方式接货，换言之，承运人以整箱为单位负责交接，货物的装箱和拆箱均由货主负责。

2. 拼箱交货、拼箱接货（LCL/LCL）

货主将不足整箱的小票托运货物在集装箱货运站或内陆转运站交给承运人，由承运人（或其代理人）负责拼箱和装箱，并运到目的地集装箱货运站或内陆转运站，由承运人负责拆箱，拆箱后，收货人凭单接货，货物的装箱和拆箱均由承运人负责。

3. 整箱交货，拼箱接货（FCL/LCL）

货主在工厂或仓库把装满货后的整箱交给承运人（或其代理人），在目的地的集装箱货运站或内陆转运站由承运人负责拆箱后，各收货人凭单接货。

4. 拼箱交货，整箱接货（LCL/FCL）

货主将不足整箱的小票托运货物在集装箱货运站或内陆转运站交给承运人（或其代理人）。由承运人分类调整，把同一收货人的货集中拼装成整箱，运到目的地后，承运人以整箱交货，收贷人以整箱接货。

（二）集装箱的交接地点

集装箱货物的交接地点，主要有发货人或收货人的工厂和仓库、集装箱堆场和集装箱货运站等。集装箱堆场（Container Yard，CY），是交接与保管空箱和重箱的场所，也是集装箱换装运输工具的场所。集装箱货运站（Container Freight Station，CFS），是拼箱货交接与保管的场所，也是拼箱货装箱和拆箱的场所。集装箱运输中货物交接地点的组合形式，包括以下 9 种：

（1）门到门（Door to Door）：是指集装箱运输经营人从发货人工厂或仓库接收货物，负责运至收货人工厂或仓库交付。货物的交接形态都是整箱接，整箱交。

（2）门到场（Door to CY）：是指集装箱运输经营人从发货人工厂或仓库接收货物，并负责运至卸货港码头堆场或其内陆堆场，向收货人交付。这种货物的交接形态也都是整箱接、整箱交。

（3）门到站（Door to CFS）：是指集装箱运输经营人在发货人工厂或仓库接收货物并负责运至卸货港码头的集装箱货运站或其在内陆地区的货运站，经拆箱后向各收货人交付。这种货物的交接形态是整箱接、拆箱交。

（4）场到门（CY to Door）：是指集装箱运输经营人在码头堆场或其内陆堆场接收发货人的货物（整箱货）并负责把货物运至收货人的工厂或仓库向收货人交付。这种货物的交接形态是整箱接、整箱交。

（5）场到场（CY to CY）：是指集装箱运输经营人在装货港的码头堆场或其内陆堆场接收货物（整箱货）并负责运至卸货港码头堆场或其内陆堆场，在堆场向收货人交付（整箱货）。这种货物的交接形态是整箱接、整箱交。

（6）场到站（CY to CFS）：是指集装箱运输经营人在装货港的码头堆场或其内陆堆场接收货物，并负责运至卸货港码头集装箱货运站或其在内陆地区的集装箱货运站，经拆箱后向收货人交付。这种货物的交接形态是整箱接、拆箱交。

（7）站到门（CFS to Door）：是指集装箱运输经营人在装货港码头的集装箱货运站及其内陆的集装箱货运站接受货物拼箱后运至收货人的工厂或仓库交付。这种货物的交接形态是拼箱接、整箱交。

（8）站到场（CFS to CY）：是指集装箱运输经营人在装货港码头或其内陆的集装箱货运站接受货物经拼箱后运至卸货港码头或内陆地区的堆场交付。这种货物的交接形态是拼箱接、整箱交。

（9）站到站（CFS to CFS）：是指集装箱运输经营人在装货港码头或内陆地区的集装箱货运站接受货物经拼箱后运至卸货港码头或其内陆地区的集装箱货运站，拆箱后，向收货人交付。这种货物的交接形态是拼箱接、拆箱交。

七、国际集装箱货运出口程序

（一）委托代理

在国际集装箱货物运输中，货主一般都委托货运代理为其办理有关的国际货运手续。

（二）货运代理接受委托申请，进行订舱

货运代理接受委托后，根据货主提供的有关贸易合同或信用证条款的规定，参考船公司发布的船期表及各种航运信息，向船公司或船公司的代理人在其所营运或所代理船只预订舱位即订舱。

（三）船公司接受托运申请并出具手续

船方接受订舱，订好舱位后，会在托运单上填加船名、航次和编号（该编号与提单号一致），将配好的舱位信息发给货运代理，即配仓回单（装货单），同时还应在装货单上加盖船公司或其代理的图章以示确认，然后将有关各联退还发货人，供货代办理报关、装船和换取提单之用。

（四）提取空箱

在订舱后，货运代理人应提出使用集装箱的申请，船方会给予安排并发放集装箱设备交接单，凭设备交接单，货运代理人就可安排提取所需的集装箱。在整箱货运输时，通常是由货运代理人安排集装箱卡车运输公司到集装箱空箱堆场领取空箱。但可以由货主自己安排提箱。无论由谁安排提箱，在领取空箱时，提箱人都应与集装箱堆场办理空箱交接手续，并填制设备交接单。

（五）货物装箱与交接

集装箱装箱方式一般分为内装和产装。内装是指先送货到港口周围或附近的装箱堆场或仓库，在这些堆场或仓库进行装箱，等待集港。产装是指直接把空集装箱运到工厂或物流仓库，直接装箱，装完后运到港口周围或附近的堆场，等待集港。装箱人应根据订舱清单的资料，并核对场站收据和货物装箱的情况，填制集装箱货物装箱单。然后由发货人或货代将重箱和场站收据一并送往堆场，集装箱堆场点收货箱无误后，代表船方在场站收据上签字并将该收据退还来人，证明收到货物，并开始承担责任，发货人凭场站收据，向负责集装箱运输的人或其代理人换取提单，发货人取得提单后，就可以去银行结汇。

（六）出口申报

发货人或者其代理人向海关和有关检验检疫机构申请报关和报检。

凡列入《出入境检验检疫机构实施检验检疫的进出境商品目录表》的出口商品和其他法律、法规规定须经检验的出口商品，或合同规定必须经由海关检验出证的商品，在完成备货后，应在规定地点和期限内向检验机构申请检验。

货物或运输工具进出境时，其收发货人或其代理人必须按规定将货物送进海关指定的集装箱场、集装箱集散站或码头仓库，向进出境口岸海关请求申报，交验规定的证件和单据，接受海关人员对其所报货物和运输工具的查验，依法缴纳海关关税和其他由海关代征的税款，然后才能由海关批准货物和运输工具的放行。放行后，出口人方可办理货物出口装船事宜。

货物通关程序，就出口商而言，可分为申报、查验货物、缴纳税费、放行装运四个步骤；就海关立场而言，可分为收单、验货、估价、放行 4 个步骤（图 7-1）。

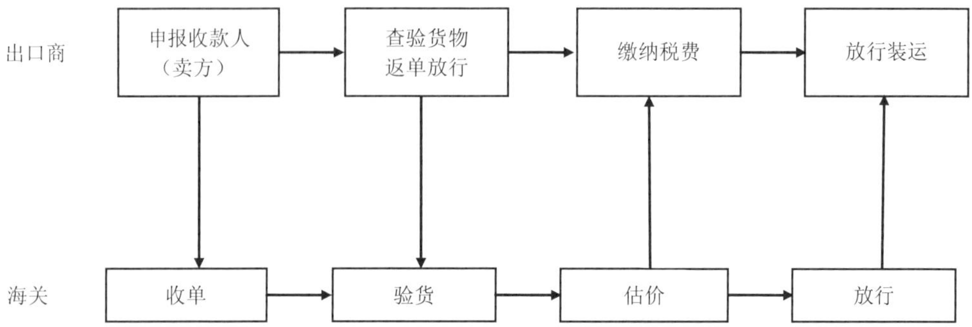

图 7-1 出口通关程序

（七）货物集港

发货人或货运站接到装船通知后于船舶开装前将重箱运进指定港区备货，通常在船舶吊装前 24 小时截止货箱进港。集港就是分散在各处的集装箱集中到港区，所以要在船舶靠港前 1～3 天，把所有要装船的集装箱集中到码头，等待装船。集港时间，通常也被称为开港时间。所谓"开港"，就是允许集港的最早时间，也就是集港的开始时间。截港是指码头截止收柜的时间，在这个时间之前，装好货的货柜可以入码头或仓库，过了这个时间就不可以再进码头了，有时候也称截重柜。截港时间也称集港截止时间，过了这个时间点，就不能集港了，也就意味着没有赶上此航次。但是，在现实操作中，如果截港后，船舶因各种原因实际开船时间晚于预定开船时间，且有空余仓位，有时还可以办理申请晚集（Late Come），船公司一般会批准合理的晚集申请。

（八）装船

集装箱码头堆场或集装箱装卸区根据接受待装的货箱情况，制订出船舶积载计划，集装箱船在码头靠泊后，便由港口理货员按照积载计划装船。

八、国际集装箱货运进口程序

（一）进口港船舶代理人做好接货准备

进口港船舶代理人根据出口港寄来的有关货运单证，做好接货准备，并将单证分别送交国内的运输代理、集装箱堆场和货运站。进口港船舶代理人通知收货人船舶到港时间，使其做好接货准备，并且在船舶到港后发出到货通知。

（二）收货人或其代理人做好收货准备

收货人在收到进口港船舶代理人的接货准备通知后，向自己的货运代理人提供进口全套单据，货代联系承运船公司的船代，确认船舶到港时间、地点及换取提货单（小提单）的具体信息。收货人需要提供的进口单据，包括带背书的正本提单或电放副本、装箱单、发票、合同（一般贸易），货代提前联系集装箱场站并确认相关信息和费用。

（三）换单

收货人按到货通知凭带背书的正本提单（如果电报放货，可带电报放货的传真件与保函）向船公司或船代换取提货单（小提单），船公司或其代理核对提单无误后，签发提货单。

（四）进口申报

根据现行《中华人民共和国进出口商品检验法实施条例》和其他相关法规的规定，列入法定检验范围的进口商品必须按规定施行强制性检验。需要实施检验的商品必须检验合格领得证书后，才能办理通关提货。对不属于法定检验的进口商品，检验机构可以抽样检验并实施监督管理。应施行进口检验的商品，由进口商填具“入境货物检验检疫申请”，并备齐有关进口证件（商业发票、装箱单、合同、提货单，如果出口商寄来的单据包括“品质证书”“健康证书”“数量/重量证书”“植物检疫证书”“一般原产地证书”或者“普惠制产地证”等，这里也应一并提交），向进口港所在地的检验机构申请检验。

进口商报检后可办理进口报关，免检的情况下，到货并且取提货单后即可报关。与出口报关同理，货物或运输工具进出境时，其收发货人或其代理人必须按规定将货物送进海关指定的集装箱场、集装箱集散站或码头仓库，向进出境口岸海关请求申报，交验规定的证件和单据，接受海关人员对其所报货物和运输工具的查验，依法缴纳海关关税和其他由海关代征的税款，然后才能由海关批准货物和运输工具的放行。放行后，进口人方可办理提货等事宜。进口货物的通关程序，就进口商而言，一般可分为申报进境、交验货物、缴纳税费及凭单提货 4 个步骤；而就海关立场而言，可分为接受申报、审单查验、征税、结关放行 4 个步骤（图 7-2）。

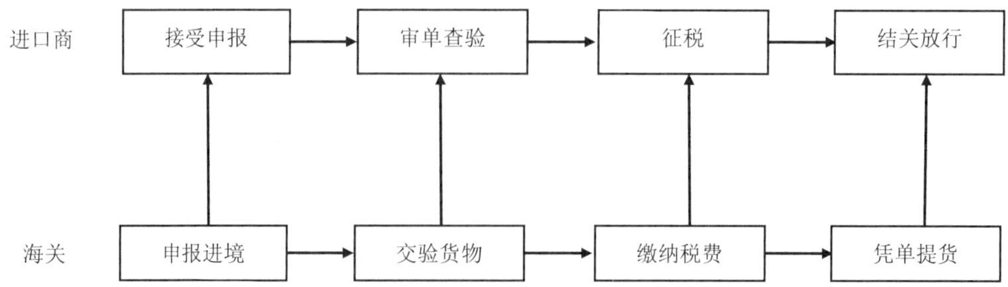

图 7-2 进口通关程序

1. 申报进境

进口货物到港后，进口企业或其代理人就可按照国家海关法令规定，向海关申报验放。

（1）申报时限：《中华人民共和国海关法》规定，进口货物的报关时限为自运输工具申报进境之日起 14 天内，过期申报的，海关会根据过期时长按进口货物的 CIF 价格征收一定比例的滞报金；超过 3 个月还未申报的，海关可以将其变卖，所得款项在扣除运输、装卸、储存等费用及税款后，如尚有余款，自货物变卖 1 年内，还予已申请的收货人，超期无人申请的则上缴国库。

（2）报关单的填写：进口企业或其代理人在法定期限内办理进口报关时，需要如实填写“进口货物报关单”。

（3）交验单证：申报的有关单证是指与所报货物相对应的，凭以支持报关单填报的单据和证件。除报关单外，报关单证可分为基本单证、特殊单证、预备单证三大类。

①基本单证主要包括因进口交易而产生的货物成交、包装、运输、结算和保险等进口商业单据（如发票、装箱单、提单等）。

②特殊单证是国家规定实行特殊管制的证件。主要包括进口货物许可证及其他各类特殊管理证件。

③预备单证是在办理进口货物手续时，海关需要时需查阅或收取的证件，主要包括合同、原地证等。

2. 审单查验

（1）报关单的审核：海关对报关单证的审核是进口报关的核心环节。在实际业务中，海关先对报关单证做初步审查，再从形式上和内容上进行全面、详细的审核。

（2）进口货物的查验：除海关批准免验的进口货物外，都必须接受海关的查验，而且必须在海关规定的时间和场所进行。海关确定查验后，由现场接单关员打印《查验通知单》。海关查验时，进口货物的收货人或其代理人必须在场，并按照要求配合海关进行查验工作。查验结束后，由陪同人员在《查验记录单》上签名、确认。

3. 缴纳税费

我国实行普通与优惠两栏的复式税则制。税则商品分类目录采用国际实行的商品分类目录，在税则适用的原则上采用国际通行的原产地原则。

（1）进口关税的类别

①最惠国关税：适用于原产于 WTO 成员国（地区）或与我国签定有相互给予最惠国待遇条款的双边贸易协定的国家（地区）的进口货物。

②协定关税：适用于我国参加的含有关税优惠条款的区域性贸易协定的有关缔约国（地区）的进口货物。

③特惠关税：适用于与我国签订有特殊优惠关税协定的国家（地区）的进口货物。

④普通关税：普通关税适用于上述国家（地区）以外的国家（地区）的进口货物。

（2）海关代征税

海关代征税是指由国内其他税法所规定，由海关代其他机关在进出境环节征收的税。代征税代征的是国内税。目前，根据不同的征税对象，海关代征税有增值税、消费税、船舶吨税。

（3）其他税费：海关除征收关税和代征税外，还征收监管手续费、反倾销税、反补贴税等其他税费。

4. 放行

海关在前期审单和验货后，没有发现不正常的情况，在放行前，再派专人对该票进口货物的全部单证及查验货物记录等进行全面的复合审查，确认报关单位手续齐全、单证齐全、货物合法，并已按章纳税，便在货运单据上签章放行，或者由海关签发提货单予以放行，以示海关同意货物进境。但海关对享受特定减免税待遇进口的货物，在放行后，仍要进行后续监管。海关放行后，进口商即可提货。

（五）办理设备交接单

货代凭带背书的正本提单（电放放货的传真件和保函）去船公司或船代的箱管部办理设备交接单。设备交接单是集装箱进出港区、场站时，回箱人、运箱人与箱管人或其代理之间交换集装箱及其他机械设备的凭证，并有管箱人发放集装箱凭证的功能。它分进场和出场两种，交换手续均在码头堆场大门口办理。拼箱货（CFS 条款交货），凭船代业务部进口科的通知单到箱管部交纳进口单证费，然后可凭小提单和分单到码头直接提取货物，无须办理设备交接单。

（六）提箱及空箱返还

货代凭小提单和拖车公司的“提箱申请书”到箱管部办理进口集装箱超期使用费、卸箱费、进口单证费等费用的押款手续。若押款人不是提单上所注明的收货人，押款人必须出具同意为收货人押款并支付相应费用的保证函（保函）。押款完毕经船代箱管部授权后到进口放箱岗办理提箱手续，领取集装箱设备交接单，并核对其内容是否正确。收货人拆空进口货物后，将空箱返回指定的回箱地点。空箱返回指定堆场后，收货人要及时凭押款凭证，到箱管部办理集装箱费用的结算手续。

（七）提货

货代或收货人凭“小提单”，联系拖车到船代指定的码头、场站提取货物，押款人到箱管部办理集装箱押款结算手续。拼箱货需要到船公司或船代理签取散货分提单（分单），提货时凭小提单和分单到码头提取货物。

案例 7-1　天津港集装箱货物流转三大纸质单证均已实现电子化

资料 1：天津市港航管理局发布关于全面推广集装箱进口提货单电子化操作的通知

为进一步优化天津口岸跨境贸易营商环境，提高水运口岸物流效率，经研究决定，自 2021 年 1 月 5 日起，在天津水运口岸全面推广集装箱进口提货单电子化操作业务，现将有关事宜通知如下：

一、全面推广集装箱进口提货单电子化流转，将原纸质提货单变为各方认可的电子数据进行流转，允许以电子数据进行业务办理和物权交接（有特殊监管要求除外）。各单位、企业事权、物权、提货权关系不改变。

二、集装箱进口提货单电子化平台数据接口、操作指南等事宜，详见集装箱进口提货单电子化平台（https：//edo.tjgportnet.com）数据服务及帮助中心。

三、各相关企业应全面实现实施集装箱进口提货单电子化操作，积极配合、密切协作，加快系统对接和推广工作。天津集装箱进口提货单电子化平台必须做好电子化信息的存证和技术溯源工作。

资料来源：天津市交通运输委员会官方网站

时间：2021-01-04

网址：https：//jtys.tj.gov.cn/ZWXX2900/TZGG2982/202101/t20210104_5283922.html

资料 2:“集装箱进口提货单电子化平台”正式上线运行　三大纸质单证均实现电子化

为深入贯彻落实习近平总书记视察天津港重要指示精神，扎实推进世界一流港口建设，按照天津市促进跨境贸易便利化专项行动部署会和天津港口降费提效治乱出清优化环境专项行动工作要求，由市港航局牵头组织、市商务局共同参与、天津港集团开发建设的“集装箱进口提货单电子化平台”于 2021 年 1 月初正式上线运行。至此，集装箱货物流转三大纸质单证（设备交接单、装箱单、提货单）均已实现电子化。

2019 年，市港航局推动建成进出口国际集装箱“一码通”物流信息数据平台，天津港依托该平台实现了进出口环节各服务主体的信息交互，完成了集装箱物流链各环节的信息流转，纸质交接单证相继实现无纸化。然而，提货单作为收货人及其代理人提取货物的重要凭证，关系到提货权的转移和交接，其具备一定的物权凭证效力，一旦出现差错会带来较大风险，且流转环节多，迟迟未能实现电子化，这成为制约跨境贸易便利化水平和港口物流效率提升的瓶颈问题。

为打通这一影响港口单证无纸化进程的“最后一公里”，2020 年 1 月，市港航局联合市商务局、天津港集团正式启动集装箱进口提货单电子化项目建设。一年来，市港航局会同天津港集团等相关部门单位围绕提货单电子化所涉及的业务流程再造、信息系统构建、安全风险防控等问题进行了 12 次专题研讨并赴上海等国内一流港口学习调研。整体工作的推进努力克服了新冠疫情持续的不利影响，仅用时 10 个月，就完成了从理念设计、应用调研、框架开发、联调测试到正式运行的一整套信息化平台的开发建设，推进速度位居全国沿海港口前列。在此期间，在市港航局的统一组织和协调下，相关部门及单位积极参与，准确把握平台建设开发方向，充分酝酿平台运行准备工作，并于 2020 年 11 月 17 日完成首次实船测试。在充分获取测试数据以及相关船公司（船代）、货代、港口企业反馈信息的基础上，平台于 2020 年 12 月 1 日上线试运行。

全面实行提货单电子化，不仅能为数据流转提供全方位、多角度保障，而且开设在线业务授权、网上提箱预约、校验码无纸提箱等全程无纸化业务办理模式，更大幅度提升了相关业务环节的效率。一方面，省去了货代与车队、车队与司机、司机与码头间的纸质单据交接环节，业务环节大幅压减，办单效率提高 75%；另一方面，电子提货单的上线应用，解决了提箱业务环节中长期困扰客户的“多跑腿”问题，使他们不再需要频繁往返于船公司、船代、码头、堆场的业务受理窗口，为企业节省了大量的时间和人力成本，让企业充分体会到了“数据多跑路，群众少跑腿”的信息化工作宗旨。

提货单的电子化应用，为进一步畅通天津港口岸货物装卸及运输环节、持续提升业务链条整体数字化水平提供了有力支撑，为有效提升口岸综合服务能力，持续优化口岸营商环境，充分发挥天津港在服务京津冀协同发展和“一带一路”战略中的重要作用提供了坚强保障！

资料来源：天津市人民政府官方网站
时间：2021-01-13
网址：https: //www.tj.gov.cn/sy/zwdt/bmdt/202101/t20210113_5321620.html

请结合以上案例以及本任务模块内容分析以下问题：

1. 从集装箱运输关系方的角度分析，提货单电子化对货代、车队、码头等各方在业务流程和合作模式上产生了哪些具体变化。

2. 结合集装箱货运进出口程序，阐述提货单电子化如何影响国际集装箱货运出口和进口程序的效率，在哪些环节体现出明显优势。

3. 在集装箱装箱方式和交接过程中，三大纸质单证电子化可能会面临哪些挑战？天津港是如何克服这些挑战以实现高效流转的？

任务二　国际多式联运货运组织

一、国际多式联运的概念

多式联运不仅仅是不同运输工具进行的联合运输，更重要的是在全程运输中只有一份运输合同，由多式联运经营人作为合同承运人统一组织全程运输，负责将货物从接货地运往交货地。因此，多式联运在本质上不同于普通的联合运输（联合运输：从接受委托至到达交付，组织使用两种及以上的运输方式完成的货物运输形式）它是一种以实现货物整体运输的最优化效益为目标的联运组织形式。据《联合国国际货物多式联运公约》，国际多式联运（Multi-modal Transport）是指多式联运经营人按照多式联运合同，以至少两种不同的运输方式，将货物从一国境内接管货物的地点运至另一国境内指定交付货物的地点的运输方式。

二、国际多式联运的特征

（1）要有一份多式联运合同。明确规定多式联运经营人（承运人）和联运人之间的权利、义务、责任、豁免的合同关系和多式联运的性质。

（2）必须使用一份全程多式联运单证（Multi-modal Transport Documents，MTD）。即证明多式联运合同及多式联运经营人已接管货物并负责按照合同条款交付货物所签发的单据。

（3）必须是两种或两种以上不同运输方式的连贯运输。《联合国国际货物多式联运公约》对运输方式的种类未作限制，可以由陆海、陆空、海空等运输方式组成，但《中华人民共和国海商法》规定必须有一程为海运。

（4）必须是国际货物运输。这是区别于国内运输和是否适用国际法规的限制条件。

（5）必须有一个多式联运经营人对全程运输负总的责任。这是多式联运的一个重要特征，由多式联运经营人去寻找分承运人实现分段的运输。

（6）必须对货主实现全程单一运费费率。多式联运经营人在对货主负运输全程责任的基础上，制定一个货物发运地至目的地的全程单一费率，并以包干形式一次性向货主收取。

三、国际多式联运的优越性

国际多式联运是利用集装箱进行联运的一种国际物流组织方式，它采用海陆空等两种以上的运输手段完成国际的连贯货物运输从而打破了过去海运、铁路、公路、航空等单一运输方式互不连贯的传统做法，其优越性主要表现在以下几个方面。

（1）手续便捷，责任统一

在国际多式联运方式下，无论货物运输距离有多远，由几种运输方式共同完成，不论运输途中货物经过多少次中转，所有运输事项均由多式联运经营人负责办理，托运人只需办理一次托运、订立一份运输合同、支付一次费用，办理一次保险。因此，对于货主企业而言，可以最大限度地简化因国际运输而产生的复杂手续。此外，一旦运输过程中发生货损货差，由多式联运经营人对全程运输负责，国际多式联运经营人根据具体情况可以向分段承运人追责，对于货主企业而言，大大简化了索赔手续。

（2）减少中间环节，缩短运输时间，减少货损货差，保证运输质量

国际多式联运通常以集装箱为运输单元，进行“门到门”运输，货物从发货人仓库装箱、验关、铅封以后，直接运到收货人的仓库交货，中途无须拆箱倒载，即使运输过程中要经多次转运换装，但是集装箱的装卸搬运都是自动化、机械化运作，不触及箱内货物，货损货差和被盗等风险都会大幅降低，从而能够较好地保证货物安全和货运质量。此外，由于是连贯运输，各个运输环节和运输方式之间密切配合，衔接紧密，货物所到之处，中转迅速及时，缩短了在途的停留时间，加快了运输速度，缩短了货运时间。

（3）可以加速资金周转，降低物流成本

多式联运是实现“门到门”运输的有效方式，对于货主来说，货物装箱或装上第一程运输工具后，便可以凭多式联运经营人签发的联运单据，向银行议付结汇，一般可以提前 7～10 天结汇，从而加速资金周转。另外，采用集装箱运输，还可以在一定程度上降低货物包装、保险费用、单证和手续费用。

（4）提高运输合理化水平

对于传统国际物流运输而言，由于各区段、各种运输方式的经营人各自为政、自成体系，很少考虑运输链条中其他成员的利益问题，所以很难实现整个运输链条的利益最大化。而国际多式联运这种运输方式下由多式联运经营人统一对运输路线和运输成员单位进行组织和规划，能够最大限度地发挥多式联运的价值，实现合理化运输。

四、国际多式联运经营人出口业务运作流程

（一）营销揽货

营销揽货环节的工作内容就是向货主承揽运输业务。经过与竞争者的费率进行比较，调整各种费用报价，并向货主提出有竞争优势的报价单，报价经货主接受后，双方达成合作意向，签订协议书。

（二）接受托运申请订立多式联运合同

多式联运经营人根据货主提出的托运申请以及所运营的运输线路等情况，协定有关事项，发货人或其代理人根据双方就货物交接方式、时间、地点、付费方式等达成的协议后签订多式联运合同，在交给发货人或其代理人的场站收据副本上签章，证明接受托运申请，多式联运合同开始执行。

（三）编制作业计划

（1）多式联运经营人接受货主委托后，应该制订运输计划，与各区段实际承运人订立分运合同。计划内容应包括货物的运输路线、区段的划分、各区段实际承运人的选择确定及各区段间衔接地点的到达、起运时间等内容。

（2）集齐托运人出口所需的各种单证。

（3）国际多式联运经营人根据具体情况向合适的实际区段的承运人租船、订舱或预定列车车皮进行货物运输。

（四）货物装箱及交接

国际多式联运经营人按托运人的托运要求安排运输线路、接货、安排内陆运输、仓储。国际多式联运中使用的集装箱一般由多式联运经营人提供，这些集装箱的来源可能有 3 种：一种是多式联运经营人自己购置使用的集装箱；另一种是向租箱公司租用的集装箱，这类集装箱一般在货物起运地附近提箱，在货物交付地附近还箱；还有一种由全程运输中的某一分承运人提供，这类集装箱一般需要在多式联运经营人为完成合同运输

而与该分运人（一般是海上区段承运人）订立分运合同后才获得使用权。

如果双方协议由发货人自行装箱，则多式联运经营人应签发提箱单，交给发货人或其代理人，由他们在规定日期到指定的堆场提箱并自行将空箱拖运到货物装箱地点，准备装货。如果是拼箱货或整箱货但发货人无装箱条件不能自装，则由多式联运经营人将所用空箱调运至接收货物的集装箱货运站，做好装箱准备。若是发货人自行装箱，发货人或其代理人提取空箱后在自己的工厂和仓库组织装箱，装箱工作一般要在报关后进行，并请海关派人到装箱地点监装和办理加封事宜，如需理货，还应请理货人员现场理货并与之共同制作装箱单。如是拼箱货物，发货人应负责将货物运至指定的集装箱货运站，由货运站按多式联运经营人的指示装箱。无论装箱工作由谁负责，装箱人均需制作装箱单，并办理海关监装与加封事宜。

（五）出口通关

1. 申报

申报即通常所说的“报关”，国际多式联运经营人在出口货物通过海关监管的口岸时，在海关规定的期限内，以书面或者电子数据交换（EDI）方式向海关报告其进出口货物的情况，并随附有关货运和商业单据，申请海关审查放行，并对所报告内容的真实性、准确性承担法律责任的行为。申报内容包括进出口货物的经营单位、收发货单位、申报单位、运输方式、贸易方式、贸易国别以及货物的实际状况（主要包括名称、规格型号、数量、重量、价格等内容）。

2. 查验货物

货物查验即验关，是指海关在接受报关单位的报关员的申报后，依法为确定进出境货物、运输工具和物品的性质、原产地、货物状况、数量和价值是否与报关单上已填报的内容相符，对货物实施检查的行政执法行为。通过对货物的查验可防止以次充好，非法进出及走私、违规、逃漏关税，保证关税依率计征，维护对外贸易正常开展。进出口的货物，除因特殊原因经海关总署特准免验的以外，均应接受海关的查验，查验进出口货物，应当在海关规定的时间和场所进行，一般在海关监管区的进出口岸码头、车站、机场、邮局或海关的其他监管场所。对进出口大宗散货、危险品、鲜活品，经申请可在作业现场予以查验。在特殊情况下，经申请，海关审核同意，也可派员按规定的时间到规定场所以外的工厂、仓库或施工工地查验货物，并按规定收取规费。

3. 缴纳税费

出口关税是海关根据国家的有关政策、法规对出口货物征收的，主要目的是控制一些商品的盲目出口，目前除少数商品外，大部分货物出口是免征关税的。纳税义务人应当在海关填具税款缴纳证后的规定时间内向指定银行缴纳税款，逾期缴纳的，除依法追缴外，由海关按规定收取滞纳金。

4. 放行装运

放行是海关接受出口货物的申报，经过审核报关单据、查验货物、依法征收税费后，对出口货物做出结束海关现场监管决定的行为。对于一般出口货物，在发货人或其代理人如实向海关申报，并如数缴纳应缴税款和有关规费后，海关在货物的出口货运单据或特制的放行条上签盖“海关放行章”，出口货物的发货人凭以装船启运出境，海关放行后，即可办理货物装运。

（六）办理货物保险

投保是与保险人（一般是保险公司）订立保险合同，并按照保险合同支付保险费的过程。国际贸易过程中的投保通常是指办理货物运输保险。凡是按 CIF/CIP（到岸价）价格成交的出口合同，卖方在装船前，须及时办理投保手续，填制投保单。投保人在投保时应将货物名称、保额、运输路线、运输工具、开航日期、投保险别等一一列明。该保险由发货人自行办理或由发货人承担费用由多式联运经营人代为代理。货物运输保险可以是全程也可分段投保。

（七）签发多式联运提单，组织完成货物的全程运输

多式联运经营人收取货物后，应向发货人签发多式联运提单。在把提单交给发货人前应注意按双方协定的付费方式及内容、数量向发货人收取其全部应付费用。多式联运经营人有完成和组织完成全程运输的责任和义务。在接收货物后要组织各区段实际承运人、各派出机构及代表人共同协调工作，完成全程中各区段的运输、各区段之间的衔接工作以及运输过程中所涉及的各种服务性工作。并做好运输单据、文件及有关信息的组织和协调工作。国际多式联运经营人要做好货物运输过程中的跟踪监管，定期向发货人或收货人发布货物位置等信息，通知其货物抵达目的地的时间，并要求目的地代理人办理货物进口手续。

（八）单证寄送

货物装船（车、飞机）发运后，国际多式联运经营人将船名（车号、航空运单号）、集装箱发运日期、中转地、目的地等内容先以电传方式通知国外代理，然后填制发运单，连同联合运输单据副本、承运单证、装箱单等有关发运单据寄送给国外代理，由其凭以办理接货、交货或转运工作。

（九）办理运输过程中的海关业务

该环节工作主要包括货物及集装箱进口国的通关手续、进口国内陆段保税（海关监管）运输手续及结关等内容。如果陆上运输要通过其他国家海关和内陆运输线路，则还应包括这些海关的通关及保税运输手续。这些涉及海关的手续一般由多式联运经营人的派出机构或代理人办理，也可由各区段的实际承运人作为多式联运经营人的代表代为办理。由此产生的全部费用应由发货人或收货人承担。如果货物在目的港交付，则结关应在港口所在地海关进行。如在内陆地交货，则应在口岸办理保税（海关监管）运输手续，海关加封后方可运往内陆目的地，然后在内陆海关办理结关手续。

（十）货物交付

当货物运至目的地后，由国际多式联运经营人在目的地的代理通知收货人提货。收货人需凭多式联运提单提货。多式联运经营人或其代理人需按合同规定，收取收货人应付的全部费用，收回提单并签发提货单，提货人凭提货单到指定堆场和地点提取货物。如是整箱提货则收货人在货物取出后将集装箱运回指定的堆场，运输合同方告终止。

（十一）货运事故处理

如果全程运输中发生了货物灭失损害和运输延误，无论是否能确定损害发生的区段，发、收货人均可向多式联运经营人提出索赔，多式联运经营人根据提单条款及双方协议确定责任，并做出赔偿。如果确知事故发生的区段和实际责任者，多式联运经营人则可向其进一步进行索赔，如果已对货物及责任投保则存在要求保险公司赔偿和向保险公司进一步追索的问题。如果受损人和责任人之间不能取得一致意见，则需在诉讼时效内通过提起诉讼和仲裁来解决。

五、国际多式联运经营人进口业务运作流程

国际多式联运经营人进口运作的业务主要包括如下一些环节：接受托运申请→订立多式联运合同→向船公司、铁路部门或航空公司申请订车、租船、订舱→收货人通知托运人准备集装箱装船等事宜→签发全程多式联运提单和收取海运提单→传递货运信息和寄送相关单证→办理货物在中转港的海关转关手续及制作货运单据→办理通关手续→提取货物与交付货物。

案例 7-2 青岛依托上合示范区 推动多式联运改革

近年来，针对陆路运输资源分散、规则不统一、单证金融化不够等堵点痛点，青岛从资源整合、金融赋能等方面发力，创新推动多式联运改革。打通国际物流“中梗阻”，海铁联运量连续 9 年位居全国沿海港口城市首位，中欧班列通达 23 个上合组织和“一带一路”沿线国家的 54 个城市，国际物流中心建设成效初步显现。

（1）依托上合示范区多式联运中心，创新“整列直达+TIR”运输新模式。青岛市通过整合山东济铁胶州物流园、中铁联集青岛中心站、青岛港等关键货运枢纽，组建上合示范区青岛多式联运中心，运营“上合快线”，实现青岛整列直达上合组织国家主要节点城市班列，减少中转、换装、编组环节，与常规班列相比，节省时间 10% ~ 15%，总体费用节省 7% ~ 10%。同时，引入国际公路运输系统，创新推出“中欧班列+TIR”运输新模式，实现上合示范区至莫斯科国际道路运输定班专线常态化运行，将“日韩陆海快线”延伸至日韩主要港口，实现跨境运输一次申报、一证直达，减少通关时间和成本。

（2）重构单证规则，推动上合示范区多式联运“一单制”改革。与中国国际货运代理协会合作，重新建立单证规则，在上合示范区试点使用 CIFA 提单，建立“一份合同、一张单证、一次付费、一单到底”的全程运输模式，将货物交易变成单证交易，贸易单据处理由原有的“多头接洽”转变为“一窗受理”，单据流转时间缩短 30%，此外，引入信用池系统，通过搭建供应链金融服务平台，实现陆运、海运相关业务单位数据无缝对接，开展线上仓单质押融资业务，打造“班列+进出口企业+供应链金融”模式。

（3）搭建多式联运综合服务平台，拓展延伸港口功能。青岛搭建“云港通”平台，推广铁矿石“船铁直转”作业模式，卸船作业线直连铁路装车作业线，铁矿石运输时间从 7 天缩短至 2 天；在 20 余个内陆港应用“陆海通”多式联运平台，通过在途监管功能，畅通内陆港与港口、船公司、海关的信息通道，为内陆进出口企业提供“端到端”的全程物流综合服务，提升效率 25%，降低综合物流成本 20%，实现港口功能在内陆港的延伸和拓展；建立多式联运综合服务平台，提供实时业务数据和一站式多式联运信息服务，依托多式联运“数字一单制”跨境联盟网络项目，运用区块链技术打造多式联运电子提单全生命周期运营体系。

资料来源：中华人民共和国交通运输部官方网站（《交通运输部关于印发交通物流降本提质增效典型案例名单（第二批）的通知》）

时间：2024-11-18

网址：https: //xxgk.mot.gov.cn/2020/jigou/ysfws/202412/t20241212_4160962.html［附件 2：交通物流降本提质增效典型案例（第二批）］

请结合以上案例以及本任务模块内容分析以下问题：

1. 青岛创新的“整列直达+TIR”运输新模式属于哪类国际多式联运货运组织形式？这种模式相比常规班列，在时间和费用上有明显节省，从国际多式联运组织形式角度分析这种模式对运输效率提升的关键因素是什么。

2. 青岛推动上合示范区多式联运“一单制”改革，将货物交易变成单证交易，贸易单据处理从“多头接洽”转变为“一窗受理”。请分析这种改革对国际多式联运经营人出口和进口业务运作流程分别带来哪些积极影响。

【行业前沿】

交通运输部　商务部　海关总署　国家金融监督管理总局　国家铁路局　中国民用航空局　国家邮政局　中国国家铁路集团有限公司　关于加快推进多式联运“一单制”“一箱制”发展的意见

（交运发〔2023〕116号）

各省、自治区、直辖市、新疆生产建设兵团交通运输厅（局、委）、商务主管部门、金融监管总局各监管局，海关总署各直属海关，各地区铁路监督管理局，民航各地区管理局，各省、自治区、直辖市邮政管理局，各铁路局集团公司：

多式联运“一单制”“一箱制”是推动多式联运高质量发展的有效途径，是构建现代综合交通运输体系的必然要求。为深入贯彻落实党中央、国务院决策部署，加快推进多式联运“一单制”“一箱制”发展，现提出以下意见：

一、总体要求

（一）指导思想。以习近平新时代中国特色社会主义思想为指导，全面贯彻落实党的二十大精神，坚持稳中求进工作总基调，立足新发展阶段，完整、准确、全面贯彻新发展理念，以推动高质量发展为主题，以深化供给侧结构性改革为主线，加快推进多式联运“一单制”“一箱制”发展，推动交通运输结构调整优化，提高综合运输服务质量和效率，更好服务构建新发展格局，为奋力加快建设交通强国、努力当好中国式现代化的开路先锋、全面建设社会主义现代化国家提供坚强有力的服务保障。

（二）工作目标。力争通过3～5年的努力，多式联运“一单制”“一箱制”法规制度体系进一步完善，多式联运信息加快开放共享，多式联运单证服务功能深化拓展，多式联运龙头骨干企业不断发展壮大，托运人一次委托、费用一次结算、货物一次保险、多式联运经营人全程负责的“一单制”服务模式和集装箱运输“不换箱、不开箱、一箱到底”的“一箱制”服务模式加快推广，进一步推动交通物流提质增效升级，更好服务支撑实现“物畅其流”。

二、主要任务

（一）推进国内多式联运信息互联共享

1. 加快推进多式联运数据开放。加快推动铁路、道路、水路等企业，通过股权合作、数据交易、资源置换等市场化机制，开放多式联运数据。推进信息数据标准化，运用数据接口服务、应用程序接口、嵌入式软件开发工具包、区块链等信息技术，开放业务系统数据接口。铁路开放数据包括但不限于多式联运发到站信息、装卸车信息、到达预报信息、到达确报信息等；道路开放数据包括但不限于起讫地点、货物信息、运力信息、车辆轨迹、运输时间等；水路开放数据包括但不限于港口装卸、货物堆存、船舶进出港、货物单证信息等。

2. 支持多式联运信息集成服务发展。支持铁路、道路、水路以及第三方物流等骨干企业，向多式联运信息集成服务商转型。鼓励企业加快推进不同运输方式信息数据集成整合，通过登录一个业务系统、填报一次运单数据，完成相关多式联运业务办理，实现客户一站式下单、业务集成化处理、单证信息自动流转、货物信息全程追溯。

3. 推广应用标准化多式联运电子运单。引导国内公铁联运率先使用标准化运单，逐步推广到国内铁水联运，做好与空运、海运运单的衔接，推动实现陆海空多式联运运单的统一。推广应用集装箱多式联运运单等标准，鼓励具备条件的企业开展基于标准化多式联运运单的业务流程改造，积极拓展应用场景和范围，构建连接生产流通、串联物流贸易的供应链服务平台。

（二）推进国际多式联运单证应用创新

1. 加快国际多式联运提单推广应用。积极推广应用国际多式联运提单，提升一体化物流服务效能。推动承运企业依托电子锁、物联网、大数据、区块链等技术，加强对货物状态的全程监控，切实提升货物运输在途安全监管能力。鼓励多式联运经营人签发海铁联运全程运输提单，引导多式联运经营人自启运地接收货物后即签发提单，推动国际海运服务功能向内陆延伸。

2. 推动国际多式联运电子提单发展。规范国际多式联运电子提单签发、背书、转让、放货等操作流程，明确提单流转中的责任认定规范等。引导企业完善电子提单信息录入、提单监测、提单交易、提单注销等功能，促进贸易、物流、金融等信息融合。探索扩大区块链技术应用，提高“一单制”数字化效率和安全可信水平。

（三）拓展多式联运“一单制”服务功能

1. 探索赋予多式联运单证物权凭证功能。依托国际铁路联运运单、中国国际货运代理协会多式联运提单等，参照海运提单模式，探索推进以铁路为主的多式联运单证物权化，为国际贸易、金融服务等提供支持。支持铁路企业、货运代理企业、外贸企业、仓储物流企业、银行保险机构等相关市场主体依法订立合同，明确各方权利义务，建立信息验证、全程控货、风险控制的责任机制，在落实控货功能基础上，探索多式联运单证作为提货凭证的唯一性和可流转性。稳步扩大国际多式联运单证在“一带一路”运输贸易中的应用范围。

2. 探索发展多式联运“一单制”金融保险服务。铁路运输单证金融服务试点地区，要支持银行参照海运提单下金融服务模式，将风险可控的铁路运输单证作为结算和融资可接受的单证，为外贸企业提供国际结算、信用证开立、进出口贸易融资、供应链金融等服务。有条件的省市可按照铁路运输单证金融服务试点有关要求，在风险可控的前提下，探索开展基于多式联运单证的金融服务。鼓励优化多式联运“一单制”保险服务，推动有条件的保险机构推出相关多式联运保险，保障提单签发主体的权益，实现“一次保险、全程责任”。

3. 优化多式联运“一单制”通关监管。在国家政务数据共享机制下加强交通运输、商务、海关等部门数据共享，依法依规为企业提供数据开放服务。对在海关注册登记或备案的高级认证多式联运企业，按照相关规定实施便利化措施，优化多式联运进出境货物监管。加强与“一带一路”沿线国家在智慧海关、智能边境、智享联通等方面合作。

（四）健全多式联运“一箱制”服务体系

1. 完善“中途不换箱”合作机制。推动铁路场站设立海运箱还箱点，提供内陆箱管服务，促进集装箱海铁联运发展。加快铁路境外还箱点和回程运输组织体系建设，推动符合国际标准和国家标准的铁路箱下水运输。试点推动建立 35 t 宽体箱为载体的内贸铁水联运体系。鼓励铁路与船公司建立箱使协作机制，推动集装箱循环共用、联合调拨。加快培育集装箱、半挂车、托盘等专业化租赁市场。

2. 优化“全程不开箱”流程管理。健全完善集装箱相关多式联运货物积载等标准，加快集装箱站场智能化建设改造，优化集装箱交接环节掏箱检查等作业流程。推进射频识别、二维码、卫星定位等集装箱全程在线跟踪技术应用，支持具备条件的企业建设集装箱运输数据平台，推动集装箱多式联运全程智能化跟踪管理。

3. 提升“一箱到底”服务能力。结合货源地、主要物流通道分布，加快完善全国集装箱场站布局，健全集装箱中转转运网络。完善提箱、还箱、验箱、洗箱、修箱等服务规则，延伸一体化服务链条，提升集装箱场站运营服务能力，为客户提供“一箱到底”用箱服务。

（五）大力培育多式联运经营人

1. 鼓励骨干企业向多式联运经营人转型。研究多式联运经营人标准，明确多式联运提单签发主体的条件。鼓励和支持具有跨运输方式货运组织能力并具备承担全程责任的企业发展“一单制”“一箱制”，支持企业签发多式联运提单。推进铁路、水路、航空和大型道路运输企业等向多式联运经营人转型，探索依托网络货运平台开展多式联运业务，提高全程组织和服务能力。

2. 引导多式联运相关企业加强协同协作。鼓励推动多式联运经营人，铁路运输、道路运输、水路运输企业以及货运代理和金融机构等加强合作，建立健全各方互认互信的多式联运业务组织流程、运输安全管理等制度标准。鼓励建立区块链提单的技术支撑平台，利用区块链技术加强多式联运企业间信息互通、业务协同、资源共享。

（六）完善多式联运标准规则

1. 健全多式联运“一单制”标准。健全多式联运单证格式、服务要求、业务流程、数据交换等方面技术标准，加快修订多式联运运单、电子运单等标准，推动基于区块链技术的多式联运单证标准研究，统筹做好与国际标准的对接，逐步完善多式联运“一单制”标准体系。

2. 推进多式联运服务规则衔接。推动建立与多式联运相适应的规则协调和互认机制，研究制定不同运输方式货类品名、危险货物划分等衔接互认目录清单，建立完善操作规范、支付结算、赔偿责任、赔偿限额等规则体系。推进铁路运输、道路运输和海运的装载要求、操作流程、安全管理等服务规则衔接。

三、保障措施

（一）加强组织领导。各级交通运输、商务、海关、金融监管、铁路、民航、邮政等部门和单位要加强工作协同，完善工作机制，强化风险管控，及时研究解决制约多式联运“一单制”“一箱制”发展的制度、政策和技术等问题。具备条件的地区，要将多式联运“一单制”“一箱制”作为推进自由贸易试验区贸易投资便利化改革创新重要措施之一，加快推进制度创新、管理创新、模式创新和服务创新，积极推进多式联运“一单制”“一箱制”发展。

（二）完善法规制度。积极开展多式联运“一单制”“一箱制”相关法律研究工作，逐步探索铁路运输单证、联运单证实现物权凭证功能，通过实践积累经验，为完善国内相关立法提供支撑。开展货物多式联运经营服务管理规则研究，进一步规范多式联运“一单制”“一箱制”经营行为。积极推进相关国际规则的修改和制定，推动在国际规则层面解决铁路运输单证物权凭证问题。研究制定货物多式联运量计算方法，研究推进将货物多式联运量等指标纳入交通运输相关统计报表。

（三）强化政策支持。交通运输部将通过国家综合货运枢纽补链强链等政策，持续引导多式联运“一单制”“一箱制”发展。鼓励各地方人民政府，通过对签发提单给予单证费补助，对使用多式联运单证融资给予贷款贴息，对多式联运“一单制”“一箱制”相关信息系统给予资金支持等方式，促进多式联运“一单制”“一箱制”发展。

（四）组织开展试点。交通运输部将多式联运“一单制”“一箱制”作为多式联运示范工程创建重点支持方向，支持企业应用标准化多式联运单证，推动国内多式联运电子运单和国际多式联运提单发展。鼓励各地因地制宜组织开展多式联运“一单制”“一箱制”试点，对于符合试点要求、创新性强、示范作用突出的项目，交通运输部将按程序纳入交通强国建设试点。

资料来源：中华人民共和国中央人民政府官方网站

时间：2023-08-21

网址：https：//www.gov.cn/zhengce/zhengceku/202308/content_6899866.htm

【课后习题】

一、单项选择题

1. 以下被称为“集装箱运输之父”的人是（ ）。

A. 利瓦诺斯　B. 基思•坦林格　C. 马尔科姆•麦克莱恩　D. 奥纳西斯

2. 为了便于计算集装箱数量，通常把（ ）英尺的集装箱作为换算标准箱，简称 TEU，以此作为集装箱船载箱量、港口集装箱吞吐量、集装箱保有量等的计量单位。

A. 10　B. 20　C. 30　D. 40

3. 就出口商而言，货物通关程序表述正确的是（ ）。

A. 申报—缴纳税费—查验货物—放行装运

B. 查验货物—缴纳税费—申报—放行装运

C. 申报—查验货物—缴纳税费—放行装运

D. 查验货物—申报—缴纳税费—放行装运

4. 在进口报检之前，进口商或者其代理人需要取得（ ）方可办理报检。

A. 提货单　B. 提单　C. 报关单　D. 站场收据

5. 《中华人民共和国海关法》规定，进口货物的报关时限为自运输工具申报进境之日起（ ）之内，过期申报的，海关会根据过期时长按进口货物的 CIF 价格征收一定比例的滞报金。

A. 7 天　B. 14 天　C. 1 个月　D. 3 个月

6. 对于集装箱进口业务，货代或收货人凭（ ）联系拖车到船代指定的码头、场站提取货物。

A. 报关单　B. 小提单　C. 站场收据　D. 提单

二、多项选择题

1. 国际集装箱标准化的有利于（ ）。

A. 促进多式联运的发展　　B. 提高装卸搬运效率

C. 降低转运成本　　D. 促进国际贸易的发展

2. 按照装载集装箱的空间来划分，集装箱船可以分为（ ）。

A. 全集装箱船　　B. 滚装船

C. 部分集装箱船　　D. 可变换集装箱船

3. 集装箱运输交接方式包括（ ）。

A. FCL/FCL　　B. LCL/LCL

C. FCL/LCL　　D. LCL/FCL

4. 以下属于集装箱交接中整箱交货、整箱接货的有（ ）。

A. Door to CY　　B. Door to CFS

C. CY to CY　　D. Door to Door

三、简答题

1. 简述集装箱运输的优势。

2. 简述国际多式联运的特征。

【实战训练】

【实训目的】

1. 全面掌握集装箱进口业务流程：从货物到港、报关、清关、集装箱接收、运输到最终返还，学生能够全面了解并模拟整个操作流程。

2. 侧重梳理集装箱接收与返还业务流程：重点模拟集装箱的交接和返还环节，帮助学生厘清相关操作步骤和注意事项。

3. 培养团队协作能力：通过组内角色分工和协作，提升学生的团队合作和沟通能力。

4. 提升实操能力：通过角色扮演和任务执行，提升学生在实际工作中处理集装箱进口业务的能力。

【实训内容】

天津开发区亿得达国际货运代理有限公司接到一笔从德国汉堡港进口的集装箱业务，货物为机械设备，共计 20 个 40 英尺集装箱。货物已抵达天津港，现需完成从报关、清关到集装箱接收、运输及返还的全流程操作。学习小组内部分工协作，分饰不同角色，模拟完成以下任务：

1. 货物到港与单证准：

（1）货主提供货物信息及单证（如合同、发票、装箱单）。

（2）货代接收船公司或代理发送的到货通知（Arrival Notice），准备报关单证。

2. 报关与清关：

（1）货代向海关提交报关单（Customs Declaration），海关审核单证并查验货物（如需要）。

（2）货代缴纳关税和增值税，完成清关手续。

3. 集装箱接收与运输：

（1）货代凭提单（B/L）向船公司或代理换取提箱单（Delivery Order，D/O）。

（2）拖车公司到港口提箱，检查集装箱外观及铅封，签署设备交接单（EIR）。

（3）拖车公司将集装箱运输至客户指定仓库，仓库接收集装箱并卸货，签署交接单（Cargo Receipt）。

4. 集装箱返还：

（1）拖车公司将空箱返还至指定堆场，堆场检查箱体状况，签署设备交接单（EIR）。

（2）货代处理可能产生的箱体损坏或滞箱费用问题。

【实训要求】

1. 角色分工与协作

（1）每组内的学生分别扮演不同角色，明确职责并协作完成整个流程。

（2）组内需通过模拟沟通推进业务流程。

2. 流程模拟

（1）每组需按照任务描述中的步骤，模拟完成从报关、清关到集装箱接收和返还的全过程。

（2）每个环节需填写相关单证，确保单据内容完整、准确。

3. 每组需提交一份完整的实操报告，内容包括流程概述、角色职责与操作步骤、单处理、操作过程中遇到的问题及解决方案、总结与反思。

项目八　保税物流与跨境电商物流

知识与能力目标

- 能够辨别海关监管货物的类型；
- 能复述保税货物的概念及分类、特征及通关流程；
- 能够区分各类海关监管区及其他保税物流载体之间的关系；
- 能总结跨境电商物流的特征及各类跨境电商物流渠道的优缺点及适用情况。

思政目标

- 通过本项目知识点的系统学习，深刻领悟保税物流作为连接国内外市场的关键纽带，在推动“双循环”新发展格局中所发挥的不可替代的重要作用。
- 深入了解海关在优化跨境电商行业发展领域积极作为，在优化营商环境、推动高质量开放进程中的具体行动与卓越成效，激发投身物流行业，为国家经济发展贡献力量的责任感与使命感。

随着“一带一路”倡议的深入推进和“中国制造 2025”强国战略的全面实施，我国国际贸易发展迎来了新的历史机遇，其中以跨境电子商务为代表的新型贸易业态更是展现出蓬勃生机。在国家政策的大力支持下，自由贸易试验区、综合保税区、跨境电商综合试验区等创新平台相继落地，通过制度创新和流程优化，不仅显著提升了贸易便利化水平，降低了企业运营成本，更为各类国际贸易模式的创新发展提供了有力支撑。在此背景下，跨境电商的快速增长为物流行业带来了前所未有的市场机遇与转型升级压力。以菜鸟物流、顺丰国际、中国邮政为代表的国内领先物流企业，敏锐把握行业发展脉搏，积极布局全球物流网络，通过提升服务能力、提高运营效率，力争在日益激烈的国际竞争中占据有利地位。

【导入案例】

创新“仓仓联动”发展新模式 构建高效跨境电商物流通道

潍坊综合保税区立足跨境电商综试区核心区功能定位，聚焦跨境电商企业“出海”物流仓储服务需求，打造“保税仓+海外仓”两仓联动模式，整合综合保税区 30 万 m^2 保税仓资源，支持跨境电商企业设立出口集货仓、退货中心仓、分类监管直转仓等，在美国、澳大利亚等国家设立 14 个海外仓，实现货物的本地化配送，缩短配送周期，物流通关效能提升 30%以上，降低企业综合运营成本 50%以上；同时，结合本地产业带特色，切实推动跨境电商与本地优势产业带深度融合，打造“跨境电商赋能产业带”发展新标杆。

一、功能叠加，构建“仓仓联动”新场景

一是保税仓实现功能集成。整合区内 30 万 m^2 保税仓资源，建成占地 5 万 m^2 全省最大的跨境电商 1210 出口集散中心，支持跨境电商企业设立出口集货仓、退货中心仓、分类监管直转仓等，为企业提供国际物流、货物通关、保税仓储等一站式服务，年节省企业成本 2 000 余万元。

二是海外仓助力企业出海。优化海外仓布局，支持汇达供应链、云里里科技等跨境电商企业在美国、澳大利亚、荷兰等 10 个国家设立海外仓 14 个、总面积 7.8 万 m^2，初步建立完善的跨境电商海外销售、跨境物流枢纽网络，服务外贸企业 80 余家，提供货物中转、退货检修、仓储展示等服务，助力企业“借船出海”。

三是“仓仓联动”释放出口动能。利用保税仓开展国内集货、分拣、仓储、通关等作业，利用海外仓开展配送、售后等服务，打造“仓仓联动”新场景，提升海外仓利用周转效率，提高企业竞争力和市场份额，推动跨境电商供应链跨国布局重塑优化，截至目前，通过“两仓联动”模式出口达 13.5 亿元。

二、平台支撑，打造高效便利新优势

一是提升商品通关效能。推行卡口分类分级管理，配备 CT 机、X 光机等监管设备，开发同屏比对、智能审图等信息化系统，提升跨境电商非侵入式监管水平，实现“即到即放”“无感通关”。完善“一票多车”货物进出区流程，叠加全国通关一体化、提前申报、两步申报、分送集报等改革举措，货物通关效能提升 30%以上。

二是助力企业物流提速。建立 AEO 高级认证企业培育库，引进中外运、DHL 等 20 余家专业物流服务商，建设国际物流分拨中心，围绕歌尔电子等供应链核心企业创新供应商管理库存（VMI）模式，引入第三方专业物流分拨服务商，库存周期由 7 天降为 2 天，所需物料 2 小时即可配送到生产线。

三是加快货物流转出境。建立分类监管货物“区内直转”新模式，在集货仓内设置专门“待检区”，实现保税货物、非保税货物同仓共管、一键切换，货物不用实际进出卡口即可完成状态转换，大幅减少企业货物流转环节。创新“预安检”模式，企业出口货物在潍坊综合保税区完成理货、海关查验、预安检，经密封监管车辆驳运至胶东国际机场后，直接通过绿色通道快速安检，比日常安检排队节约等待时间 2 小时以上，同时，积极推动设立青岛胶东国际机场远程货站，联合市邮管局、邮政公司等部门单位，加快申建国际邮件互换局（交换站），进一步拓展国际邮件、国际快件等服务功能，实现多业态同步发展。

三、要素赋能，优化提升发展新生态

一是产业赋能做强融合发展模式。借助“保税仓+海外仓”的仓仓联动优势，组织企业赴德国、日本精准参展，与 11 家海内外企业达成订单意向，积极实施“跨境电商+产业带”培育工程，推动跨境电商与潍坊优势产业深度融合，打破以往中小企业由于自身规模和资源的限制，难以拓展国际市场的壁垒，为中小企业搭建一座通往全球市场的桥梁，极大地拓宽了市场空间。目前，潍坊综合保税区有 20 余家跨境电商企业携手汽配、纺织服装、纸制品、农产品、乐器、农机等特色产业带，投身于“跨境电商+产业带”模式，实现跨境电商与产业带双向奔赴、强强联合，释放“1+1>2”的聚合效应。

二是政策赋能化解出口退货难点。聚焦企业退货业务需求，积极开展出口退货试点业务，制定跨境电商出口退货流程和监管方案，推出跨境电商出口商品与退货复出口商品“合包”运输等政策，打通退货服务“最后一公里”，补齐跨境电商全产业链条，让出口商品“出得去、退得回”，今年以来，有效降低企业运营成本 300 余万元。

三是金融赋能破解资金周转难题。创新“供应链金融+”服务模式，企业利用保税仓的退税、保税等政策优势集货作抵押，银行释放信用证资金支付货款，企业完成销售后还本付息，盘活企业流动资金 6 800 余万元。为跨境电商出口企业量身定制物流险、信用险、退货险等险种，推动汇达、云里里、德元等 7 家跨境电商企业获评贸易外汇收支便利化试点，建成全省综保区首个外汇一站式服务直联点，单笔收支业务办理时间由 8 小时缩短至 10 分钟以内，为跨境电商企业发展注入金融“活水”。

四是数字赋能提升出口退税效率。组建全省首个跨境电商协同服务中心、出口退税风险监控管理中心，创新出口退税“资料提交无纸化+备案单证数字化+证明开具电子化”模式，率先实现符合纳税信用等级的出口企业 24 小时退税到账，入区集货企业退税时间提前 1 个月以上。

资料来源：潍坊营商（潍坊市优化营商环境工作专班）微信公众号

时间：2024-12-25

网址：https：//mp.weixin.qq.com/s/udrDaxryKiDDfF_2fCzPwg

请结合以上案例以及本项目内容分析以下问题：

1. 保税仓和海外仓在跨境电商发展中分别起到什么作用？

2. 潍坊综合保税区的“仓仓联动”模式是如何实现物流通关效能提升和成本降低的？请结合案例中的具体措施进行分析。

3. 从要素赋能角度，分析“跨境电商+产业带”模式对中小企业拓展国际市场的作用机制，以及政策、金融、数字赋能分别在跨境电商出口业务中起到了怎样的关键作用。

在国际物流庞大而复杂的系统中，保税物流与跨境电商物流扮演着举足轻重的角色。保税物流凭借其独特的政策优势，为货物的存储、加工、配送提供了灵活且低成本的解决方案，极大地提高了国际物流的运转效率。而跨境电商物流则紧密贴合互联网时代的贸易需求，让全球商品得以快速流通，打破了地域限制，拓展了国际市场的边界。随着“一带一路”倡议的持续深化以及国内国际双循环新发展格局的加快构建，保税物流与跨境电商物流的重要性越发凸显。它们是连接国内外市场的关键纽带，不仅降低了贸易成本，还促进了资源的优化配置，推动了国内国际两个市场、两种资源的深度融合，为我国在全球经济舞台上的稳健发展提供了有力支撑，成为不可或缺的重要力量。

任务一 保税物流

一、保税制度

我国的海关保税监管制度是海关依据法律、行政法规和规章，在特定监管要求下，对保税货物进出境、研发、加工、装配、制造、检测、维修、采购、运输、存储、包装、刷唛、改装、组拼、集拼、分销、分拨、中转、转运、配送、调拨、流转等全过程实施监督和管理的行政执法行为和监管作业制度。我国主要依据《中华人民共和国海关法》《中华人民共和国进出口商品检验法》等法律，《保税区海关监管办法》《中华人民共和国进出口关税条例》《中华人民共和国海关行政处罚实施条例》《中华人民共和国海关稽查条例》等行政法规，以及各种海关规章（海关总署令）和上百个规范性文件（海关总署公告或联合公告）等，共同构成了我国的保税监管制度体系。我国保税制度按照适用产业可以分为保税加工制度（适用于我国国民经济行业分类第二产业的制造业）、保税物流制度（适用于第三产业的流通业）、保税服务制度（适用于第三产业的服务业）三大形式。

二、海关监管货物

监管进出境货物是国家赋予海关的职责之一。根据法律规定、贸易惯例及海关监管实践，可以将海关监管货物划分为一般进出口货物，保税货物，减免税货物，暂时进出口货物，过境、转运、通运货物，以及其他尚未办结海关手续的进出境货物六大类，见表 8-1。

表 8-1 海关监管货物分类

名称	定义
一般进出口货物	按照海关一般进出口监管制度监管的进出口货物，即进出口环节缴纳应征的进出口税费并办结所有必要的海关手续，海关放行后不再进行监管，直接进入生产和消费领域流通的进出口货物
保税货物	经海关批准未办理纳税手续进境，在境内储存、加工、装配后复运出境的货物
减免税货物	海关根据国家政策规定准予减税、免税进口的货物，包括法定减免税、特定减免税、临时减免税 3 类
暂时进出口货物	经海关批准，暂时进出境并且在规定期限内复运出境、进境的货物
过境、转运、通运货物	由境外启运、通过中国境内继续运往境外的货物。其中，通过境内陆路运输的，称过境货物；在境内设立海关的地点换装运输工具，而不通过境内陆路运输的，称转运货物；由船舶、航空器载运进境并由原装运输工具载运出境的，称通运货物
其他尚未办结海关手续的进出境货物	不属于上述分类的货物，如超期未报关待提取变卖货物

三、保税货物

（一）保税货物的概念及分类

根据《中华人民共和国海关法》，保税货物是指经海关批准未办理纳税手续进境，在境内储存、加工、装配后复运出境的货物。按照企业经营生产活动形态、作业特点及海关监管方式等，将保税货物分为保税加工货物、保税物流货物和保税服务货物三大类。

（1）保税加工货物是通常所说的加工贸易保税货物，是指经海关批准未办理纳税手续进境，在境内加工、装配后复运出境的货物。保税加工货物包括专为加工、装配出口产品而从国外进口且海关准予保税的原材料、零部件、元器件、包装物料、辅助材料（简称料件）以及用上述料件生产的成品、半成品。

（2）保税物流货物是指经海关批准未办理纳税手续进境，在境内储存后复运出境的货物，也称保税仓储货物。已办结海关出口手续尚未离境，经海关批准存放在海关专用监管场所或特殊监管区域的货物，带有保税物流货物的性质。

（3）保税服务货物是指为顺利开展保税服务需要对提供服务的设备进行保税处理，

如加工贸易中的加工贸易设备、保税维修涉及到的维修用件、保税租赁物品等。

（二）保税货物的特征

1. 特定目的

《中华人民共和国海关法》将保税货物限定为两种特定目的而进口的货物，即进行贸易活动（储存）和加工制造活动（加工、装配），将保税货物与为其他目的暂时进口的货物（如工程施工、科学实验、文化体育活动等）区别开来。

2. 暂免纳税

《中华人民共和国海关法》第四十三条规定："经海关批准暂时进口或暂时出口的货物，以及特准进口的保税货物，在货物收、发货人向海关缴纳相当于税款的保证金或者提供担保后，将予暂时免纳关税。"保税货物未办理纳税手续进境，属于暂时免纳，而不是免税，待货物最终流向确定后，海关再决定征税或免税。

3. 流向不定

有的货物复运出境、有的转变为进口货物进入国内。从法律上讲，保税货物未按一般货物办理进口和纳税手续，因此，保税货物必须以原状或加工后产品复运出境，这既是海关对保税货物的监管原则，也是经营者必须履行的法律义务。

（三）保税货物的通关

保税货物的通关与一般进出口货物不同，它不是在某一个时间点上办理进口或出口手续后即完成了通关，而是从进境、储存或加工到复运出境的全过程，只有办理了这一整个过程的各种海关手续后，才真正完成了保税货物的通关。保税货物通关的基本流程包括：

1. 合同登记备案

合同登记备案是指经营保税货物的单位持有关批件、对外签约的合同及其他有关单证，向主管海关申请办理合同登记备案手续，海关核准后，签发有关登记手册。合同登记备案是向海关办理的第一个手续，须在保税货物进口前办妥，它是保税业务的开始，也是经营者与海关建立承担法律责任和履行监管职责的法律关系的起点。

2. 进口货物

进口货物是指已在海关办理合同登记备案的保税货物实际进境时，经营单位或其代理人应持海关核发的该批保税货物的《登记手册》及其他单证，向进境地海关申报，办理进口手续。

3. 储存或加工后复运出口

储存或加工后复运出口是指保税货物进境后，应储存于海关指定的场所或交付给海关核准的加工生产企业进行加工制造，在储存期满或加工产品后再复运出境。经营单位或其代理人应持该批保税货物的《登记手册》及其他单证，向出境地海关申报办理出口手续。

4. 核销结案

核销结案是指在备案合同期满或加工产品出口后的一定期限内，经营单位应持有关加工贸易登记手册、进出口货物报关单及其他有关资料，向合同备案海关办理核销手续，海关对保税货物的进口、储存、加工、使用和出口情况进行核实并确定最终征免税意见后，对该备案合同予以核销结案。这一环节是保税货物整个通关程序的终点，意味着海关与经营单位之间的监管法律关系的最终解除。

四、保税物流与保税物流载体

“保税物流”这一概念的提出是我国海关根据国内物流产业的实际发展需求所做出的创新，学术界并未对保税物流的内涵进行明确定义，国际公约中没有对其进行统一界定，但有人从实务的角度对保税物流的进行如下表述：“保税物流是指保税状态下货物在保税监管区域、场所或网点间的流通，包括保税货物在供销链上的采购、存储、简单加工、增值服务、检测、维护、配送、分拨、分销、运输、流转、调拨等。”保税物流体系是以开展保税物流业务的海关特殊监管区为承载主体而形成的一系列保税物流节点的集合。

（一）海关特殊监管区域

1. 保税区

保税区，也称保税仓库区，级别低于综合保税区，是一国海关设置的或经海关批准注册、受海关监督和管理的可以较长时间存储商品的区域，是经国务院批准设立的、海关实施特殊监管的经济区域。保税区与境外之间进出的货物，由货物的收货人、发货人或其代理人向海关备案。

（1）保税区主要特点

①关税豁免：进入保税区的货物，在未办理进口纳税手续前，可暂不缴纳进口关税、增值税和消费税等税费，这为企业节省了大量的资金成本和时间成本，使企业能更灵活地开展国际贸易业务。

②海关监管：虽然保税区享受一定的税收优惠政策，但并不意味着货物可以随意进出。海关会对保税区内的货物实施严格的监管，从货物的进入、存储、加工到最终的出境或内销，都在海关的监控之下，以确保货物的合法性和税收政策的正确执行。

③贸易便利：区内企业在开展国际贸易活动时，享有简化的通关手续、便捷的物流配送等一系列便利措施。企业可以更加高效地完成货物的进出口操作，提高贸易效率，

增强市场竞争力。

（2）保税区主要功能

①保税仓储，这是保税区最基本的功能之一。企业可以将货物存储在保税区内，根据市场需求随时安排货物的出库和销售，避免了因提前缴纳关税而占用大量资金，同时也方便企业对货物进行集中管理和调配。

②出口加工，保税区内允许设立加工企业，这些企业可以利用保税区的优惠政策和便利条件，开展加工贸易业务。企业从境外进口原材料、零部件等，在区内进行加工、装配后再出口，无须缴纳进口环节的关税和增值税，降低了生产成本，提高了产品的竞争力。

③转口贸易，保税区作为国际物流的重要节点，为转口贸易提供了良好的平台。货物可以在保税区内进行简单的加工、包装、分拣等增值服务后，再转运到其他国家和地区，促进了国际贸易的发展，提高了区域的物流枢纽地位。

2. 出口加工区

出口加工区是国家划定或开辟的专门制造、加工、装配出口商品的特殊工业区，是经济特区的形式之一，享受减免各种地方征税的优惠。出口加工区一般选在经济相对发达、交通运输和对外贸易方便、劳动力资源充足、城市发展基础较好的地区，多设于沿海港口或国家边境附近。区内不得经营商业零售、一般贸易、转口贸易及其他与加工区无关的业务，在加工区内设立的企业，应向海关办理注册手续。区内企业进、出加工区的货物须向其主管海关如实申报，海关依据备案清单及有关单证，对区内企业进、出加工区的货物进行查验、放行和核销。出口加工区专门从事出口加工业务，享受保税政策。出口加工区主要功能如下：

①加工制造：区内企业利用从境外进口的原材料、零部件等，在区内进行加工、装配等生产活动，将其转化为成品后出口到国际市场，是出口加工区最核心的功能。

②仓储物流：区内可设立少量为加工企业生产提供服务的仓储企业，用于存储加工所需的原材料、半成品以及待出口的成品等，同时配套有一定的物流运输功能，以保证货物的高效流转。

3. 保税物流园区

保税物流园区（以下简称园区）是指经国务院批准，在保税区规划面积或者毗邻保税区的特定港区内设立的、专门发展现代国际物流业的海关特殊监管区域。海关在园区派驻机构，对进出园区的货物、运输工具、个人携带物品及园区内相关场所实施监管。园区与中华人民共和国境内的其他地区之间，应当设置符合海关监管要求的卡口、围网隔离设施、视频监控系统及其他海关监管所需的设施。园区应内设立仓库、堆场、查验场和必要的业务指挥调度操作场所，不得建立工业生产加工场所和商业性消费设施。海关、园区行政管理机构及其经营主体、在园区内设立的企业等单位的办公场所应当设置在园区规划面积内、围网外的园区综合办公区内。除安全保卫人员和相关部门、企业值班人员外，其他人员不得在园区内居住。园区内不得开展商业零售、加工制造、翻新、拆解及其他与园区无关的业务。园区主要以国际物流、保税仓储、简单加工等功能为主。园区可以开展下列业务：

①存储进出口货物及其他未办结海关手续货物；

②对所存货物开展流通性简单加工和增值服务；

③国际转口贸易；

④国际采购、分销和配送；

⑤国际中转，检测、维修；

⑥商品展示；

⑦经海关批准的其他国际物流业务。

4. 跨境工业区

跨境工业区是指经国务院批准设立，在毗邻国家或地区接壤的特定区域内，由两国或地区政府共同规划、建设和管理，实行特殊海关监管政策和优惠措施，专门从事跨境加工贸易、物流仓储、商品展示等业务的特殊经济区域。

我国目前主要的跨境工业区是珠澳跨境工业区，该跨境工业区于 2003 年 12 月 5 日经国务院批复成立，设在珠海拱北茂盛围与澳门西北区的青洲之间，分为珠海、澳门两个园区，由广东省珠海市和澳门特别行政区分别通过填海造地形成，首期总面积约 0.4 km^2，其中，珠海园区面积约 0.29 km^2，澳门园区面积约 0.11 km^2；两个园区之间由一条约 15 m 宽的水道作为隔离，开设专门口岸通道连接。珠海园区由海关监管，重点发展仓储物流、产品展销等产业，实行保税区政策和出口加工区出口退税政策，并设有 24 小时通关专用口岸。珠澳跨境区距珠海机场 38 km，距九州港集装箱码头 10 km，距珠海港 53 km，距香港 36 海里，至香港航程仅 1 小时。港珠澳大桥落成后，届时到香港仅需 40 分钟车程。

5. 保税港区

保税港区是指经国务院批准，设立在国家对外开放的口岸港区和与之相连的特定区域内，具有口岸、物流、加工等功能的海关特殊监管区域。从境外进入保税港区，供区内企业和行政管理机构自用的交通运输工具、生活消费用品，按进口货物的有关规定办理报关手续，海关按照有关规定征收进口关税和进口环节海关代征税。从保税港区运往境外的货物免征出口关税，保税港区与境外之间进出的货物，不实行进出口配额、许可证件管理，但法律、行政法规另有规定的除外。保税港区的主要功能包括货物存储、国际中转、保税加工、商品展示、国际贸易等。

6. 综合保税区

综合保税区是设立在内陆地区的具有保税港区功能的海关特殊监管区域，由海关参照有关规定对综合保税区进行管理，执行保税港区的税收和外汇政策，集保税区、出口加工区、保税物流区、港口的功能于一身，可以发展国际中转、配送、采购、转口贸易和出口加工等业务。综合保税区是我国开放层次最高、优惠政策最多、功能最齐全、手续最简化的特殊开放区域。与保税区一词之差，却功能更为齐全，它整合原来保税区、保税物流园区、出口加工区等多种外向型功能区后，成为更为开放的一种形态，也更符合国际惯例。截至 2024 年 12 月底，全国共有 175 个海关特殊监管区域，其中综合保税区 167 个。

综合保税区区内企业可以依法开展以下业务：研发、加工、制造、再制造，检测、维修，货物存储，物流分拨，融资租赁，跨境电商，商品展示，国际转口贸易，国际中转，港口作业，期货保税交割，国家规定可以在区内开展的其他业务。

截至 2024 年 12 月底全国海关特殊监管区域分布及名单

（二）保税监管场所

1. 保税物流中心

保税物流中心是指封闭的海关监管区域并且具备口岸功能，分 A 型和 B 型两种。A 型保税物流中心，是指经海关批准，由中国境内企业法人经营、专门从事保税仓储物流业务的海关监管场所。A 型保税物流中心按照服务范围分为公用型物流中心和自用型物流中心。公用型物流中心是指由专门从事仓储物流业务的中国境内企业法人经营，向社会提供保税仓储物流综合服务的海关监管场所。自用型物流中心是指中国境内企业法人经营，仅向本企业或者本企业集团内部成员提供保税仓储物流服务的海关监管场所。A 型保税物流中心由企业申请经直属海关审批并由直属海关会同省级国税、外汇管理部门验收。B 型保税物流中心，是指经海关批准，由中国境内一家企业法人经营，多家企业进入并从事保税仓储物流业务的海关集中监管场所。B 型保税物流中心由直属海关授理审核后报海关总署审批，并由海关总署、国家税务总局和国家外汇管理局等部门组成联合验收小组进行验收。

2. 保税仓库

保税仓库是指经海关批准设立的专门存放保税货物及其他未办结海关手续货物的仓库。保税仓库按照使用对象不同分为公用型保税仓库、自用型保税仓库。公用型保税仓库是由主营仓储业务的中国境内独立企业法人经营，专门向社会提供保税仓储服务。自用型保税仓库是由特定的中国境内独立企业法人经营，仅存储供本企业自用的保税货物。专用型保税仓库是保税仓库中专门用来存储具有特定用途或特殊种类商品的仓库。

3. 出口监管仓库

出口监管仓库是指经海关批准设立，对已办结海关出口手续的货物进行存储、保税物流配送、提供流通性增值服务的海关专用监管仓库。出口监管仓库分为出口配送型仓库和国内结转型仓库。出口配送型仓库是指存储以实际离境为目的的出口货物的仓库。国内结转型仓库是指存储用于国内结转的出口货物的仓库。

（三）海关监管作业场所

海关监管作业场所是指由企业负责经营管理，供进出境运输工具或者境内承运海关监管货物的运输工具进出、停靠，从事海关监管货物的进出、装卸、储存、集拼、暂时存放等有关经营活动，符合《海关监管作业场所设置规范》，办理相关海关手续的场所。通常为满足海关监管货物的进出、装卸、存放要求而设立，具体包括以下类型：水路运输类海关监管作业场所、公路运输类海关监管作业场所、航空运输类海关监管作业场所、铁路运输类海关监管作业场所、快递类海关监管作业场所等。海关监管作业场所主要功能如下：

（1）货物集散功能。作为进出境货物的重要集散点，集中了来自各地的进出口货物，为货物的运输、存储和分拨提供了场所，便于货物的集中处理和发运。

（2）监管服务功能。海关在这些场所对进出境货物、运输工具等实施全方位监管，确保货物合法进出境，同时为企业提供便捷的通关服务，提高货物的通关效率。

（3）物流运作功能。支持货物的装卸、搬运、存储、包装、分拣等物流作业，为物流企业提供了开展业务的平台，促进了物流行业的发展，优化了物流运作流程。

五、保税物流与一般物流的区别

保税物流与一般物流的区别在于其具有政策性功能，即保税物流是在保税制度下形成的物流活动，具有明显的政策性特征。保税物流发生的场所是有限制的、是特定的，即保税状态的货物在保税物流节点之间进行的仓储、运输等流转的过程。其现实形式一般是在海关监管区内，境外货物可以自由入境，暂时不征收关税，在区域内完成的货物的加工贸易等行为后，如果货物再出口，不在国内市场销售，则免征关税，如果货物进入国内市场，则需要补缴关税。特殊监管区内形成的是“境内关外”的管理制度，保税物流不是单独存在，而是附着于海关特殊监管区的一种特殊物流形式。保税物流同样以降低物流成本，提高运作效率和反应速度为标准要求。我们通常认为保税物流属于区域物流的范畴，从保税物流的特质来看，与一般物流有一定的区别，主要表现在保税物流具有以下几个特征。

（一）物流要素体系较为复杂

对于一般物流而言，主要物流要素通常包含运输、仓储、流通加工、配送和物流信息等，而保税物流单纯依靠一般物流要素则不能独立完成，还需要加上与保税行为有关的要素，如口岸管理，海关监管、通关、贸易、金融等关键要素，这些要素之间构成紧密相连的体系，使保税物流的实践内容进一步扩大，保税物流体系更加复杂化，涉及多要素的集合。

（二）区域交叉融合

保税物流的发生，首先是国际物流，货物在两个国家之间流动，即从一国属地进入另一国属地，这是国际物流范畴。从另外一个角度看，进入另一国保税区的货物，并未缴纳关税，而是采用了境内关外的处理策略，即货物属性仍属于出口国范畴，从这个性质来讲，又可以认为还是境内物流，因此，保税物流的特殊性就在于，通过创建特殊区域场所，使货物入境不入关，而作为承载保税物流的设施，如保税港、出口加工区、综合保税区等就具有了区域交叉的特性，相当于国际间的接力区，这些接力区的出现使得产品、技术、金融等各种资源高程度融合，产生明显的外部正效应。

（三）二律背反性

现代物流发展中，越来越趋向于精简中间环节，提高物流效率，而保税物流的前提条件是必须遵从严格的海关全程监管，即使是贸易自由程度最高的自由港，如鹿特丹、中国香港等，必要的流程、手续以及较高的抽查率等都远高于一般物流，这些程序既降低了物流运作效率，又增加了相应的物流成本，也就是说，保税物流在物流效率和严格的海关监管之间形成了二律背反定律性，因此，在保税物流实务工作中，通过提高通关效率，可以一定程度上破解二律背反效应。

（四）综合物流服务平台化

保税物流业务的完成，涉及海关、检验、工商、税务、加工、金融服务、信息等多方面、多部门的协调运作，若这些业务和部门脱离，则会产生大量的冗余工作时间，增加额外时间成本和管理费用。因此，要保证保税物流业务的高效运行，需要在海关监管区内，实现平台化运作流程，即所有业务在区内可一站式完成，这种服务平台化的特性要求，促进了保税物流业务的承载体（如保税仓库、保税区等），不断向综合化方向发展。

案例 8-1　创新前置仓监管模式　助力跨境电商出口

为深入贯彻党中央、国务院关于加快发展跨境电商系列决策部署要求，加力推动跨境电商高质量发展，2024 年 9 月，宁波海关出台《加力推动跨境电商高质量发展 10 条措施》，首条即“支持‘出口前置仓+海外仓’联动发展”。

近年来，在“一站两仓”战略引领下，得益于宁波天然港口优势、雄厚的产业基础以及持续制度创新和管理创新，跨境电商企业纷纷在宁波“落地生根”，成为宁波外贸高质量发展的“主力军”。宁波海关聚焦自由贸易试验区和海关特殊监管区域两区统筹发展，顺势监管推动传统外贸企业转型跨境电商等贸易新业态。其中，宁波海关首创的跨境电商出口前置仓监管模式的开展，更是为跨境电商发展构建新引擎。

一、传统监管模式特点

跨境电商货物由于种类杂、品类多，企业“一箱多票”出口需求大，传统监管模式下拼箱货物查验后存在重新装箱难、出运计划易变动等突出问题，严重影响贸易周期时长。跨境电商出口前置仓就是依据跨境电商出口“小、频、快”发展脉搏，设置在国内口岸，专门为跨境电商出口货物提供的物流集拼分拨中心，企业以散件货物形式进入仓库即可报关，待完成通关手续后装箱出运，原先 2～3 天的通关时间被压缩至 1 天，为企业缩短出口作业时间 95%以上，节省仓储物流成本 35%以上。

二、新模式带来新成效

货物从国内供货商运送至出口前置仓进行集中仓储，再根据收货方信息将货物配送至国外码头、仓库、超市等指定地点，这一新模式大幅缩短了跨境电商企业出口物流周期，让企业更好掌握跨境电商行业发展的运营节奏。新模式给企业带来了实实在在的便利，在前置仓内，货物基本实现当天查验、当天出运，大幅提高了物流周转效率。除此之外，原先大批量出口到海外的分拣步骤前移到国内，实现货物更快拼箱、更快出口，更快到达国外消费者手中。

据统计，2024 年 1—8 月，宁波海关通过跨境电商出口前置仓模式验放金额 26.24 亿元。宁波海关将紧跟时代发展潮流，不断迭代政策体系，创新监管方式，更精准服务跨境电商企业，推动更多优势产品畅销国外市场，努力营造一流的口岸营商环境。

资料来源：阿拉甬关微信公众号

时间：2024-10-13

网址：https: //mp.weixin.qq.com/s/BuNJVL2YWN1y1VMRpoe7Cw

请结合以上案例以及本任务模块内容分析以下问题：

1. 宁波海关首创的跨境电商出口前置仓监管模式，相较于传统监管模式，在通关流程上有哪些关键的优化点？这些优化如何体现保税物流的特点？

2. 宁波海关的跨境电商出口前置仓监管模式为企业带来了哪些具体的便利和成效？请结合案例中的数据进行详细分析。

3. 从案例中可以看出，保税物流的载体（如海关特殊监管区域）对跨境电商出口前置仓模式的发展起到了哪些支撑作用？若没有这些载体，该模式可能会面临哪些挑战？

任务二　跨境电商物流

一、跨境电商物流的概念和特征

跨境电商物流是跨境电商发展的重要支撑，跨境电商是指位于不同国家或地区的交易主体通过电商平台达成交易并进行支付清算，通过跨境物流送达商品，进而完成交易的一种商务活动。由于电商环境下交易的达成主要依靠网络进行，此时，作为线下主要活动主体的物流配送就显得十分重要，因为它直接关系到电商交易能否顺利完成，电商企业和产品能否获得消费者的认可。

跨境电商物流是指在国际电子商务活动中，商品从卖家所在国家或地区通过物流渠道运输到买家所在国家或地区的全过程，这一过程包括仓储、包装、运输、通关、配送等多个环节，涉及国内物流、国际运输和目的国物流等多个阶段。跨境电商物流是支持全球电子商务发展的关键基础设施之一，涉及跨境运输、海关清关、“最后一公里”配送等环节，是电子商务全球化的重要组成部分，涵盖从订单处理到最终交付的全流程，尤其强调通关效率和物流成本对跨境电商的影响。

跨境电商物流与国内电商物流相比，有以下特征：

（1）涉及的物流链条更长、程序更复杂、物流时效性较低

跨境电商是传统电子商务发展到一定阶段和国际贸易相互交融的一个产物，因为跨境电商交易的主体突破了关境的范围，相对传统的国内电商物流而言，跨境电商物流涉及进出口货物的通关，涉及物流链条更长、所需单证和审批等工作内容更复杂，导致跨境电商物流时效性较低。

（2）相较于跨境电商的发展，跨境物流发展存在一定的滞后性

跨境电商的发展创造了跨境电商物流需求，但直观来讲，跨境电商的发展速度明显高于跨境物流。新兴技术，尤其是信息技术，网络技术和大数据等正逐渐应用于跨境电商，

跨境电商也享受着技术带来的诸多优势，但这些技术在跨境物流中的应用仍然较少，导致跨境物流发展较慢，跨境物流的滞后性与跨境电商的高速发展出现了一定的不协调。

（3）各国之间物流运营的硬件基础设施建设和软件环境差异性较大

物流基础设施是保证物流效率的关键，跨境物流由于物流运营过程需要经历不同国家，由于各个国家的国情不尽相同，物流基础设施和物流信息处理能力和效率千差万别，往往是发达国家的物流软硬件设施较为完善，欠发达国家和发展中国家的物流软硬件设施相对薄弱，这导致物流效率在不同的国家间，就会有很大的差别。另外，跨境电商物流数据交互频繁，需要与电商平台、海关、货代、仓储、配送等多个环节进行数据对接和共享，实现订单、物流轨迹、库存等信息的实时更新和跟踪。这些都需要国内外跨境电商物流相关主体在软硬件环境上进行对接，但目前物流信息的衔接仍存在一定的障碍。此外，关税壁垒、非关税壁垒、法律法规的限制，都直接或间接的影响或制约跨境电商物流的发展。

（4）物流成本高

与国内电商物流相比，跨境电商物流成本较高，包括远距离运输成本、海外仓储配送成本，信息交互成本等方面，都远高于国内电商物流，这一定程度上影响了跨境电商的发展，相较于国内电商稳定的物流体系，跨境电商的物流配送体系正在处在探索、发展的阶段。从最早的国内直邮到现在的海外仓，随着跨境电商的发展，各种细分的新的物流模式正在被人们研究和利用，最终的目的是提高跨境电商物流配送效率，降低物流成本。

（5）退换货流程复杂，风险性较高

跨境退换货流程复杂，涉及国际运输、海关清关等环节，增加了物流成本和时间。跨境物流面临的风险较高，包括运输风险、政策风险、汇率风险等。

二、跨境电商物流模式

（一）按物流路径及仓储方式分类

1. 直邮模式

跨境电商直邮模式指商品直接从卖家所在地通过国际物流渠道，不经中间仓储环节，直接送达消费者手中的物流模式。一般采用“清单核放、汇总申报”模式办理通关手续，适用于境内个人或电子商务企业通过电子商务交易平台达成的零售进出口商品交易。

（1）直邮模式的优点

①灵活性高。对于商家而言，无须提前大量备货，可根据订单实时发货，能快速响应市场需求变化，适合销售个性化、小众化商品。

②库存风险低。卖家无须承担大量库存积压风险，资金占用少，降低了运营成本和风险。

③商品种类丰富。消费者可以直接购买到全球各地的商品，选择范围广。

（2）直邮模式的缺点

①运输时间长。国际物流运输距离远，受海关清关、航班安排等因素影响，配送时间通常较长，可能需要数天至数周。

②物流成本高。单件商品运输成本较高，尤其是对于重量较大或体积较大的商品，物流费用占比大。另外，在退换货方面，流程复杂，综合成本高，影响客户体验。

③物流信息跟踪不及时。由于涉及多个物流环节和不同国家的物流服务商，物流信息跟踪和更新不及时，消费者体验较差。

（3）典型案例

①亚马逊支持直邮服务，卖家可以将商品直接从海外仓库或本地仓库发货给全球消费者。中国消费者在亚马逊美国网站购买商品，商品直接从美国发货，通过国际快递或邮政服务送达中国。

②唯品国际是唯品会旗下的跨境电商业务板块。它与众多海外品牌和供应商合作，部分商品采用直邮模式，将商品直接从海外送达消费者手中。例如，消费者在唯品国际购买澳大利亚的奶粉，该奶粉会从澳大利亚当地的供应商处直接发货，通过国际物流运输到国内。这种模式让消费者能够购买到来自全球不同产地的正品商品，但可能面临运输时间较长、运费较高的问题。

③天猫国际作为阿里巴巴旗下知名的跨境电商平台，有大量海外商家入驻并采用直邮模式。以美妆产品为例，消费者购买法国的小众美妆品牌，商品会从法国当地仓库直邮到中国。天猫国际借助自身强大的平台优势，整合物流信息，一定程度上提升了物流信息的透明度，但仍难以完全避免直邮模式下运输时间长和物流成本高的弊端。

2. 保税模式

保税模式也称保税备货模式，电商企业先将海外商品批量运输至国内的保税区或保税物流中心进行存储，当国内消费者在电商平台下单后，商品直接从保税区发货，经过海关清关后配送给消费者。适用于境内个人或电子商务企业在经海关认可的电子商务平台实现跨境交易，并通过海关特殊监管区域或保税监管场所进出的电子商务零售进出境商品。

（1）保税模式的优点

①配送速度快。商品提前存储在国内保税区，消费者下单后可快速发货配送，通常1～3天即可送达，大幅缩短了等待时间。

②物流成本低。批量运输降低了单位商品的物流成本，同时保税区的仓储成本相对

较低。

③售后方便。商品在国内保税区，退换货处理更加便捷，提高了消费者满意度。

（2）保税模式的缺点

①库存风险高。需要提前备货，对市场需求预测准确性要求高，一旦预测失误，容易造成库存积压。

②资金占用大。批量采购商品需要大量资金投入，增加了企业的资金压力。

③商品种类受限。受保税区仓储空间和商品备案限制，无法提供过于丰富的商品种类。

（3）典型案例

①天猫国际平台中众多海外美妆品牌将热门产品提前备货至天猫国际在杭州、宁波等多地的保税仓。例如某知名品牌精华，消费者在天猫国际下单后，商品可直接从国内保税仓发出，借助成熟的国内物流网络，往往能在短时间内送达，大幅提升了消费者的购物体验。而且通过批量运输和存储，降低了单个商品的物流及仓储成本。但如果对该商品的市场需求预测不准，可能会导致保税仓内库存积压。

②京东国际平台母婴产品是京东国际的重点品类之一。像某知名品牌纸尿裤，品牌方会把大量货物提前存放在京东的保税仓库中。当国内消费者下单后，京东能迅速从保税仓发货并配送。这不仅让消费者能更快收到商品，也方便了后续的退换货操作。不过，若市场上出现其他竞品或者消费者需求突然转变，花王纸尿裤在保税仓的库存可能会面临积压风险。

③唯品会在时尚服饰领域，一些欧洲的轻奢品牌会与唯品会合作，将商品提前备货到国内保税区。以意大利的某知名轻奢品牌的包包为例，消费者在唯品国际下单后，商品从保税区发出，快速配送到家。这种模式能让消费者以相对较低的价格、较快的速度买到心仪的海外商品，但唯品会需要精准把握市场需求，否则可能会出现库存占用资金的问题。

3. 海外仓模式

海外仓模式指跨境电商企业先将货物通过跨境物流出口并存储在目标市场的海外仓库，当接到订单后，直接从海外仓发货并配送给当地消费者的物流模式，适用于跨境电子商务出口海外仓货物。

（1）海外仓模式的优点

①配送速度极快。能够实现本地配送，大幅缩短了配送时间，提高了客户满意度，增强了商品竞争力。

②提高客户体验。可提供本地退换货服务，解决了消费者的后顾之忧，提升了购物体验。

③便于市场拓展。可以及时响应市场需求，快速补货，有助于企业拓展当地市场，增加销售额。

（2）海外仓模式的缺点

①建设成本高。海外仓的建设、租赁、运营和管理需要大量资金投入，对企业资金实力要求较高。

②库存管理难度大、风险高。海外仓这种跨境电商物流模式要求企业有较高的销售预测能力和库存管理能力，否则容易造成库存积压或缺货现象的出现。

4. 边境仓模式

边境仓模式是跨境电商企业在靠近目标市场国家的边境地区建立仓库，提前将商品备货至边境仓，消费者下单后，商品从边境仓清关发货的一种跨境电商物流模式。

（1）边境仓模式的优点

①成本相对较低。相比在目标市场国内设立海外仓，边境仓的建设和运营成本低，同时也能享受一定的政策优惠。

②配送速度较快：距离目标市场较近，能够在较短时间内将货物送达消费者手中，提高了物流效率。

③灵活性较高。对于电商经营者，可根据市场需求灵活调整库存。

④风险相对可控。受目标市场国内政策、法规等因素的影响相对较小，降低了企业的运营风险。

（2）边境仓模式的缺点

①清关问题。虽然靠近边境，但仍需面对两国之间的海关清关手续，可能会出现清关延误等问题。

②仓储空间有限，且需要提前备案。边境仓的规模一般相对较小，仓储空间有限，对商品的存储、管理和品类有一定限制。

③市场覆盖范围有限。主要服务于边境附近的目标市场，对于距离边境较远的地区，配送优势不明显。

（3）典型案例

①速卖通平台上有不少卖家利用边境仓模式服务俄罗斯市场。例如一些售卖户外用品的中国卖家，在中俄边境的满洲里等地设立边境仓。提前将帐篷、睡袋等户外用品存放在这里，当俄罗斯靠近边境地区的消费者在速卖通上下单后，商品能快速从边境仓发出，通过便捷的通关流程和短途运输，很快就能送到消费者手中。相比从中国国内直接发货，大幅缩短了配送时间，而且仓储和运输成本也有所降低。

②有从事小型机械配件出口的商家借助敦煌网平台，在中哈边境的霍尔果斯设立边境仓。他们将各类机械配件提前存储于此，当哈萨克斯坦的企业或个人买家下单后，货

物可以迅速从边境仓发出。由于边境仓距离哈萨克斯坦较近，货物能较快送达，并且避免了一些深入目标市场内部可能遇到的复杂政策问题，提升了交易效率和客户满意度。

③菜鸟网络：菜鸟也在积极探索边境仓模式的应用。在中越边境地区，菜鸟与一些电商卖家合作建设边境仓。比如一些销售特色食品的卖家，将产品存放在边境仓中。越南靠近边境的消费者在电商平台下单后，菜鸟依托其物流网络和清关能力，快速将商品从边境仓配送到消费者手中，既保证了一定的配送时效，又利用边境仓的成本优势降低了物流费用。

（二）按运营主体分类

1. 自建物流模式

自建物流模式是指跨境电商企业或跨境电商经营平台为了实现自身业务的高效运作和物流服务的可控性，自行投资建设物流网络、购置物流设备、组建物流团队，独立承担商品仓储、运输、配送等物流环节的运营模式。

（1）自建物流模式的优点

①服务定制化。能够根据企业自身的业务特点和客户需求，量身定制物流服务方案，提高物流服务的针对性和专业性。例如，电商企业可以根据商品的特性设置特殊的仓储环境和配送方式，确保商品的安全和完好。

②信息沟通顺畅。企业内部的物流部门与其他部门之间的沟通更加直接和高效，能够及时获取订单信息、库存信息等，实现物流与业务的紧密协同，提高运营效率。

③品牌形象提升。自建物流可以统一服务标准和形象，为客户提供优质、稳定的物流服务，有助于提升企业的品牌形象和客户忠诚度。

④掌控力强。企业在掌控物流服务的质量和效率，提升客户体验有一定的掌控力。

（2）自建物流模式的缺点

①资金投入大。建设物流基础设施、购置运输设备、招聘和培训物流人员等都需要大量的资金投入，对企业的资金实力要求较高。

②运营管理难度大。物流业务涉及仓储管理、运输调度、配送安排等多个环节，需要专业的管理团队和先进的管理系统来支持，增加了企业的运营管理难度。

③风险集中。企业需要独自承担物流运营过程中的各种风险，如市场波动、自然灾害、政策变化等，一旦出现问题，可能对企业的经营造成较大影响。

（3）典型案例

①亚马逊作为全球知名的跨境电商平台，亚马逊投入大量资金建设了自己的物流网络，包括遍布全球的仓库、分拣中心和配送车队。亚马逊的自建物流系统实现了高效的订单处理和快速的商品配送，其 Prime 会员服务提供的快速配送服务深受消费者喜爱，

成为亚马逊竞争优势的重要组成部分。

②京东依托强大的资金和技术实力，在跨境物流领域大力发展自建物流。京东国际在海外建立了多个仓库和物流节点，通过整合全球供应链资源，实现了商品的快速采购、存储和配送。同时，京东还利用其先进的物流技术和智能化管理系统，提高了物流运营效率和服务质量。

2. 第三方物流模式

第三方物流模式是指跨境电商企业将物流业务外包给专业的第三方物流服务提供商，由第三方物流企业负责商品的仓储、运输、配送等物流环节的运营模式。第三方物流企业通常拥有专业的物流设施、丰富的物流经验和广泛的物流网络，能够为客户提供全方位的物流服务。

（1）第三方物流模式的优点

①降低成本。跨境电商企业无须投入大量资金建设物流基础设施和组建物流团队，通过外包物流业务，可以降低物流运营成本，提高资金使用效率。

②专业服务。第三方物流企业具有专业的物流知识和经验，能够提供更加高效、优质的物流服务。他们熟悉各种物流操作流程和海关政策，能够更好地处理物流过程中的各种问题。

③灵活性高。企业可以根据自身业务的发展需求，灵活选择第三方物流企业和物流服务方案，无须受到自身物流能力的限制。

（2）第三方物流模式的缺点

①服务质量难以控制。由于物流业务外包给第三方，企业对物流服务的质量控制相对较弱。如果第三方物流企业的服务出现问题，可能会影响企业的客户满意度和品牌形象。

②信息沟通不畅。在物流运营过程中，企业与第三方物流企业之间可能存在信息沟通不及时、不准确的问题，导致物流信息的滞后和物流效率的降低。

③对第三方依赖度高。企业过度依赖第三方物流企业，可能会在一定程度上失去对物流环节的控制权，一旦第三方物流企业出现经营问题或合作终止，可能会对企业的业务造成较大影响。

（3）典型案例

虽然菜鸟网络为速卖通提供了一些物流服务和解决方案，但它并非速卖通商家的唯一物流选项。菜鸟物流有其自身的优势，如整合资源、提供一定的物流信息跟踪和优化服务等，但不能满足所有商家的多样化需求。由于第三方物流在全球物流网络、成本控制、专业服务等方面具有独特优势，众多速卖通商家选择与第三方物流合作。

3. 第四方物流模式

第四方物流模式是指由独立于供需双方及第三方物流的第四方物流企业，通过对供应链的规划、设计和整合，为跨境电商企业提供供应链解决方案和物流管理服务的运营模式。第四方物流企业不直接参与物流的实际操作，而是利用自身的信息技术和专业知识，整合供应链中的各种资源，优化物流流程，提高供应链的整体效率和效益。第四方物流服务提供商整合和管理多个第三方物流服务提供商的资源，为跨境电商企业或跨境电商平台提供一体化的物流解决方案。

（1）第四方物流模式的优点

①供应链优化。第四方物流企业能够从供应链的全局角度出发，对物流、信息流、资金流进行全面规划和优化，实现供应链的协同运作，提高供应链的整体竞争力。

②资源整合。通过整合供应链中的各种资源，包括第三方物流企业、供应商、生产商等，实现资源的共享和优化配置，降低供应链的运营成本。

③创新解决方案。第四方物流企业具有较强的创新能力，能够根据客户的需求和市场变化，提供个性化的供应链解决方案和创新的物流服务模式。

（2）第四方物流模式的缺点

①实施难度大。第四方物流模式需要整合供应链中的多个环节和众多参与者，涉及复杂的利益协调和信息共享问题，实施难度较大。

②对企业要求高。第四方物流企业需要具备强大的信息技术能力、专业的物流知识和丰富的供应链管理经验，对企业的综合实力要求较高。

③市场认知度低。目前，第四方物流模式在市场上的认知度相对较低，许多企业对其了解和接受程度有限，推广和应用面临一定的困难。

（3）典型案例

①菜鸟网络（具有第四方物流属性的创新模式）。严格来讲，菜鸟网络并非传统的第四方物流企业，因为它深度参与实际物流运作，拥有自己的仓储和配送设施。但菜鸟网络具备显著的第四方物流特征。依托阿里巴巴强大的电商生态，菜鸟利用大数据、云计算等先进技术，对跨境电商供应链进行全面规划与整合。在速卖通平台上，菜鸟网络整合了全球范围内的第三方物流商、海外仓、清关公司等资源。它通过数据分析预测不同地区的商品需求，帮助卖家提前将货物存储到合适的海外仓。当订单产生时，菜鸟协调各方资源，实现快速配送。例如推出的“全球 5 日达”服务，就是其整合资源、优化供应链的成果体现，为跨境电商卖家提供了高效的物流解决方案。

②京东物流（兼具多方物流职能的综合服务商）。京东物流同样不单纯是传统第四方物流，它有自己庞大的物流基础设施和配送团队。然而，在为第三方跨境电商企业服务时，展现出了第四方物流的能力。京东物流凭借其在物流技术和供应链管理方面的优势，为客户提供定制化的供应链解决方案。以某跨境家居用品企业为例，京东物流通过大数据分析该企业的销售数据和市场趋势，帮助其合理规划库存，将商品提前布局在国内保

税仓或海外仓。同时，整合多种运输方式和清关资源，优化物流路径，确保商品及时送达消费者手中。此外，京东物流还提供供应链金融、数据分析等增值服务，促进了供应链的协同发展。

③满帮集团（公路货运领域的供应链整合者）。满帮集团作为国内领先的公路货运平台，是较为典型的具备第四方物流特征的企业。它独立于货主和货车司机（供需双方）以及传统的运输企业（第三方物流），通过搭建数字化平台，将海量的货源信息和运力信息进行精准匹配。在涉及跨境物流的公路运输环节，满帮集团能够根据货物的类型、运输距离、交货时间等需求，为跨境贸易企业筛选合适的货车司机和运输方案，实现了公路货运供应链的优化。例如，对于从事跨境小商品贸易的企业，满帮集团可以帮助其降低运输成本，提高货物运输的时效性和安全性。

（三）按服务性质及特点分类

1. 邮政物流模式

邮政物流模式是指依托各国邮政系统开展的跨境物流服务模式。邮政网络遍布全球，通过各国邮政之间的合作与协议，实现商品在不同国家和地区之间的运输与配送。该模式通常采用万国邮政联盟等国际邮政组织制定的规则和标准进行运营。

（1）邮政物流模式的优点

①网络覆盖广。邮政系统具有全球最广泛的服务网络，几乎可以送达世界上任何一个角落，尤其适合发往偏远地区的包裹。

②通关能力强。邮政包裹通常享有便捷的通关政策，在通关方面具有一定的优势，清关相对顺畅。

③成本相对较低。对于重量较轻、体积较小的商品，邮政物流的价格较为实惠，具有较高的性价比。

（2）邮政物流模式的缺点

①运输速度较慢。邮政物流的运输环节较多，处理流程相对复杂，导致整体运输时间较长，尤其是国际邮政小包。

②物流信息更新及时性差。部分邮政服务的物流跟踪信息更新不及时、不详细，难以满足客户对货物实时状态的查询需求。

③丢包风险相对较高。由于邮件数量庞大、处理环节多，可能存在一定的丢包风险。

（3）典型案例

①中国邮政作为中国最大的邮政服务提供商，中国邮政在跨境电商物流领域发挥着重要作用。例如，许多中国跨境电商卖家选择使用中国邮政的国际小包和 EMS 国际快递服务。国际小包适合寄送轻小件商品，价格便宜，能够将商品送达全球各地。而 EMS 国

际快递则在速度和服务质量上更有保障，清关能力较强，能较快地将商品送到客户手中，常用于对时效性要求较高的商品运输。

②菜鸟网络与中国邮政等邮政企业展开合作，整合邮政资源。通过大数据分析和智能路由规划，优化包裹的运输路径和处理流程。比如，菜鸟为卖家提供了统一的物流解决方案，卖家将包裹交给菜鸟，菜鸟再通过与邮政的合作进行运输和配送，提高了邮政物流的服务效率和透明度。

2. 商业快递模式

商业快递模式是指由专业的商业快递公司提供的跨境物流服务，这些公司拥有自己的运输工具、仓储设施和配送网络，具备高效、快速的物流服务能力，主要服务于对时效性和服务质量要求较高的客户。

（1）商业快递模式的优点

①速度快。商业快递通常采用航空运输，运输速度快，能够在较短时间内将商品送达目的地，一般3～5个工作日即可完成国际运输。

②服务质量高。提供门到门的服务，物流跟踪信息详细、实时，客户可以随时了解货物的运输状态。同时，快递公司还提供专业的包装、保险等增值服务。

③安全性高。商业快递公司有完善的货物跟踪和管理系统，能够有效降低货物丢失、损坏的风险。

（2）商业快递模式的缺点

①成本高。相较于邮政物流和其他物流模式，商业快递的价格较高，尤其是对于重量较大或体积较大的商品，物流成本会显著增加。

②覆盖范围相对有限。虽然商业快递公司在全球主要国家和地区设有服务网点，但在一些偏远地区的覆盖程度不如邮政网络。

（3）典型案例

①顺丰作为国内知名的快递企业，其国际业务发展迅速。顺丰国际提供全球多个国家和地区的快递服务，拥有高效的运输网络和先进的信息技术系统。例如，对于一些跨境电商企业的高价值商品，如电子产品、奢侈品等，顺丰国际能够提供快速、安全的运输服务。顺丰还不断拓展海外市场，加强与当地物流企业的合作，提升国际物流服务能力。

②依托京东强大的物流体系和技术优势，京东国际快递为跨境电商提供高品质的物流服务。京东国际在海外建设了多个仓储和配送中心，实现了商品的本地存储和快速配送。例如，京东国际为一些高端美妆品牌提供物流解决方案，确保商品能够快速、准确地送达消费者手中，提升了客户的购物体验。

3. 跨境专线模式

跨境专线模式是指物流企业针对特定国家或地区，开辟专门的运输线路，提供定制化的跨境物流服务。该模式通常采用包机、专车等方式进行运输，具有固定的运输时间和路线，能够满足客户对物流时效性和稳定性的需求。

（1）跨境专线模式的优点

①时效性较强。相较于邮政物流，跨境专线的运输时间更短，一般 7～15 个工作日即可送达，能够较好地平衡速度和成本。

②针对性强。根据不同国家和地区的市场需求和物流特点，设计专门的运输方案，提供更符合客户需求的物流服务。

③清关优势：物流企业对特定线路的海关政策和清关流程较为熟悉，能够提高清关效率，减少货物在海关的滞留时间。

（2）跨境专线模式的缺点

①覆盖范围有限。跨境专线主要集中在一些热门的贸易国家和地区，对于一些小众市场的覆盖范围较窄。

②价格相对较高。虽然比商业快递价格低，但相较于邮政物流，跨境专线的价格仍然偏高。

（3）典型案例

①燕文物流是国内领先的跨境电商物流服务商，专注于跨境专线物流服务。燕文物流开通了多条通往欧美、亚洲等主要市场的专线，通过整合国内外物流资源，优化运输流程，为跨境电商卖家提供高效、稳定的物流解决方案。例如，燕文的欧洲专线能够在 10～15 个工作日内将商品送达欧洲客户手中，且物流跟踪信息及时准确。

②递四方速递公司在跨境专线领域具有丰富的经验和强大的实力。它针对不同国家和地区的市场特点，推出了多种专线产品。比如，递四方的美国专线采用包机运输的方式，大幅缩短了运输时间，提高了物流效率。同时，递四方还提供一站式的物流服务，包括仓储、分拣、配送等环节，为跨境电商企业提供了便利。

4. 集货拼载模式

集货拼载模式是指物流企业将多个客户的小批量货物集中起来，拼成一个较大的货载进行运输的物流模式。通过整合货物资源，实现规模效应，降低物流成本。该模式通常在货物起运地设立集货仓库，将分散的货物集中存储、分拣，然后统一安排运输和配送。

（1）集货拼载模式的优点

①成本低。通过集货拼载，将多个客户的货物合并运输，能够降低单位货物的运输成本，提高物流资源的利用率。

②适合小批量货物。对于一些小批量发货的跨境电商卖家来说，集货拼载模式提供了一种经济实惠的物流选择。

（2）集货拼载模式的缺点

①运输时间长。由于需要等待足够的货物拼成一个货载，可能会导致货物在集货仓库停留时间较长，从而延长整体运输时间。

②货物管理复杂。对于集货拼载业务物流商而言，集货拼载涉及多个客户的货物，货物的分类、存储、分拣等管理工作较为复杂，容易出现货物混淆、错发等问题。

（3）典型案例

①洋葱集货是一家专注于跨境电商集货拼载服务的企业。它通过在国内多个城市设立集货仓库，收集众多跨境电商卖家的货物。然后将这些货物集中运输到海外目的地，再进行分拨和配送。洋葱集货利用大数据和信息技术，对货物进行精准管理和调度，提高了集货拼载的效率和准确性。

②海带宝为海外购物的消费者提供集货拼载服务。消费者在海外电商平台购物后，将商品寄送到海带宝的海外仓库，海带宝将多个消费者的货物集中起来，进行拼载运输回国。海带宝还提供增值服务，如货物拍照、验货、加固包装等，保障货物的安全运输。

③菜鸟网络集货运输业务，通过集货拼载模式，将速卖通卖家的货物集中运输到海外仓或边境仓，再分发给消费者。

5. 综合物流服务模式

综合物流服务模式是指物流企业为客户提供涵盖仓储、运输、配送、报关、清关、供应链管理等多个环节的一站式物流解决方案。该模式整合了多种物流资源和服务功能，能够满足客户多样化的物流需求，提高供应链的整体效率。

（1）综合物流服务模式的优点

①一站式服务。客户只需与一家物流企业合作，即可完成跨境物流的所有环节，无须分别与多个供应商沟通协调，节省了时间和精力。

②供应链协同。综合物流服务提供商能够对供应链进行全面规划和管理，实现物流、信息流和资金流的协同运作，提高供应链的响应速度和灵活性。

③定制化解决方案。根据客户的不同需求和业务特点，提供个性化的物流解决方案，更好地满足客户的特定需求。

（2）综合物流服务模式的缺点

①对物流服务提供商能力要求高。提供综合物流服务需要企业具备强大的资源整合能力、信息技术能力和管理能力，对企业的综合实力要求较高。

②成本较高。由于提供的是一站式、全方位的服务，综合物流服务的价格通常相对较高。

③对于跨境电商经营者而言综合物流服务模式对物流服务商的依赖性较高。

（3）典型案例

①菜鸟网络依托阿里巴巴的电商生态系统，整合了全球范围内的物流资源，为跨境电商企业提供综合物流服务。菜鸟网络在全球建设了多个物流枢纽和海外仓，提供仓储、运输、配送、报关、清关等一站式服务。同时，利用大数据和人工智能技术，实现物流信息的实时跟踪和智能调度，优化供应链流程。例如，菜鸟为速卖通卖家提供的物流解决方案，能够根据不同国家和地区的市场需求，选择最优的物流路线和运输方式，提高物流效率和服务质量。

②中外运敦豪是 DHL 与中国外运股份有限公司的合资企业，在中国市场提供综合物流服务。它拥有广泛的物流网络和丰富的行业经验，为客户提供包括国际快递、货运代理、供应链管理等在内的一站式物流解决方案。例如，对于一些大型跨国企业的跨境物流需求，中外运敦豪能够提供定制化的供应链方案，涵盖从原材料采购到产品配送的整个物流过程，实现供应链的高效运作。

（四）按照海关监管方式和通关政策分类

1. 跨境电商出口通关模式

（1）跨境贸易电子商务（9610）模式

主要用于小包裹、多品名、高频次发货的 B2C 订单，采用“清单核放、汇总申报”模式办理通关手续。适用于境内个人或电商企业通过电商交易平台实现交易，采用“清单核放、汇总申报”模式办理通关手续的电子商务零售进出口商品。跨境电商企业或其代理人、物流企业通过中国国际贸易单一窗口或跨境电商通关服务平台将“三单信息”实时传输给海关，海关通关后，商品以邮递、空运等方式运送出境，具有链路短、通关时效快、成本低、更灵活等特点。例如，在亚马逊从事日用品百杂销售的电商卖家，在产生购买订单后，根据平台订单信息，安排商品分拣、打包、报关，并通过国际物流将商品送达国外消费者手中，这时候可以选择 9610 出口模式。

（2）跨境电商 B2B 直接出口（9710）模式

跨境电商 B2B 直接出口（9710）模式是指境内企业通过跨境电商平台与境外企业达成交易后，通过跨境物流将货物直接出口送达境外企业，并向海关传输相关电子数据的模式。具备简化报关流程、降低参与国际贸易门槛、提高效率的优势。

例如，某汽车销售公司在阿里巴巴国际站跨境电商平台接到境外企业的采购订单后，从国内将车辆通过国际物流运输至境外公司的目的地。这时候，该汽车公司可采用 9710 模式。

（3）跨境电商出口海外仓（9810）模式

跨境电商出口海外仓（9810）模式指境内企业将出口货物通过跨境物流送达海外仓，通过跨境电商平台实现交易后从海外仓送达购买者，并向海关传输相关电子数据的模式。其“单未下、货先行”模式能够缩短物流时间，提高跨境电商货物送达和售后效率。常见于采用亚马逊 FBA 模式或海外仓出口的企业。例如，经营美国站点的亚马逊 FBA 卖家，申请了亚马逊海外仓备案，将货物先从国内运输至美国亚马逊的运营中心，待买家在美国亚马逊下了订单后，货物就由亚马逊运营中心分拣、打包并通过物流运输至消费者手中。这时候，卖家可选择 9810 模式。

（4）保税跨境贸易电子商务（1210）模式

企业将国内货物批量暂存至海关特殊监管区域或保税物流中心内，通过电商平台对外分拆销售，海外消费者在电商平台下单购买后，电商平台将匹配库存成功的订单信息发给海关，审核通过后由物流公司将商品从区域（中心）运输至海外消费者中。货物入区（中心）即可享受退税政策，优化物流成本并缩短时效。例如，某企业将国内一批电子产品批量报关存入海关特殊监管区域或保税物流中心进行存储。海外消费者在电商平台上下单生产订单后，电商平台将这批电子产品的订单信息发给海关，海关审核通过后，商品从区域（中心）出库，由物流公司配送到海外消费者手中。这时候选用的就是 1210 模式。

（5）市场采购（1039）模式

小规模、多品种的小商品拼箱出口，是中国外贸订单的重要组成部分，1039 模式正使中小微商户开展这类出口贸易变得更简单。1039 模式专门针对市场多品种、小批量、多批次的交易方式，由符合条件的经营者在经认定的市场集聚区内采购的、单票报关单货值不超过 15 万美元，并在指定口岸办理出口商品通关手续的贸易方式，执行增值税免征免退，允许不具有进出口经营权的商家直接结汇，为小商品便捷出口国际市场提供了合法通道。1039 模式免增值税、通关便利、收汇灵活等特点，适合单小、货杂、品种多的无票出口贸易。

2. 跨境电商进口通关模式

（1）保税跨境贸易电子商务（1210）模式

保税跨境贸易电子商务（1210）模式适用于境内个人或电子商务企业在经海关认可的电子商务平台实现跨境交易，并通过海关特殊监管区域或保税监管场所进出的电子商务零售进出境商品。1210 模式用于进口时仅限经批准开展跨境贸易电子商务进口试点的海关特殊监管区域和保税物流中心（B 型），即“保税备货”模式。电商企业先将海外商品批量运输至国内的保税区或保税物流中心进行存储，当国内消费者在电商平台下单后，商品直接从保税区发货，经过海关清关后配送给消费者。该模式能够缩短配送时间，提高消费者购物体验；可实现批量运输，降低物流成本。

（2）保税跨境贸易电子商务 A（1239）模式

保税跨境贸易电子商务 A（1239）模式主要适用于天津、上海、重庆、合肥、郑州、广州、成都、大连、宁波、青岛、深圳、苏州 12 个城市试点的跨境电商网购保税进口业务，这些城市适用 1239 模式开展跨境电商保税进口业务，不执行首次进口许可批件、注册或备案要求。该业务模式同样属于保税备货模式，与 1210 模式类似，区别在于适用范围和相关政策要求有所不同。该模式在政策上给予了一定的便利，有助于电商企业更灵活地开展业务，促进跨境电商进口的发展。

（3）跨境贸易电子商务（9610）模式

跨境贸易电子商务（9610）模式适用于境内个人或电商企业通过电商交易平台实现交易，并采用“清单核放、汇总申报”模式办理通关手续的电子商务零售进出口商品。虽然 9610 模式既用于出口也可用于进口，但在进口场景下，它更侧重直邮进口模式。在此种业务模式下消费者在境外电商平台购买商品后，商品直接从境外通过国际物流运输到国内，以个人物品形式向海关申报清关。此模式对于电商企业的优势在于无须提前备货，减少了库存压力和资金占用。

案例 8-2　菜鸟国际物流业务介绍

菜鸟是全球最大的跨境电商物流企业，拥有全球最大的物流网络之一。2023 财年跨境包裹总量超过 15 亿件，并服务超过 100 000 个商家及品牌。凭借全球端到端网络及科技能力，菜鸟国际物流专注为电商市场打造一系列颠覆性的解决方案，为客户提供集运输速度、服务质量和成本效益的独特组合，助力加速全球电商增长。主要提供三大服务：跨境快递、国际供应链和海外本地物流服务。

一、跨境快递

菜鸟跨境快递为全球客户提供一体化端到端的全链路跨境快递解决方案，致力于“中国走向全球”和“全球走向中国”的跨境包裹运输。到 2022 年，菜鸟已经是全球跨境包裹量最大的物流企业。菜鸟主要为中国进出口商家、品牌及电商平台提供一体化端到端跨境快递解决方案，包括一系列优先、标准及经济型产品，旨在满足客户对运输时间、成本、目的地及任何特殊处理要求的不同需求。菜鸟的服务模式高度灵活且适应性强，能够同时满足电商平台的平台模式及全托管服务模式。

（一）合作案例——速卖通

早在 2014 年，菜鸟就开始帮助全球速卖通平台上的跨境中小商家提供适用性强的跨境快递服务，针对不同客户需求菜鸟推出多种时效、服务优质、成本更低的组合产品矩阵，并不断开发创新解决方案。为支持速卖通的国际物流服务，菜鸟升级了全球智慧物流网络和端到端能力，并利用包机和海外仓提高直运能力，支持各种创新业务模式，包括全托管。利用算法技术，送货到仓、跨仓库订单整合和波次处理，以进一步缩短配送时间并确保高峰需求期间可比的配送速度。

（二）合作案例——Lazada

菜鸟联手 Lazada 深耕东南亚物流市场，凭借广泛覆盖的物流基础设施、领先的数智物流技术以及高质量的运营服务，为 Lazada 以及其他平台商家，提供跨境小包、大包、仓发等跨境电商物流解决方案，涵盖跨境及海外本地多场景的“端到端”全链路物流服务，助力商家开拓东南亚市场，更好实现国货出海。

二、国际供应链

依靠强大的全球端到端网络、全链路可追踪的数字化能力、品质有保证的服务体验和深耕商贸物流的经验沉淀，菜鸟国际供应链为全球客户提供一站式、差异化的全球供应链解决方案。

从全球走向中国，菜鸟为海外品牌和商家提供全球库存管理和全渠道订单履约，涵盖保税、货运、海外仓等全链路 B2B/B2C 物流服务。凭借保税仓网能力及秒级清关能力，帮助全球品牌快速进入中国零售市场。

从中国走向全球，菜鸟也为寻求进军全球市场的快消、家电家具和汽车零部件等行业的中国制造商和品牌提供海外仓发、货运代理等从中国到全球的一站式供应链解决方案，使商家能够以高效且经济的方式接触海外消费者。

（一）服务场景覆盖

（1）保税业务主要为国际品牌和商家提供跨境电商一站式 B2B/B2C 物流服务，包括商品入境前海关和商检备案服务等一站式物流服务、保税仓储服务及订单履行作业、国内配送服务等。

（2）海外仓业务主要为为中国出口商家提供海外仓储管理、仓发、本地配送、物流纠纷处理、售后赔付等一站式物流解决方案，离海外消费者更近，时效更快，仓内服务更有保障。

（3）货运业务主要为中小企业跨境 B2B 业务提供海运、空运、陆运以及多式联运的物流解决方案，提供全球多个国家/地区到港、到门服务，海运航线覆盖能力全国屈指可数。

（二）定制增值服务

（1）跨境一盘货服务/菜鸟中心仓。菜鸟为商家打造的具备极致性价比的跨境物流枢纽服务，助力商家管理多渠道备货，存储、中转、发货。目前菜鸟已在全国保税口岸及我国香港地区开通多个中心仓，支持冷链、宠粮、OTC 等特殊品类存储要求，并提供跨境转大贸服务。

（2）跨境一盘货服务/多平台发货。菜鸟系统直连多个跨境电商平台，为商家提供多平台 B2C 一件代发业务，同仓共享库存，库存利用率高。

（3）定制仓储和小样礼盒服务。菜鸟特别为宠粮、水奶、美瞳等 SKU 复杂的商品推出专属保税仓，布局在全国多个核心城市。通过菜鸟沉淀的智慧产品和系统能力，可以为进口商家和消费者提供多规模化的个性定制服务，包括保税进口商品的礼盒、赠品服务，帮助商家大幅提高售罄率。

三、海外本地

菜鸟在重点国际市场成功复制了为中国开发的能力和创新服务，推出海外本地物流服务。主要包括海外本地仓储、首公里提货、分拨分拣、干线运输、“最后一公里”配送、末端自提等海外快递和海外供应链服务。菜鸟主要为西班牙、法国、波兰等特定国际市场和地区的商家和消费者提供本地配送和供应链服务，这些本地能力已整合到菜鸟的全球网络中，为未来拓展“全球互通”的电商物流奠定基础。

资料来源：菜鸟官方网站

时间：2025-01-14

网址：https：//www.cainiao.com/global-express.html?spm=a2d524.29202944. header.6.70a839c5bnjztZ

请结合以上案例以及本任务模块内容分析以下问题：

1. 菜鸟推出多种跨境电商物流渠道，满足不同客户需求，请总结菜鸟国际物流如何通过多样化的跨境快递服务满足不同客户的需求。

2. 菜鸟国际物流如何通过国际供应链服务为全球客户提供一站式、差异化的解决方案？

3. 从菜鸟国际供应链的服务场景覆盖和定制增值服务角度，分析其如何满足不同类型跨境电商商家对于物流路径及仓储方式的多样化需求。

【行业前沿】

海关总署关于进一步促进跨境电商出口发展的公告

为贯彻党中央、国务院关于加快跨境电商新业态发展以及中央经济工作会议关于拓展跨境电商出口的部署，认真落实党的二十届三中全会精神，进一步促进跨境电商高质量发展，海关总署就优化跨境电商出口监管措施公告如下：

一、取消跨境电商出口海外仓企业备案

开展跨境电商出口海外仓业务的企业，无须向海关办理出口海外仓业务模式备案，不再执行海关总署公告 2020 年第 75 号中“三、企业管理”项下第二款“开展出口海外仓业务的跨境电商企业，还应当在海关开展出口海外仓业务模式备案”的要求。企业在申报环节仍需向海关传输订仓单电子数据，并对真实性负责。

二、简化出口单证申报手续

跨境电商零售出口和企业对企业出口清单申报前，跨境电商企业或其代理人、物流企业应当分别通过中国国际贸易单一窗口或跨境电商通关服务平台向海关传输交易、物流等电子信息，无须传输收款单电子信息，并对数据真实性承担相应法律责任。

三、扩大出口拼箱货物“先查验后装运”试点

在上海、杭州、宁波、厦门、青岛、郑州、武汉、长沙、广州、黄埔、成都、西安海关等 12 个直属海关开展出口拼箱货物“先查验后装运”监管模式试点。允许跨境电商出口货物以散货形式进入海关监管作业场所（场地），先行接受海关查验，然后根据实际需求灵活拼箱装运。海关监管作业场所（场地）需建立货物入场、上架、装箱以及海关监管作业场所（场地）至口岸的物流运输等各环节信息实时采集系统，实现全流程信息化管理，并与海关联网实时传输相应数据。

四、推广跨境电商零售出口跨关区退货监管模式

在北京、天津、大连、哈尔滨、上海、南京、杭州、宁波、合肥、福州、厦门、南昌、青岛、郑州、长沙、广州、深圳、黄埔、成都、乌鲁木齐海关等 20 个直属海关开展跨境电商零售出口跨关区退货监管模式试点。允许跨境电商零售出口（9610）模式退货商品跨直属关区退货，退货商品应当退至开展跨境电商零售出口业务的海关监管作业场所（场地）。开展跨境电商零售出口跨关区退货业务的企业应规范经营，具备企业生产作业系统数据并向海关开放或与海关信息化系统对接。

资料来源：中华人民共和国海关总署官方网站

时间：2024-11-25

网址：http: //www.customs.gov.cn/customs/302249/zfxxgk/zfxxgkml34/6309806/index. html

【课后习题】

一、单项选择题

1.（ ）是指签订自由贸易协定两个或两个以上的主权国家或单独关税区，通过签署协定，在 WTO 最惠国待遇的基础上，相互进一步开放市场，分阶段取消绝大部分货物的关税和非关税壁垒，改善服务和投资的市场准入条件，从而形成的实现贸易和投资自由化、涵盖各成员全部关税领土的特定区域。

A. FTA　　B. FTZ

C. 自由港　　D. 自由港区

2. 2013 年 9 月 27 日，国务院批复成立（ ）是我国首个自由贸易园区，同时是我国第一批设在境内关外的自贸区。

A. 中国（上海）自由贸易试验区　　B. 中国（广东）自由贸易试验区

C. 中国（浙江）自由贸易试验区　　D. 中国（天津）自由贸易试验区

3. 根据《国务院办公厅关于印发加快海关特殊监管区域整合优化方案的通知》要求，新设立的海关特殊监管区域统一命名为（ ），并在此基础上进一步整合功能、政策和管理。

A. 保税区　　B. 保税港区

C. 综合保税区　　D. 海关监管作业场所

4. 跨境电商出口海外仓模式的监管代码是（ ）。

A. 9610　　B. 9710

C. 9810　　D. 1210

二、多项选择题

1. 我国保税制度按照适用产业可以分为（ ）。

A. 保税加工制度　　B. 保税生产制度

C. 保税服务制度　　D. 保税物流制度

2. 以下属于我国海关保税监管制度特点的有（ ）。

A. 多头管理　　B. （手）账册管理

C. 保税核查　　D. 监管延伸

3. 以下属于保税制度设置的作用的是（ ）。

A. 开拓国际市场　　B. 增加外汇收入

C. 促进国际外交　　D. 实行贸易保护

4. 以下属于我国海关监管货物范畴的是（ ）。

A. 一般进出口货物　　B. 保税货物

C. 减免税货物　　D. 过境、转运、通运货物

5. 以下属于保税货物特征的有（ ）。

A. 适当减税　　B. 特定目的

C. 暂免纳税　　D. 流向不定

6. 以下属于海关特殊监管区的是（ ）。

A. 综合保税区　　　　B. 珠澳跨境工业区

C. 出口加工区　　　　D. 保税区

7. 按物流路径及仓储方式分类，可以将跨境电商物流分为（ ）。

A. 直邮模式　　　　B. 自建物流模式

C. 海外仓模式　　　　D. 边境仓模式

三、简答题

1. 简述海关监管货物分类。
2. 简述保税物流与一般物流的区别。
3. 简述跨境电商物流概念和特征。
4. 简述跨境电商物流模式分类。

【实战训练】

【实训目的】

1. 通过分析不同物流渠道的特点，理解跨境电商物流的核心模式（如国际快递、专线物流、海外仓发货等）及其适用场景。

2. 通过制定主辅结合的物流方案，提升在实际业务中综合运用物流知识解决问题的能力。

3. 提升团队协作能力：通过团队合作完成任务，锻炼学生的沟通、分工与协作能力。

【实训内容】

某跨境电商企业计划借助 TikTok 平台，将某品牌国产智能便携式投影仪销售至美国市场。假设你作为该企业的物流岗实习生，需要针对不同物流渠道进行比较分析，为企业制定合理的物流方案。

商品名称：智能便携式投影仪。

单机包装后尺寸：长 20 cm×宽 15 cm×高 8 cm。

重量：单机 0.8 kg，含包装 1.2 kg。

商品价值：每台 200 美元。

产品特性：属于电子产品，包含内置锂电池，对运输环境的温度、湿度有一定要求，在运输过程中需避免剧烈震动。

目标市场：美国（主要销售区域为加利福尼亚州、得克萨斯州、纽约州）。

销售平台：TikTok（计划通过达人合作直播带货以及品牌自播两种方式进行销售）。

销售周期：全年销售，销售旺季集中在第四季度（10—12 月），预计旺季月销量可达 8 000～10 000 台。

物流需求与限制：从中国发货至美国消费者手中，平均配送时间不超过 10 个自然日，旺季期间不超过 15 个自然日。

成本预算：物流成本占商品售价的比例控制在 10%以内。

合规要求：确保所选物流渠道符合中美两国关于电子产品，特别是含锂电池产品的进出口法规及运输安全标准。

结合以上实训背景，完成以下实训内容：

（1）物流渠道分析：利用定性定量结合的方法，分析至少 3 种适合智能便携式投影仪的跨境物流渠道（如国际快递、专线物流、海外仓发货等），从运输时效、运输成本、货物安全性、操作便利性、海关清关能力等方面进行详细比较。可选物流服务商包括 DHL、FedEx、UPS、菜鸟物流、京东物流、云途、燕文物流、亚马逊 FBA、万邑通等。

（2）物流方案制定：结合产品特性、市场销售信息以及物流需求与限制，评估每种物流渠道的优势与劣势，制定一套主辅结合的物流方案，明确淡季和旺季的主要物流渠道及备用渠道，并说明选择理由。

（3）物流服务质量分析：分析物流服务质量对 TikTok 平台产品销售和品牌形象的影响，提出提升物流服务与客户体验的建议。

【实训要求】

1. 本实训任务需以团队形式完成，每组 4～5 人，团队成员需明确分工，具体分工如下：

组长：负责整体方案的设计与协调，确保任务按时完成。

物流渠道分析员：负责分析 3 种物流渠道的优劣势，并撰写相关报告。

物流方案设计员：负责制定主辅结合的物流方案，并说明选择理由。

客户体验分析员：负责分析物流服务质量对产品销售和品牌形象的影响，并提出改进建议。

风险应对分析员：负责分析突发公共卫生事件对物流方案的影响，并提出应对措施。

2. 每组需提交一份完整的实训报告，报告需逻辑清晰、数据翔实、结论明确。

参考文献

[1] 钟聪儿. 国际物流与货运代理[M]. 厦门：厦门大学出版社，2021.

[2] 郑俊田. 国际物流与运输[M]. 北京：中国海南出版社，2018.

[3] 许丽洁. 国际物流与货运代理从入门到精通[M]. 北京：人民邮电出版社，2020.

[4] 顾永才，高倩倩. 国际物流与货运代理（第六版）[M]. 北京：首都经济贸易大学出版社，2023.

[5] 田振中，王红梅. 国际物流与货运代理[M]. 北京：清华大学出版社，2019.

[6] 龙桂先. 国际物流与货运代理实务（第 3 版）[M]. 北京：机械工业出版社，2022.

[7] 张良卫. 国际物流实务（第 3 版）[M]. 北京：电子工业出版社，2019.

[8] 田振中，王红梅. 国际物流与货运代理[M]. 北京：清华大学出版社，2019.

[9] 史成东，李辉，郭福利. 国际物流学[M]. 北京：北京理工大学出版社，2017.

[10] 杨长春，顾永才. 国际物流（第六版）[M]. 北京：首都经济贸易大学出版社，2018.

[11] 刘萍. 电子商务物流（第 4 版）[M]. 北京：电子工业出版社，2021.

[12] 宋光，穆东. 国际物流[M]. 北京：清华大学出版社，2019.

[13] 陈言国. 国际货运代理实务（第 2 版）[M]. 北京：电子工业出版社，2022.

[14] 杨长春，顾永才. 国际物流（第八版）[M]. 北京：首都经济贸易大学出版社，2023.

[15] 袁红兰，秦明. 国际货运代理实务[M]. 上海：同济大学出版社，2023.

[16] 蒋浩天. “一带一路”背景下中欧班列的发展[D]. 北京：外交学院，2021.

[17] 陈碎雷. 跨境电子商务物流实务[M]. 电子工业出版社，2018.

[18] 王刚. 漫谈保税加工、保税物流、保税服务及保税制度[J]. 中国海关，2022（2）：46-50.

[19] 史成东，李辉，郭福利. 国际物流学[M]. 北京：北京理工大学出版社，2016.

[20] 姚大伟，朱慧茹. 国际货运代理实务（第二版）[M]. 北京：高等教育出版社，2022.

[21] 陈璇，韩雪. 跨境电商物流[M]. 北京：机械工业出版社，2022.

[22] 国务院办公厅关于印发加快海关特殊监管区域整合优化方案的通知.

[23] 中华人民共和国海关保税港区管理暂行办法（海关总署第 164 号令）.

[24] 中华人民共和国海关综合保税区管理办法（海关总署第 256 号令）.

[25] 中华人民共和保税区海关监管办法.

[26] 中华人民共和国海关对出口加工区监管的暂行办法.

[27] 中华人民共和国海关进出口货物查验管理办法（中华人民共和国海关总署令第 138 号）.

[28] TIR 证签发流程与管理办法.